Review of Evolutionary Economics and Economics of Innovation

演化与创新经济学评论

2022年第1辑（总第26辑）

教育部人文社会科学重点研究基地清华大学技术创新研究中心　主办
中国演化经济学年会　协办

科学出版社
北京

内 容 简 介

《演化与创新经济学评论》由陈劲教授（主编）与王焕祥博士（执行主编）于 2008 年共同创办、中国演化经济学年会协办，是国内唯一一份致力于介绍演化与创新经济学理论、方法、应用及最新发展的集刊，与国际期刊《演化经济学杂志》（SSCI）、《制度经济学杂志》（SSCI）长期合作，演化与创新经济学界的知名学者纳尔逊教授、伦德瓦尔教授、霍奇逊教授、陈平教授、贾根良教授等为本集刊特约编委与撰稿人。

本集刊以“倡导学术创新、彰显学术自由”为宗旨，力求为中外学者就演化与创新经济学的重大理论及其应用问题的讨论与对话提供一个平台，也为展示我国学者的相关研究与思想提供一个机会窗口。

本集刊可为公共政策制定者提供新的视野与借鉴，可供政府产业与科技等管理部门、企业高级技术主管、大学与科研院所的科研管理与科技工作者参考，尤其适合作为管理学、经济学等社科专业的硕士研究生及博士研究生的参考用书，对于想了解和深入研究演化与创新经济学的读者也是不可或缺的参考资料。

图书在版编目（CIP）数据

演化与创新经济学评论. 2022 年. 第 1 辑：总第 26 辑/教育部人文社会科学重点研究基地清华大学技术创新研究中心主办；中国演化经济学年会协办. —北京：科学出版社，2022.7

ISBN 978-7-03-071526-5

Ⅰ. ①演… Ⅱ. ①教… ②中… Ⅲ. ①经济学－文集 Ⅳ. ①F0-53

中国版本图书馆 CIP 数据核字（2022）第 027576 号

责任编辑：陶　璇 / 责任校对：王晓茜

责任印制：张　伟 / 封面设计：无极书装

科 学 出 版 社出版

北京东黄城根北街 16 号

邮政编码：100717

http://www.sciencep.com

北京虎彩文化传播有限公司印刷

科学出版社发行　各地新华书店经销

*

2022 年 7 月第　一　版　开本：787×1092　1/16

2022 年 7 月第一次印刷　印张：10 1/2

字数：243 000

定价：168.00 元

（如有印装质量问题，我社负责调换）

编辑部联系方式

电话：0086-10-62792422

邮箱：ei_review@tsinghua.edu.cn

摘　要

《演化与创新经济学评论》致力于近些年来在国际学界蓬勃发展的演化经济学以及该理论范式主导下的创新经济学，展现中国学者在这一新的经济学研究范式中取得的进展，为中外学者就演化经济学的重大理论及其应用问题的讨论提供平台。

呈现在读者面前的这本专辑收录的论文，内容涉及经济认知制度，自然演化观视角下的制度和人性的演化，从创造性破坏范式失衡到共同富裕情境下创新的政治经济学分析，克里斯·弗里曼的学术思想、影响与启示，以日本废藩置县为例的制度变迁、交易成本与国家能力分析，开放式创新研究的最新进展以及中国情境下的研究框架，创新环境视角下大学科研能力与区域创新能力关系的实证研究，以色列创新生态系统的特征及其启示，中国生物医药行业创新网络动态演化的纵向研究，马斯克的创业案例及其启示等理论命题与实践问题。

本专辑突出了国内外广泛关注的演化及创新经济学的基本理论及其在特定领域内的应用等重要学术前沿话题，也与我国制度创新深化与自主创新战略这两大实践主题相呼应。

本专辑可为公共政策的制定者提供学理思考与借鉴，可作为政府科技领域的高层领导、企业高级技术主管、大学与科研院所的科技工作者的参考，尤其适合作为管理学专业、经济学专业硕士研究生及博士研究生的参考用书，对于想了解和深入研究演化与创新经济学的读者也是不可或缺的参考资料。

目　录

经济认知制度

Enrico Petracca，Shaun Gallagher；杨梅华译，郎玫校

摘要：文章引入“认知”制度概念并讨论其与制度经济学的相关性。认知制度的概念建立在思维哲学对扩展思维定义的基础之上，并使之得以在社会、制度和规范性这三个维度有所拓展。认知制度不仅是使行动者在社会领域实施特定认知过程的制度，而且更重要的是，没有认知制度，一些行动者的认知过程将不存在或者不可能。外在主义扩展思维的观点已经在制度经济学中产生了一些影响：阿瑟·丹泽（Arthur Denzau）和道格拉斯·诺斯（Douglass North）首次依据“共享心智模型”引入制度概念进行理解，与此相关的是，哲学家安迪·克拉克（Andy Clark）介绍了“架构性制度”这一术语。本文讨论共享心智模型和架构性制度，同时揭示认知制度概念可以描述经济制度很多根本性的问题，进而使相关研究有更进一步的发展。尤其是，本文特别将市场视为一种经济认知制度。

关键词：认知制度　市场制度　哲学外部性　社会扩展思维

中图分类号：F069.9

一、导　　语

近年来在制度研究的概念差异上，社会科学家和哲学家展开了丰富的讨论。Hindriks 和 Guala（2015：460）认为“用新思维研究文献的学者可能会有这样的看法，即哲学家和社会科学家在讨论制度时，是在讨论两个完全不同的事物”。基于这一论断，他们提倡“关注社会世界本体的哲学家和科学家之间形成越来越密切的合作”（p.478）。这一提议接下来的方向应该聚焦在社会科学和哲学人类思维研究中的共同兴趣上。经过几十年“愚蠢的”经济学后，行为经济学的广泛传播使社会科学家和经济学家越来越意识到“坚持，知道或不知道，对一个特殊的思维哲学而言，可以对经济学的本体论产生重大影响”（Markey-Towler，2016：203）。这一觉醒将成为本文观点的支撑，本文将从思维哲学和它的多重性来揭示社会科学和经济学中制度的本体论。

尽管思维哲学理解经济制度的潜力目前还没有被充分挖掘，但是认为制度经济学和

作者简介：Enrico Petracca，意大利博洛尼亚大学经济管理和统计学院、美国孟菲斯大学哲学系；Shaun Gallagher，澳大利亚伍伦贡大学法学、人文和艺术学院。杨梅华，石河子大学法学院副教授，研究方向为地方政府创新；郎玫，兰州大学管理学院教授、博士生导师，研究方向为地方政府创新。

思维哲学是两个互不相关的领域是错误的。Searle（1995，2010）将制度定义为“基本规则”对制度经济学发展的重要性不容忽视。然而，本文在思维哲学和经济学之间发现了一个不同的连接点，并且认为它大有可为且值得深入研究。这一连接点源于制度经济学家Douglass North和思维哲学家Andy Clark在经济制度概念化上的合作。在20世纪90年代和21世纪初，North和Clark在思维哲学上称作“外部性”的基础上建立经济制度的概念。也就是说，这一观点不将思维的本体局限于个体的头脑，而是强调思维和环境的一些基本关系。这一外部性观点的基础是Clark和哲学家David Chalmers提出的“扩展思维”假设（Clark，2008；Clark and Chalmers，1998）。本文认为，令人信服的制度定义关键依赖于认真对待外部立场，同时本文将此视为制度理论中打开研究整体纲领的一个方式[①]。就此而言，这一研究纲领意味着替代制度理论中或多或少显示出了内在主义立场，Searle的观点是内在主义立场的一个重要代表。从这点出发，可以认为Searle关于方法论上的个人主义回避了（但是最终摒弃了）制度理论中的外部性：

方法论上个人主义定义使我回避了一个问题，那就是关于思维哲学的“外部性”。事实上，我认为，精神状态全部在头脑里，但是很多当代哲学家认为精神状态的内容并不只在头脑中，并且包括，比如说，与真实世界和周围社会的偶然联系。我认为这些观点不正确，但是基于调查目的，我没有必要反驳他们。我简单地坚持所有的精神现实都是在个体思维之中。这与认为精神内容和思维不在头脑中的理论是一致的，尽管恰好我也认为这一理论是不成立的。（Searle，2005：21）

与之相反，为了回避方法论上的个人主义，并且加强外在性观点在制度经济学中的影响，本文引入“认知制度”（或者“精神制度”这一概念）（Gallagher and Crisafi，2009）。这一概念建立在被称作“社会扩展思维”（Gallagher，2013）的外在性假设基础之上。社会扩展思维超越了Clark和Chalmers扩展思维的有限例子，他们举的例子仅涉及狭隘的有意识的对加工品和工具的认知（比如说在做数学题时钢笔和纸将扩展思维，或者能帮助我们解决诸如导航陌生城市这类问题的科技产品），社会扩展思维坚持将制度化的社会实践和更宽泛的社会互动视为认知扩展的合法化。

本文结构如下：第二部分讨论将North和Clark联系起来的制度经济学接口，肯定了Denzau和North提出的“共享心智模型”和Clark提出的“架构性制度”，强调这两者可以被视为制度经济学基础中外部性正在增加的例子。第三部分引入“认知制度”概念，并分析其基本特点。尤其是，揭示了不同类型的扩展性认知可以通过功能整合和任务依赖性两个主要维度进行分类，同时描述了认知制度丰富的本体论。第四部分表明认知制度可以帮助解决制度经济学中的基础性问题，这一部分将市场作为经济认知制度进行讨论。

---

① Guala（2016）在制度的哲学基础的背景之下讨论“外部性含义”。

二、制度经济学的外部性接口：共享心智模型和架构性制度

（一）Denzau 和 North：共享心智模型

通过区分内部性和外部性的视角，Denzau 和 North（1994）提出将制度作为“共享心智模型”的定义是介于两极之间的，这一定义已广为人知。一方面，心智模型——粗略地被视为在人的思维中对外部世界的反映，无论它们多么精确和可信——在思维哲学中属于显著的内部性立场（Fodor，1981）。另一方面，为了形成制度，这些心智模型必须被共享，首先采取的措施可能就是对制度的外部性理解。然而，它依赖于“共享”要求如何被诠释。Denzau 和 North 播下的外部性种子在制度经济学文献中很少被研究，但是，在本文看来这是进一步论述的最具希望的出发点。任何一个前制度阶段中典型的不确定性来自反映个体学习过程的代表性环境（Denzau and North，1994：3-4）。也就是说，心智模型通过个体处理环境的独特方式被共享了。在这种情况下，这样的假设是合理的：具有共同的文化背景和经历的个体将共享同一的心智模型、意识形态和制度；并且具有不同的学习经历（无论是文化还是环境）的个体将会有诠释环境的不同理论（模型、意识形态）。如此一来，个体被一致认为成为群体，这一群体在适应环境过程中形成了共同的心智模型，从“个体”到“共享”心智模型的转换几乎可以认为是完全由外部环境和环境压力所决定的。

一旦制度化完成，共享心智模型将以两种方式运行：作为意识形态或作为制度。意识形态更接近于共享心智模型的“心智的”和“内在的”维度，因为它们组成了个体群拥有的共享心智模型的框架，这一共享框架既提供了对环境的诠释，也提供了涉及环境如何被建构的良方。换句话说，恰好处于相似环境的个体共享世界观（在信念、判断、规定等的意义上）。另外，制度与心智维度相距较远，因为制度是意识形态具体化的方式。在 North 关于制度的有名的定义之后（North，1990：3-4），制度被看作“社会博弈的规则，并且由规范个人交互关系的正式和非正式约束组成”（Denzau and North，1994：4）。通过使用思维哲学中的一个关键特点，可以说，思维形态是“内容”，而制度是被共享的“工具”。Denzau 和 North 将内部/外部的协调设置为一种启发式的引导，这与以下解释相吻合：心智模型是个体创建出来用以解释环境的认知体系的内在表现；制度是个体创建出来用以构建和适应环境的外在（相对于思维）机制。

在既定的制度环境中，在个体每次遇到不确定性时，个体心智表现持续发挥着密切相关的作用。比如说，在制度上稳定而本质上又不确定的情境中，可能会发生像双边或多边讨价还价的情况（Clark，2005：10）。相反，在变化的环境中，心智模型形成的过程再次集体性地开始（North，2005）。一般情况下，当环境极其复杂并且结果很难预料时，心智模型更被需要（Arthur，1992）。在稳定环境中，环境复杂性可能引发异质性的心智模型，不稳定的环境有助于引发共同的心智模型形成的过程。North 作为制度理论学者，其研究方向与更多关注制度化国家的宏观属性（比如说可以从 North 和霍

奇逊 2006 年的通信中看出来）相比，较少关注个体决策过程的微观动态。这与他将制度定义为适应社会生活所需规则和约束的宏观背景是相反的。在下一部分中，我们将看到 Clark 的立场，尽管他在很多方面与 North 的观点十分相似，但是他更关注个体和制度化结构之间的微观动态性互动。

（二）Clark：扩展思维假设和架构性制度

1. 扩展思维假设

在讨论 Clark 的架构性制度概念之前，基础是介绍扩展思维假设，因为它建立在这一假设之上。反过来，这一讨论是后面介绍“社会扩展思维”概念的基础，因为“认知制度”建立在“社会扩展思维”之上。如前所述，扩展思维假设最早是 Clark 和 Chalmers（1998）引入的，并且基于“平等原则”：当我们面临一些任务时，如果世界的一部分作为这样一个过程运行：不管它在头脑中如何，我们毫不犹豫地将之作为认知过程的部分，那么世界的这一部分（我们认为）就是认知过程的部分（Clark and Chalmers，1998：8）。

举一个广为人知的例子，考虑数学计算的任务。个体可以利用头脑中内在认知能力的单一力量做数学题，或者可以借助笔和纸。平等原则大概是指笔和纸与大脑中的神经元起着同样的功能性作用，也就是说，作为认知过程的工具，它们应该被视为平等的认知体系的组成部分。Clark 和 Chalmers 举的另一个著名的例子是奥托（Otto）和因加（Inga）。因加是一个非常健康的人，她用自己的记忆去记不同类型的信息；相反，奥托是早期阿尔茨海默病患者，并且和其他有相同情况的病人一样用外部设备，如笔记本，去存储和找回他内在记忆不能储存和处理的信息。平等原则是说奥托的笔记本和因加的内在记忆在功能上是平等的，像奥托（外部）的笔记本这样的认知过程的功能性工具应该与因加的神经元等量齐观。

神经元和外部设备功能上的相似已经引来多种多样的评判。最简明的是反对设计“认知膨胀”（Rupert，2004）并且关注“心智”状态对外部世界很多东西的通胀性分配，这样会使我们在考虑心智过程中直观地觉得不舒服。对于什么可以视为思维和什么不能视为思维，我们如何进行界定呢？用 Adams 和 Ayzawad 的话来说，“心智的标识”有什么特点呢？讨论奥托和因加的例子是为了辨别出可以视为记忆扩展的“非生物候选人”，Clark（2008：79）与通过对超出功能性平等的扩展性显示更有限制性的标准的批评对话：

（1）资源可靠地获取和具有代表性地提及……

（2）找回的任一信息能够差不多被自动认可。它不能经常性地遭受批判性的检查（例如，不同于其他人的观点）。它应该被认为像从生物记忆里取回的东西那样值得信任。

（3）资源中包含的信息当有需要时应该能轻易获取。

Clark 进一步承认平等原则并不要求内部和外部过程严格的“相似性”。在某些情况下，头脑中的和外部世界中的是明显不同的东西。这引发了“第二波”（Sutton，2010）关于扩展思维的研究，这波研究以聚焦“认知整合”（Menary，2007）而不是内外资源的“功能相似性”为特征。换句话说，“关注点不在于内外部资源是否或多大程度上有共同点，而在于它们在驱动智力上的想法和行动时是如何共同作用的”（Sutton et al.，2010：525）。近年来，扩展思维假设的定义有了另一个步骤，这产生了以“社会扩展思维”为标签的“第三波”研究，在第三部分中进一步讨论。接下来，讨论Clark将扩展思维假设应用到经济制度的观点，并且从中找出North制度观点的基础。

2. 架构性制度

然而，制度经济学忽视了North和Clark之间的合作。可能是由于他们没有共同署名的作品。这种合作只体现在他们交叉引用的文献和相互的致谢中。比如说，在最初的认知书中，North（2005）感谢Clark“因为他的长篇讨论深化了我对理解认知科学中很多关键问题的理解”。在Clark这边，他在其“架构性制度”文章中大量引用了North的观点（Clark，1997a，1997b）。所幸，仅仅是文本就能够表明二者之间明显的一致性。

与Denzau和North一样，Clark分析制度的出发点是个体对环境的认知适应。在这些环境中，Clark特别提到时间压力，可以把它看成Denzau和North提到的“不确定性”的自然对应物。然而，不同于Denzau和North的是，Clark并没有直接将心智模型作为焦点。心智模型在Clark的观点中仍然是一个重要支柱，但是分散在了关于他们综合性的、叙述得不太彻底的评论中。比如说，适应性有时候导致个体仅仅建立“多重的不完全的环境模型，而没有试图将信息聚合成一个连续的整体”（Clark，1997a：270）。在应对时间压力过程中，心智模型被认为没有启发式决策关键（Clark，2001）。此外，心智模型看起来并不是制度的原因，这也与Denzau和North的框架不同。对心智模型的较少强调和较少要求使其与North的制度定义明显不同，这意味着部分地去掉了个体与外部结构的联系。最后，对心智模型的较少依赖将有助于解决Denzau和North模型中内在的内部性-外部性矛盾，对于这一点，Dequech（2006）指出一些标志，并且Dequech（2013）尝试通过假定制度中共享的是“行为或想法的规则体系”（p.85）而不是心智模型来克服这一点。与North相比，这些述评足以将Clark视为更明显的外部主义者。

Clark的观点看起来不仅与Denzau和North的一致，而且与Satz和Ferejohn（1994）的一致，都考虑了Clark概括的如下问题：

考虑到传统（新古典）经济学的人类选择模型的严重心理非实在论特征，为什么它还是产生了至少适度成功和具有预测性的模型？比如说，针对企业行为的（在竞争形成价格的市场中）、针对政党的以及针对双方行动试验结果的。同样，从不太乐观的视角，为什么它不能解释大量的其他的经济和社会现象？（Clark，1997a：271）

这一问题的答案经历了两个设想的界定，一个是“弱限制性个体思考”，另一个是“强架构选择”（Clark，1997a：271）。弱限制性与强不确定性环境有些相同——比如Denzau和North提到的讨价还价例子——这些例子的结果是不能预测的，因为没有规则、惯例和激励等这些被称作“外部结构”的事物限制和驱使。在这类例子中，决定行为的主要是个体心理。在强架构选择的例子中则正好相反，“外部结构像过滤器和约束那般作用于可能的‘实在-时间’的反应空间”（Clark，1997a：269）。“新古典经济学只适用于强架构案例”，这一观点与Denzau和North（1994）、Satz和Ferejohn（1994）、Clark（1997a）是一致的。用Satz和Ferejohn的话来描述（Clark，1997b：182 曾引用过），听起来像经济学的一个悖论：“理性选择理论在选择被限制的情境中是最有力的。”为了证实弱限制/强架构间的区别，Clark指出他在竞争性市场中看到了市场供给和市场需求之间的对称性。在供给方，竞争性环境强大的压力引致企业最大化行为①。对企业而言，这使竞争性市场成为强架构选择。“相反，消费者行为理论（需求方）是弱化的和不太成功的。这是因为在消费者选择中个体的世界观和观点堪忧，并且外部架构相当弱”（Clark，1997a：273）。继而在他的分析中，Clark也承认架构不仅约束而且“扩大我们的知识视野”。然而，在这些例子中，心智模型和表现，主要通过语言的加工来实现，重新占据关键地位。Denzau和North也曾用过Clark的观点，当环境变化时，心智表现经历着“代表性的再描述”（Clark and Karmiloff-Smith，1993）。

如上所述，Clark的架构性制度对制度经济学家而言并不是特别新颖。Becker（1962）是最早承认新古典经济学有效是因为竞争压力削减了个体心理因素的地位的人之一。沿着这一观点，他也发现Geoffrey Hodgson的“敏感性行动者”和“非敏感性行动者”制度之间的概念性差别，前者是指这样的制度“如果一些行动者的偏好或倾向发生变化，现有平衡或惯例会在人格类型的可行组合中发生重大变化”（Hodgson，2006：16），后者则是指制度中的结构支撑并架构着个体选择，而不考虑个体心理。更进一步来说，在有关组织的文献中，组织安排确定个体思考的观点无处不在。例如，在一个有关我们目的特别明确的段落中，Kenneth Arrow认为在组织中“集体行动可以扩展个体理性领域”（Arrow，1974：16；Felin，2015）。

在Clark的框架中完全新颖的是将架构性制度定义视为扩展思维假设的一个例子。如他所言，在提到扩展个体思维的著名的钢笔和纸的例子时：

> 在我看来，制度、企业和组织共享着钢笔、纸和算术实践的关键属性的很多方面（Clark，1997a：279）。

然而，这不仅说明了Clark架构性制度研究需要继续进行，而且，更重要的是，它看起来与Clark对认知扩展的严格要求相反。在某种程度上，这也是提出“认知制度”概念以作为超越Clark对扩展思维的限制性解释的方式的诱因。

① 在Clark经济学的一些独创性中，企业经常是最大化利润的行动者。

三、认 知 制 度

（一）从社会扩展思维到认知制度

在一些分析中，“社会扩展思维”的概念代表着扩展思维的“第三次”研究（Cash，2013）。因此，它至少在两个方面批判了 Clark 最初的扩展思维概念。第一点涉及 Clark 关于限制性思维扩展的三个标准，因为它们似乎过于保守。一旦思维扩展原则上被接受，似乎就没有理由认为使用较少可用的、较少被自动认可的，以及较少可访问的资源进行工作比使用纸和笔或者笔记本或者计算器更为扩展了。举个例子来说，如果将一个人关于战略的深思熟虑视为认知的一种形式，似乎没有理由认为排除通过延伸资源（Clark 的第二个标准）获得的信息的批判性审查的自动认可是扩展认知的要求（进一步讨论见 Gallagher and Crisafi，2009：46-47；Gallagher，2013：5-6）。第二个批判点源自 Clark 的扩展思维，即它保留了思维主要是由心智模型和存储的心智代表的其他形式（信念、信息内容、建议的态度等）组成的。社会扩展思维则是按照活动和过程审视认知，如解决问题、决策、判断等。鉴于从常识本体论的角度反对社会扩展思维可能完全否认这一观点，本文在讨论过程中将在需要的时候进行重申。

这两个批判性观点有助于引入“认知”或“心智”制度的概念（Gallagher，2011，2013；Gallagher and Crisafi，2009）。就第一点而言，当 Clark 说“在我看来，制度、企业和组织共享着钢笔、纸和算术实践的关键属性的很多方面”（Clark，1997a：279）时，似乎已经违背了他关于扩展思维的三个限制性标准。在这句话中，制度被认为像钢笔和纸一样扩展了思维；然而，与钢笔和纸不同的是，它们不是可以经常得到、自行认可和容易获取的资源，至少没有达到 Clark 的标准。引入认知制度概念是为了寻求制度是思维扩展的合法备选项这一观点。然而，如果没有对“认知是什么”进行彻底的重新概念化，这个陈述仍然是模糊不清的。如前所述，社会扩展思维按照活动和过程考量人类认知，这与 North 和 Clark 的方法明显相反。即使 Clark 对制度的描述不像 North 那样广泛地被心智模型所占据（Clark 的心智模型是部分的、启发式的和非因果关系的），它们仍然作为信念、表征和命题态度。本文提倡的限定制度理论的“模型”和“过程”之间的对比是什么呢？简言之，观点就是制度不应当被看作“共享心智模型”，而应该被视为“共享心智过程”（Gallagher，2013：7）。正如前文提到的，这是理解认知制度是什么、它们做什么以及它们实际扩展什么的关键点，即它们意味着什么样的本体论。

认知制度“不仅是指本文用以完成特定认知过程的制度，还指如果没有这种制度，这样的认知过程将不再存在”（Gallagher，2013：7）。用哲学术语来说，认知制度不仅使认知过程成为可能，并且形塑了认知过程。当然，并不是所有的外部资源在任一情境中都扩展思维（用来帮助我们够到掉进井盖中的钥匙的钢笔并不扩展我们的思维），同样地，并不是所有的社会互动都形塑一种制度。但是大多数认知制度涉及社会和文化实践。关键是，社会扩展标准需要的是行动者和制度资源之间的联结。正如 Clark 和 Chalmers（1998：8）提出的，为了正确地扩展思维，内部和外部资源应该以“双向互动、创建一个可以凭借自身而被视为认知体系的连接系统”的方式整合。换言之，无论扩展程度如何，正是这种正确的耦合方式才能将思想扩展到认知系统。

本文通过区分以下三点进一步说明连接的概念：①简单的因果关系，如果 E 的变化引起 X 的变化，那么 E 要素就处于与 X 的一种因果关系中[De Jaegher 等（2010）将 E 称为“背景因素”]；②可能性条件，如果 C 的缺失阻止了 X 发生变化，那么 C 因素就是一个可能性条件；③本构关系，它可以是部分-整体关系，或者是在动态过程中，一种相对应的因果关系①。个体和社会互动使制度成为可能，并且没有个体或互动，制度也就不能产生。同时，制度使认知过程发生，并且没有专门的制度，认知过程也不可能产生——或者不会那么有效。在较强的本体论意义上，可以说，个体和社会互动形塑了制度，并且它们在制度运作中是必不可少的部分或过程。同样地，制度形塑认知体系，并且如果没有这些制度，这些认知体系将不复存在。

文献所提供的关于认知制度的典型例子就是法律体系。法律制度是在相互影响的社会过程和实践（形塑“法律”认知过程）的互动和动态的模式中形成的，这些是通过个体行动者或群体或其他制度表现出来的②。传统的定义将法律视为一系列规则，但是这一定义相当于是法律体系产生和在日常生活中运行的实际方式的缩影。接下来，本文仍会参考法律制度进行分析，并在第四部分系统地分析经济和市场制度。

（二）扩展性的两个特点：功能整合和任务依赖

哲学家 Slors（2019）在社会性扩展认知的概念之下厘清了一些重要的概念性问题。他区分了“个人-中心”和“系统-基础”两种分析方法，“个人-中心”分析从单个个体出发并且研究制度如何扩展个体认知（扩展思维分析）；“系统-基础”分析研究认知体系如何从个体认知整合中产生[分散认知分析，见 Hutchins（2014）]。Slors 在“功能整合”和“任务依赖”间提出了一个有用的区别。“功能整合”被定义为“任务执行的程度涉及与大脑和身体外部项目的连接”（p. 1189），所以高功能整合意味着与外部资源的连接形塑了认知过程，而低功能整合意味着可能性关系。比如说，在奥托和因加的例子中，奥托由于生病，在外部记忆支持下是高功能整合，而因加只是低功能整合。

另外，任务依赖是任务的可理解程度取决于全部协调性任务的规模。任务依赖是与协调和计划相关的一个概念，是一个规范性概念。高任务依赖意味着任务在认知体系或一个文化认知生态系统的总体结构中发挥着具体作用；作用可以发挥得恰当或者不恰当（Slors，2019：1190）。

---

① 在扩展意识和行为主义对认知进行分析的背景中，本构关系的确切概念目前仍然存有争议。Gallagher（2018a）中有更为详尽的讨论。

② 在这一语境中“表现”一词尤为重要，因为社会扩展（和认知制度表达的完整观点依赖于现象学）受思维哲学中“能动论”这一分支的影响。

法律体系就是以高任务依赖为特点的例子，因为大律师所做之事的可理解性不仅与成文的法律和习俗密不可分，而且与其他人物（如法官和书记员）所做的事情密不可分。

Slors 认为功能整合和任务依赖以及它们的“高”和“低”维度的多样化组合，有助于将不同类型的扩展认知归类（表 1）。

表 1　扩展认知的不同类型

类型	低功能整合	高功能整合
低任务依赖	嵌入性认知	扩展性认知
高任务依赖	共生性认知	分散性认知

资料来源：Slors（2019）

嵌入性认知是指外部资源使个体能够进行认知活动（低功能整合），并且即使不参考制度背景，个体的活动也能被理解（低任务依赖）。与之相反，分散性认知认为认知是由系统分散的组成部分（行动者和人工辅助）通过恰当的连接形成的（高功能整合），并且一个人的行动在没有其他人活动的前提下是不能被理解的（高任务依赖）。扩展认知（在 Clark 看来）是高功能整合的一种情况，因为因加必须正确地与他的笔记本结合以扩展他的思维，尽管编写和查阅笔记本不是过程，其可理解性取决于别人的任务。最后，Slors 引入“共生性认知”这一新概念以区分构成认知制度的认知概念。共生性认知包含以下情况：个体认知过程只有在与他人活动的互动关系中才有意义（高任务依赖），而没有对功能整合的高要求。

共生系统中的每个参与者都从系统作为一个整体（如教育、公平、社会写作）中获益颇多，而贡献只占很小一部分。系统中他人的任务、工作和角色共同界定了个体的任务，而个体不需要完成或者甚至不用想这些任务，即使这样也可以从系统的总体结果中受益（Slors，2109：1198）。

本文认为 Slors 的分析是有益的。然而，本文也注意到将认知制度看作严格的共生将过于简单化。Slors 的分析表明“功能整合和任务依赖都以程度来衡量”（p.1190）。因此，本文认为更普遍的认知制度总是涉及不同程度的任务依赖和功能整合。Slors 可以很快地将法律体系的例子概括出来，法律体系以高任务依赖和低功能整合为特点，但是这不是所有认知制度所必需的。如果不仅是认知制度在任务依赖和功能整合方面有程度上的不同，而且这些不同程度取决于个体审视系统的位置或者视角，那么问题就更为复杂了。比如说个体-基础和系统-基础视角的区别，是不同的认识论视角看同一现象的不同方式的区别，而不是由特定制度过程决定的。从系统视角来看，个体可以看到法律体系的高任务依赖，然而从参与其中的个体视角来看，个体会发现帮助扩展法律推理的功能整合的重要程度。比如说，一个法官必须通过参与合同、法律文书、法庭和其他人之中使这一体系运转。形成其法律推理的具体任务仅仅是通过与工具和人的功能性参与就可以完成了，有时这需要灵活性和创造性。法律体系中所有要素都有工具般的功能性，同时预先确定任务的法律结构的组成部分和过程由个体实施。

（三）认知制度丰富的本体论

法官参与其中的法律文书、法庭实践和法律人物只是形成认知制度的诸多要素的一个例子。前述提及，认知制度的实施是通过个体和多样的外部资源的动态连接实现的。然而，这些资源属于不同种类，了解这些种类并且深刻把握认知制度方式的思维和行动是非常重要的。

认知工具的概念最早出现在这一分类中。通常，认知工具是指“人们制造出来的物理实体，用以帮助、加强或提高认知”（Hutchins，1999：126）。奥托的笔记本就是一个典型的例子。Hutchins（1999）明确指出自然实体也可用以辅助人们的认知，而Norman（1993）减弱了认知工具必须是物理实体的要求。例如，在组织和制度理论中，非严格物理认知工具的例子是集体习惯（Veblen，1899；Dewey，1922）和惯例（Nelson and Winter，1982）[①]。然而，Malafouris（2013）认为非物理认知工具源于个体在环境中客观活动的特定形式。非物理认知工具如惯例和习惯使认知工具与实践概念保持连续性，实践对于理解认知制度也非常关键。实践是社会理论的基石，因此它被认为是调和行动者/结构二分法的途径（Bourdieu，1977）。Giddens（1984）强调获得社会秩序规则的实践尤其是重复实践的核心地位。关于扩展思维的文献已经考虑并讨论了实践方式，尤其是出现在特定文化（文化实践）中的实践，可能是思维扩展的合法场所[在这一方面，Menary（2013）提到了“文化适应的认知”]。一个更为彻底的理解是，有人发现，社会扩展思维与 Latour 本体论上的多元行动者网络理论是兼容的（Kono，2014）。尽管这不是本文支持的视角，但是这一解释源于本文所提倡的观点，即按照本体论，组成认知制度的是互动，尤其是社会性互动（De Jaegher et al.，2010；Gallagher，2018a）。因此，认知工具源于文化适应过程，简要来说，实体的操作可以看成（社会）互动的正确形式。社会（主体间）互动形成了认知制度中的分析单元，那么分析框架就应从方法论上的个体主义转向“关系性自治”，也就是说，个体的恰当定义与社会领域中交互认知过程密切相关。

四、趋向经济认知制度概念

（一）后 North 时代的制度经济学和制度的认知属性

本文一开始就特别指出了制度经济学中独特（并且越来越明显）的外部主义分析的一个线索，以 North 和 Clark 的研究为代表。在这个线索中，经济认知制度的概念旨在自然而然地向前迈出一步。然而，制度经济学中这种外部主义分析思路的程式化表述可能存在过于简单化的风险。近些年，除 North 之外，新制度经济学的一些研究已经发展了外部主义分析思路，这些研究有助于描述经济认知制度。由于没有更好的术语，以及

---

① 物理和非物理认知工具的观点与扩展思维的要素-建构主义是兼容的。

新制度经济学中这些研究的多样化源头，为了简明起见，本文用“后 North 时代”制度经济学这一标签，尽管有些学者与 North 同时期，并且甚至与他有直接互动。

新制度经济学越来越关注制度所扮演的独特认知角色。Hodgson（1988）提到制度的“认知功能”，Dequech（2006）后来将它又命名为“信息-认知功能”。制度的认知功能以信息为基础，制度通过限定其他行动者的行为提供了关于他们的信息。由于信息-认知作用在经济学中已经被广泛研究，这里着重分析制度所发挥的另外两个功能，它们被称作“深刻的”和“实际的”（Dequech，2013）。基于 Denzau 和 North 共享心智模型的观点，制度深刻的功能帮助行动者从认知上安排现实，并且用“实际的功能”整合，也就是说，在从认知上解决（个体和社会的）问题的过程中制度的作用是通过提供隐性知识和专门知识实现的。深刻的和实际的认知功能间影响深远而稳定持久的结合使我们意识到制度可能真实地具有认知“本性”，而不是发挥着某些认知功能作用。与这一本体论语境相关的是 Knight（1997）的文章，她也曾与 North 合作过（Knight and North，1997），因为她通过坚持 Edwin Hutchins 分散性认知的观点提到制度的认知性质（Hutchins，1995；Dequech，2006）。North 将制度视为博弈规则的著名定义，因为过于关注个体信念而不是社会信念遭受到批评（Greif and Mokyr，2017）。正如在本文中试图说明的，尽管 Denzau 和 North 充分论证了信念的社会性质，并且为了形成制度，它们需要被“共享”，但是我们同意 Greif 和 Mokyr（2017）强调的在“社会互动”基础之上建立制度研究的必要性。

在不断朝向经济认知制度定义的分析中，Aoki（2011：22）的文章同样重要。尽管使用心智状态和信念部分延续了内在主义术语，但是 Aoki 在“社会认知工具的重要作用”之上形成了将制度视为“认知媒介”的观点，他认为社会认知工具调和了社会互动的显著方式（参与社会博弈的循环状态）和个体心智状态（行为信念）。在这一框架之下，Aoki 将社会-文化工具界定为“成文法、社会规则、以规则为基础的公共和私人组织、合同等多种形式”。如果他也否定工具的物质维度，那么这一定义将极大地限制本文提及的认知工具的概念。Aoki 似乎认识到这一点，因为他把制度观点的“唯心主义”和“唯物主义”相并列了。从本文的视角来看，相关的是使唯心主义和唯物主义观点相吻合（原则上不会有任何坏处，并且可以说是一系列概念和本体论的好处），因此需要考虑到各种不同的认知产物以及与个体整合的可能性。Aoki 对唯心主义和唯物主义制度的区分同样重要，因为它使我们可以引入经济制度的观点，这种观点不仅在内容上还在参考文献上都与本文所介绍的认知制度的观点最接近。通过 Crisafi 和 Gallagher（2010）的重构，黑格尔的制度观被制度经济学家用来解释制度作为经济认知过程的组成部分的性质（Boldyrev and Herrmann-Pillath，2013；Herrmann-Pillath and Boldyrev，2014）。构建经济学的核心，如偏好，通过类比使用黑格尔从“主观”到“客观”精神的观点，被重构成“既不是行为上也不是精神上”的状态（Boldyrev and Herrmann-Pillath，2013）。

在下一部分，将介绍经济认知制度概念，现在的理论支撑有关于不同形式的扩展认知的哲学分析（见第三部分第二小节）以及制度经济学中的外部主义分析视角（见第二部分和本部分）。所提到的社会扩展认知和认知制度是阐释概念的来源。本文的意图不在于简单地将扩展认知形式的分类叠加到经济制度不同的外部主义形式上，完美匹配或者提供一个精确的图谱将会很困难。将 Denzau 和 North 的观点确切地归类到扩展、嵌入、共生或分散认知中是困难的，将 Clark 的架构性制度作为扩展认知的实例进行归类也是困难的（正如第二部分中，当 Clark 谈及制度时，他就背离了自己关于思维扩展的限制性标准）。唯一合理的匹配是哈耶克（Hayek）关于制度的观点（Hayek，1945），他关于制度的观点经常被看作分散认知的例子（Marsh，2011），尤其是作为"广泛的计算主义"的外部主义概念的例子（Wilson，1994）。然而，整合社会扩展思维的观点和制度经济学使我们能够将经济制度界定为不同水平（但非常典型）的任务依赖和功能整合，也取决于本文采取系统观点还是个体行动者视角。简言之，本文将看到 Hayek 式制度的分散性观点只能在特定条件下成为认知制度的例子。

（二）经济认知制度

在第一个层面，可以将经济认知制度视为认知制度的特例。认知制度理论家提供的法律体系的例子几乎可以完全类比到经济制度。毋庸置疑，经济体系——作为经济制度的整合系统——有益于认知过程（经济理性的形式）的形成，否则认知过程将不能实现。尤其是，这些认知过程不可能（或者没有意义）作为过程完全存在于经济行动者的头脑中。经济体系中充满了角色和任务，如果离开像市场这样的相互连接和相互依赖的系统，它们不可能或者无法被理解。也就是说，它们涉及嵌入在工作场所的一系列人与人之间的交互关系，在这个工作场所中有不同的任务和角色——政府管制者或规划者、公司、生产单位、信息（或者其他服务）的提供者、营销人员、批发商、零售代理商、购买者、消费者（家庭）和这些种类中的大量经济角色。这使经济体系成为明显的任务-依赖制度：按照可能性和意义，经济主体的行动某种程度上取决于系统中的其他主体的行为。这种相互关联使"经济理性"只能成为它们所在的特定系统内的形式。同时，从功能整合来看，像本文所看到的，这一问题取决于行动主体和制度间连接的形式和程度。Slors 恰好认为这两个问题——个体如何被制度扩展以及个体在制定制度中的作用——可以用于不同的研究目的，从本体论视角来看，它们是一枚硬币的两面。在经济认知制度中，这意味着经济主体的理性过程由经济系统而实现或形塑的方式形成了经济制度通过个体理性、行动和互动而实施的一个补充视角。在哲学中，这意味着社会扩展思维分析所提倡的"构成"是特别动态的概念（Gallagher，2018a），并且这也适用于经济领域。

Searle 关于制度的内在主义观点与之相反，并且像其他内在主义者的观点，它不能充分解释经济制度形成的形式。Hindriks 和 Guala（2015）提出 Searle 关于制度的形塑-规则的观点与 North 的观点是一致的，至少形成社会现实的是"共享意向"。Searle 的"共享意向"概念被转化成"共享心智模型"已经达到了共享模型是在个体头脑中完整保留的表现的程度。被共享的模型从某种意义上是一个个体的表现与另一个个体的表现简单地在内容上是相同或者相近的。诸如此类，内在主义模型遗漏了经济制度中一些现象的完整类别。例如，与组织和制度相关的认知工具和实践，如惯例，经常被概念化为

“外部记忆”的形式（Nelson and Winter，1982；Cohen and Bacdayan，1994），这样一来，这些就不能囊括在纯粹的内在主义模型中——也就是说，模型被理解成内在表现。

进一步说，内在主义模型遗漏了对形成制度有着根本性作用的过程的其他完整类别：过程的反馈和互动。回到最初，在Searle模型之上，共享意向决定了在C中一些X被看作 Y。在这种时候，一张纸（X）可以被赋予惯例型的货币价值（Y），使它能够决定社会领域（C）中的因果效应。现在，在这个解释货币形成过程中被遗漏的就是故事的另一部分，即货币实体和货币制度反过来改变原始组成部分本身的方式。例如，按照认知和行为（如冒险行为），一个人是否接触过商品货币、纸币、电子货币或数字货币会有很大的不同。这些模式中的不同叫作“物质参与”（Malafouris，2013），“物质参与”确实改变着社会领域中社会客体存在的因果效应，并且对人们适应或者创造性地使社会客体再职能化。简言之，内在主义对制度的解释遗漏的是完整的因果链条，完整的因果链条将社会客体和制度（一旦制度化）进行反馈去影响行动者——它不仅限制或实现可能性，并且形成甚至改变可能性。换句话说，内在主义缺少的是个体和制度间动态、双向连接的概念化。

现在本文已经提出了经济认知制度的定义，借用 Aoki（2011）曾用的术语，可以称作“类别本体论”。这样，本文将认知制度界定为不同领域（包括经济领域）的扩展认知过程，以任务依赖和功能整合的不同（但是非常典型的）层次为特征，并且陷入充满认识工具、实践和具有明显动态性质的社会互动中。“类别”的定义将经济原则的现有知识和研究兴趣整合起来似乎不太容易。在后者的语境中，本文需要明确对制度经济学的制度的定义，可以称之为“特定-本体论”。North将制度作为共享心智模型的定义是一个类别本体论定义，这一定义为社会科学中将制度定义为博弈规则的特定本体论定义提供了背景。同样地，本文将制度经济学中的认知制度明确界定为扩展解决问题的实体。这样认知过程就被以实用性的方式理解了，也就是说，作为在真实世界中成功实施的模式（Gallagher，2017），认知制度，作为这些实用认知过程的扩展，可以被界定成旨在解决问题的扩展实体，这些问题是个体和社会除认知制度之外无法解决的。

（三）市场作为经济认知制度

在这一部分，本文将经济中的核心制度——市场，概念化为认知制度。这么做，是因为 North 和 Clark 对市场的定义为本文的观点提供了有趣的出发点。在第二部分中，本文提到Denzau和North将竞争性市场视为模范环境，在其中选择是“简单”的，在这个意义上，他们不要求个体方有太多认知努力：他们认为，市场承担了大部分认知工作。他们认为市场是个体认知需求的卸载装置（Risko and Gilbert，2016）。为了支撑这一观点，Denzau 和 North 提及 Gode 和 Sunder（1993）关于“零智力交易人”的文章，这尤其可以解释卸载过程。Gode 和 Sunder 证明了即使对个体理性施加很小的要求，严格的市场规则也可以（几乎只能）解释市场效率的高水平。Denzau和North指出竞争性市场通过对个体思考产生影响，尤其是通过支持行动者的心智模型来保证系统结果。竞争性市场没有要求个体有复杂的心智模型，因为竞争性市场可以给他们提供可信的与即时的信息，并且通过提供即时反馈培养实施的动力。这样一来，“竞争性市场提供了易于选择的场景”。对这一场面，如前述所言，Clark 增加了市场的架构对所有参与方而言并不是平等的观点。他用“高架构性选择”和“弱限制性个人思考”区分了市场供给和需求端各自的特征。在供给端，竞争压力会使企业在所有竞争者感受同样的演化式压力的情境下（Alchian，1950）以利益最大化行为结盟（否则就会面临倒闭）。正如 Clark 所揭示的那样，“这种有力的架构，个体特定的理论和世界观有时对总体企业层面行为的影响是微乎其微的”（Clark，1997a：272）。这种情形对市场需求端有所不同，在需求端，购买者不受市场规则限制，至少没有像销售者那样的压力和紧迫性。因此，Clark 认为，消费者行为中的个体差异削弱了外部架构和理论的预测效应。

将市场视为认知制度意味着减少对行动者心智模型中心地位的关注，并且更多地强调市场相关的行动和交互过程。因此，理解市场是认知制度，关键是按照市场中或者通过市场实施的判断相关的、决策活动进行概念化，总体上可以使我们将市场视为扩展性的问题解决机制。如前文所述，从行动者的视角出发，扩展可以沿着实现认知过程、提供行动主体行动的共同背景，或者缺少市场就不存在的形塑认知过程等方式进行。设想市场参与主体可以实现的最简单的市场行动：针对特定商品的讨价还价。这一基本行动可以理解成特定的价值评估的认知活动中扩展还价者和销售者的认知能力。个体可能，用自己的头脑，在主观价值的基础之上进行价值评估。但是在反映所有可以获得的知识和信息的意义上，市场的存在也可以使价值评估过程更准确。从市场主体的视角来看，可以将价格调整机制看成他们“自己评估价值的认知能力，以及反过来，市场价格是扩展认知过程结果”的扩展。在这点上，主观价值和市场价格的不同不是类别的完全不同，而是像它们通常被认为的那样，用于评估和决定价值的认知过程延伸之间的差别。

Kirsh 和 Maglio（1994）介绍了“实用”和“认知”行动的不同，这有助于在本文的框架中进一步刻画市场讨价还价的认知属性。实用性上，市场参与者讨价还价是为了进一步接近他们的目标，这是交易本身或者最终消费的结尾。然而，从认知观点看，同样的行动可以看成扩展他们自己价值评估过程的一种方式。换句话说，市场主体讨价还价不仅为了交易或者消费商品，而且为了“了解更多”。实用性和认知理由经常交叉混合但可以从概念上分开。作为市场主体的扩展价值评估过程的结果，从市场角度，这叫作“效率”，从行动者的角度，这是在他们对价值的判断中知识和信息的准确性和综合性（Wolfers and Zitzewitz，2004）。被预测市场在这一背景中尤其相关，因为它们删除了“实用性”维度（消费）并且以以下纯粹的形式展示了市场的认知维度：在预测市场中没有商品交换，只有认知行动的结合，目的是实现有效的预测。这种市场机制的参与性、共同-创造性以及问题解决的观点由很多有名的市场模型进行描述（Arthur et al.，1996），尽管目前它们只是在内在主义（如信念基础）框架中构建，但是它们不同于认知制度的模型，认知制度框架认为更多行为-基础概念[如“社会福利”，这与市场情景尤其相关（Felin et al.，2016）]取代了“在脑中”的精神概念，如信念。尤其是社会福利和市场福利被界定成市场提供的行动可能性，并且这些在市场机会的完全概念化方面是有较少认知需求的（Ardichvili et al.，2003）。

一旦我们放下以个体为中心的视角，并且使用与之互补的以系统为基础的视角，市场作为认知制度就可以按照分散性认知进行理解。Hayek（1945）的市场观点可以解读成“广泛计算主义”的分散性认知的例子（Wilson，1994），这样一来，个体就成了分散的计算网络中相互连接的代码。Hayek 对制度的观点已经被称作“认知制度主义”（Boettke，2018），认知制度主义这一概念表述了影响个体认知状况的不同的制度安排，而个体反过来影响制度结果（如在市场的例子中，市场效率）。Hayek 的认知制度主义观点已经被 Smith（2007）继承并发展，后者对于制度的观点被认为是分散性认知的一个例子（Dekker and Remic，2018）。

然而，由于分散性认知可能假定一些含义，本文认为Hayek的其他新奥地利学派关于市场的观点只是在特定条件下与社会扩展和认知制度分析是一致的。为了有效区分，本文区分三个条件。第一个条件可以理解成回到著名的锡市场例子的邀请，Hayek 用锡市场阐释价格的分散调整机制。Hayek 给出了锡市场的典型代表（Hayek，1945：526），我们请读者思考真实世界同类事物“厚重”。价格调整的过程源于市场主体发现利用锡的新机会，进而伴随着主体为适应这种新鲜事物而活动的复杂系统，这一过程是厚重的、真实的，它充满了以特定时间地点特定市场为特征的工具、惯例、实践和社会互动等丰富的本体（Callon，1998；Callon and Muniesa，2005；Mirowski，2002）。真实世界的锡市场有交换和分享信息的不同工具组合，比如说通过法律规定投机程度，或者通过不同的实践结束合同如握手。这一方法关键取决于这种本体论上的丰富基础设施，更不用说价格机制的有效（MacKenzie，2006）。这是指尽管世界上所有的锡市场是分散的，但是分散性本身面临着变成普遍使用的概念的风险，而仅仅这一概念又不能显著地代表真实世界的市场机制。从按根据抽象的计算机制代表分散性（Wilson，1994）到用以文化为基础的认知工具进行设想（Hutchins，2014）是一条漫长且从某种程度上不可通约的线。分散性可以与社会扩展思维和认知制度一致，如果本体论上是丰富的、方法论上是复杂巧妙的。作为复杂度的一个例子，考虑新奥地利学派对知识的定义，认为知识是，在其他事物中，“体外的”和“共生的”，这接近于Hutchins的分散性观点（Koppl，2018）。第二个条件要求，如果将市场分散性理解成自下而上的过程，那么它就与我们的观点一致了，Hayek 和其他新奥地利学者也都是这样理解的。与之相反，Smith（2007）设想的市场互动由预先确定的制度设置而规定，并且这一观点形成了市场自上而下的分析而不是与认知制度观点相一致。第三个条件要求，减少对市场分散性分析中形成的信息的过多关注（Mirowski and Nik-Khah，2017）。认知制度概念强调了市场中分散的不仅是信息，还有工具、惯例、社会互动和功能等，所有这些都可以称为“资源”，用以扩展问题解决过程。

五、结　语

经济制度的一些理论家认为经济制度概念化的发展关键取决于经济学家和哲学家的密切协作（Hindriks and Guala，2015；Guala，2016）。本文尝试借助外在主义的思维哲学中关注“社会扩展思维”或“社会扩展认知”的一个独特分支（Gallagher，2013），进而致力于为经济制度的概念化做出贡献。严格来说，本文是沿着“思维可替代概念（包括聚合和多元的）和制度接口有助于这一领域向前推进并且为与比较组织（如市场和组织）、制度形式和经济活动相关的进一步研究打开激动人心的可能性”（Felin，2015：523）的建议进行的。“经济认知制度”的概念为探究构想经济制度的一系列可能性提供了机会，“经济认知制度”这一概念承认个体和系统观点的不同，制度结构中功能整合和任务依赖程度的不同，但是坚持建立在动态构成概念之上的统一的本体论视角。

最后，本文认为应该致力于探讨扩展思维和社会扩展思维的概念可能会在相同意义的本体上产生冲突的观点。像 Sugden（2015）认为的，制度理论上没有必要符合共同意义的本体（即使这样肯定会增加制度理论被大众接受的程度）。然而，更重要的是，本文试图解释这些概念有助于为在平时使用制度经济学语言的观点提供本体论上的有力的支撑（和资格）。例如，“结构约束而非个体承担了很多解释性工作”的观点（Hodgson，2004：438）。这些概念还可能有助于制度理论学家发现摆脱协调思维和制度“僵局”的方式（Rizzello and Turvani，2000）。本文提出了制度不仅仅限制或实现个体（经济的）理性和行为，而且还为个体行动者的行动和互动所形塑。一旦我们承认了社会互动和组成部分的动态概念的核心地位，制度将不再被理解成像 Denzau 和 Northas 以及 Clark 认为的那样，仅仅是限制和实现个体行动的结构。制度更为复杂和丰富。重要的是，在相互构成的关系中，个体在社会互动中实施制度并且制度塑造个体，他们的社会互动可以以生产或者非生产的方式产生。这使我们可以理解制度的起源，其成功或失败的例子，取决于个体和制度是否有恰当的连接。本体论的复杂性形成了认知制度中的动态关系，这促使我们研究这一领域并且呼吁哲学家和经济学家在探求制度的属性和运行机制时有进一步的合作。

参考文献

Adams F，Aizawa K. 2001. The bounds of cognition. Philosophical Psychology，14（1）：43-64.

Alchian A. 1950. Uncertainty，evolution，and economic theory. Journal of Political Economy，58（3）：211-221.

Aoki M. 2011. Institutions as cognitive media between strategic interactions and individual beliefs. Journal of Economic Behavior & Organization，79（1/2）：20-34.

Ardichvili A，Cardozo R，Ray S. 2003. A theory of entrepreneurial opportunity identification and development. Journal of Business Venturing，18（1）：105-123.

Arrow K. 1974. Limits of Organization. New York：W. W. Norton.

Arthur W. 1992. On learning and adaptation in the economy. Santa Fe Institute Paper，n. 92，07-038.

Arthur W，Holland J，LeBaron B，et al. 1996. Asset pricing under endogenous expectations in an artificial stock market//Arthur W，Lane D，Durlauf S. The Economy as an Evolving Complex System II. Reading：Addison-Wesley：1-30.

Becker G. 1962. Irrational behavior and economic theory. Journal of Political Economy，70（1）：1-13.

Boettke P. 2018. F A Hayek：Economics. Political Economy and Social Philosophy. London：Palgrave

Macmillan.
Boldyrev I，Herrmann-Pillath C. 2013. Hegel's "objective spirit"，extended mind，and the institutional nature of economic action. Mind & Society，12（2）：177-202.
Bourdieu P. 1977. Outline of a Theory of Practice. Cambridge：Cambridge University Press.
Callon M. 1998. The Laws of the Markets. Oxford：Basil Blackwell.
Callon M，Muniesa F. 2005. Peripheral vision：economic markets as calculative collective devices. Organization Studies，26（8）：1229-1250.
Cash M. 2013. Cognition without borders：'Third Wave' socially distributed cognition and relational autonomy. Cognitive Systems Research，25（1）：61-71.
Clark A. 1997a. Economic reason：the interplay of individual learning and external structure//Drobak J，Nye J. The Frontiers of the New Institutional Economics. San Diego：Academic Press：269-290.
Clark A. 1997b. Being There：Putting Brain，Body，and World Together Again. Cambridge：MIT Press.
Clark A. 2001. Reasons，robots and the extended mind. Mind & Language，16（2）：121-145.
Clark A. 2005. Intrinsic content，active memory and the extended mind. Analysis，65（1）：1-11.
Clark A. 2008. Supersizing the Mind：Embodiment，Action，and Cognitive Extension. New York：Oxford University Press.
Clark A，Chalmers D. 1998. The extended mind. Analysis，58（1）：7-19.
Clark A，Karmiloff-Smith A. 1993. The cognizer's innards：a psychological and philosophical perspective on the development of thought. Mind & Language，8（4）：487-519.
Cohen M，Bacdayan P. 1994. Organizational routines are stored as procedural memory：evidence from a laboratory study. Organization Science，5（4）：554-568.
Crisafi A，Gallagher S. 2010. Hegel and the extended mind. AI & Society，25（1）：123-129.
De Jaegher H，Di Paolo E，Gallagher S. 2010. Can social interaction constitute social cognition? Trends in Cognitive Sciences，14（10）：441-447.
Dekker E，Remic B. 2018. Two types of ecological rationality：or how to best combine psychology and economics. Journal of Economic Methodology，26（4）：1-16.
Denzau A，North D. 1994. Shared mental models：ideologies and institutions. Kyklos，47（1）：3-31.
Dequech D. 2006. The new institutional economics and the theory of behaviour under uncertainty. Journal of Economic Behavior and Organization，59（1）：109-131.
Dequech D. 2013. Economic institutions：explanations for conformity and room for deviation. Journal of Institutional Economics，9（1）：81-108.
Dewey J. 1922. Human Nature and Conduct：An Introduction to Social Psychology. New York：Holt.
Felin T. 2015. A forum on minds and institutions. Journal of Institutional Economics，11（3）：523-534.
Felin T，Kauffman S，Mastrogiorgio A，et al. 2016. Factor markets，actors，and affordances. Industrial and Corporate Change，25（1）：133-147.
Fodor J. 1981. Representations：Philosophical Essays on the Foundations of Cognitive Science. Cambridge：The MIT Press.
Gallagher S. 2011. The overextended mind. Versus：Quaderni di Studi Semiotici，112/113（1/2）：55-66.
Gallagher S. 2013. The socially extended mind. Cognitive Systems Research，25（1）：4-12.
Gallagher S. 2017. Social interaction，autonomy and recognition//Dolezal L，Petherbridge D. Body/Self/Other：The Phenomenology of Social Encounters. London：Routledge：133-160.
Gallagher S. 2018a. New mechanisms and the enactivist concept of constitution//Guta M. Consciousness and the Ontology of Properties. London：Routledge：207-220.
Gallagher S. 2018b. The extended mind：state of the question. The Southern Journal of Philosophy，56（4）：421-447.
Gallagher S，Crisafi A. 2009. Mental institutions. Topoi，28（1）：45-51.
Gallagher S，Mastrogiorgio A，Petracca E. 2019. Economic reasoning and interaction in socially extended market institutions. Frontiers in Psychology，10：1856.
Gallagher S. 2020. Action and Interaction. Oxford：Oxford University Press.
Giddens A. 1984. The Constitution of Society：Outline of the Theory of Structuration. Berkeley & Los

Angeles：University of California Press.
Gode D，Sunder S. 1993. Allocative efficiency of markets with zero-intelligence traders：market as a partial substitute for individual rationality. Journal of Political Economy，101（1）：119-137.
Greif A，Mokyr J. 2017. Cognitive rules，institutions，and economic growth：Douglass North and Beyond. Journal of Institutional Economics，13（1）：25-52.
Guala F. 2016. Understanding Institutions：The Science and Philosophy of Living Together. Princeton：Princeton University Press.
Guala F. 2019. Preferences：neither behavioural nor mental. Economics & Philosophy，35（3）：383-401.
Hayek F. 1945. The use of knowledge in society. The American Economic Review，35（4）：519-530.
Herrmann-Pillath C，Boldyrev I. 2014. Hegel，Institutions and Economics：Performing the Social. London：Routledge.
Hindriks F，Guala F. 2015. Institutions，rules，and equilibria：a unified theory. Journal of Institutional Economics，11（3）：459-480.
Hodgson G. 1988. Economics and Institutions：A Manifesto for a Modern Institutional Economics. Philadelphia：University of Pennsylvania Press.
Hodgson G. 2004. The Evolution of Institutional Economics. London：Routledge.
Hodgson G. 2006. What are institutions? Journal of Economic Issues，40（1）：1-23.
Hutchins E. 1995. Cognition in the Wild. Cambridge：MIT Press.
Hutchins E. 1999. Cognitive artifacts//Wilson R，Keil F. The MIT Encyclopedia of the Cognitive Sciences. Cambridge：MIT Press：126-128.
Hutchins E. 2014. The cultural ecosystem of human cognition. Philosophical Psychology，27（1）：34-49.
Kirsh D，Maglio P. 1994. On distinguishing epistemic from pragmatic action. Cognitive Science，18（4）：513-549.
Knight J. 1997. Social institutions and human cognition：thinking about old questions in new ways. Journal of Institutional and Theoretical Economics，153（4）：693-699.
Knight J，North D. 1997. Explaining economic change：the interplay between cognition and institutions. Legal Theory，3（3）：211-226.
Kono T. 2014. Extended mind and after：socially extended mind and actor-network. Integrative Psychological and Behavioral Science，48（1）：48-60.
Koppl R. 2018. Expert Failure. New York：Cambridge University Press.
MacKenzie D. 2006. An Engine，Not a Camera：How Financial Models Shape Markets. Cambridge：MIT Press.
Malafouris L. 2013. How Things Shape the Mind. Cambridge：MIT Press.
Markey-Towler B. 2016. I，roboticus oeconomicus：the philosophy of mind in economics，and why it matters. Cambridge Journal of Economics，41（1）：203-237.
Marsh L. 2011. Hayek in Mind：Hayek's Philosophical Psychology. Bingley：Emerald.
Menary R. 2007. Cognitive Integration：Mind and Cognition Unbounded. Basingstoke：Palgrave Macmillan.
Menary R. 2013. Cognitive integration，enculturated cognition and the socially extended mind. Cognitive Systems Research，25（1）：26-34.
Mirowski P. 2002. Machine Dreams：Economics Becomes a Cyborg Science. New York：Cambridge University Press.
Mirowski P，Nik-Khah E. 2017. The Knowledge We Have Lost in Information：The History of Information in Modern Economics. Oxford：Oxford University Press.
Nelson R，Winter S. 1982. An Evolutionary Theory of Economic Change. Cambridge：Harvard University Press.
Norman D. 1993. Things That Make Us Smart. Reading：Addison Wesley.
North D. 1990. Institutions，Institutional Performance and Economic Change. Cambridge：Cambridge University Press.
North D. 2005. Understanding the Process of Economic Change. Princeton：Princeton University Press.

Risko E，Gilbert S. 2016. Cognitive offloading. Trends in Cognitive Sciences，20（9）：676-688.
Rizzello S，Turvani M. 2000. Institutions meet mind：the way out of a deadlock. Constitutional Political Economy，11（2）：165-180.
Rupert R. 2004. Challenges to the hypothesis of extended cognition. The Journal of Philosophy，101（8）：389-428.
Satz D，Ferejohn J. 1994. Rational choice and social theory. The Journal of Philosophy，91（2）：71-87.
Searle J. 1995. The Construction of Social Reality. New York：The Free Press.
Searle J. 2005. What is an institution? Journal of Institutional Economics，1（1）：1-22.
Searle J. 2010. Making the Social World：The Structure of Human Civilization. Oxford：Oxford University Press.
Shapiro L. 2009. Review of Fred Adams and Ken Aizawa，"The bounds of cognition". Phenomenology and the Cognitive Sciences，8（2）：267-273.
Slors M. 2019. Symbiotic cognition as an alternative for socially extended cognition. Philosophical Psychology，32（8）：1179-1203.
Smith V. 2007. Rationality in Economics：Constructivist and Ecological Forms. New York：Cambridge University Press.
Sterelny K. 2004. Externalism，epistemic artefacts and the extended mind//Schantz R. The Externalist Challenge. Berlin & New York：de Gruyter：239-254.
Sugden R. 2015. On "Common-Sense Ontology"：a comment on the paper by Frank Hindriks and Francesco Guala. Journal of Institutional Economics，11（3）：489-492.
Sutton J. 2010. Exograms and interdisciplinarity：history，the extended mind and the civilizing process// Menary R. The Extended Mind. Cambridge：MIT Press：33-81.
Sutton J，Harris C，Keil P，et al. 2010. The psychology of memory，extended cognition and socially distributed remembering. Phenomenology and the Cognitive Science，9（4）：521-560.
Varela F，Thompson E，Rosch E. 1991. The Embodied Mind：Cognitive Science and Human Experience. Cambridge：MIT Press.
Veblen T. 1899. The Theory of the Leisure Class：An Economic Study in the Evolution of Institutions. New York：Macmillan.
Wilson R. 1994. Wide computationalism. Mind，103（411）：351-372.
Wolfers J，Zitzewitz E. 2004. Prediction markets. Journal of Economic Perspectives，18（2）：107-126.

如何理解制度和人性的演化：自然演化观审视

朱富强

摘要： 新古典经济学框架下的自然演化观将生物演化思想和自然选择原理引入经济学中，来解释经济行为及其衍生出的社会制度等，由此就形成了社会达尔文主义观。显然，这一分析逻辑有助于为市场行为和现实制度辩护，进而带有明显的保守主义倾向。就制度演化而言，自然演化观将制度视为一种自发的自然演进过程，是大量个体间互动的无意识结果；但实际上，制度演化是一种自觉的人为改进过程，是特定个人或群体基于其目的进行有意识选择的结果，特别是注入了权力因素的影响。就人性演化而言，自然演化观把人性视为由本能决定的先验之物，能力和行为的变异则根植于基因之中；但实际上，人类心智与社会本体之间呈现出共同演进关系，人类行为也由心理意识推动并具有明显的意向性，特别是嵌入了群体意识的影响。从很大意义上说，现代经济学之所以还不是一门进化科学，根本上就在于它还没有建立起成熟的社会演化思维，从而无法真正揭示人类社会的演化过程和特征。

关键词： 自然选择　社会演化　制度　人性　新古典经济学

中图分类号： F069.9

一、引　　言

新古典经济学根植于自然主义思维，其中，物理学导向唯理主义的均衡分析，生物学导向达尔文主义的自然选择，而两者相结合就产生了新古典经济学框架下的演化均衡分析路径。相应地，根基于新古典主义的演化思潮就有两条基本路线：一是阿尔钦、弗里德曼和贝克尔等人使用自然选择思维对人类行为展开的分析，二是肖特、培顿·扬和萨格登等人使用演化博弈思维对社会制度展开的分析。两条路线的共同之点就是：将新古典经济学的均衡思维和自然选择的演化思维相结合，由此开创出关注均衡嬗变的演化分析，这也是时下经济学界着手演化分析的主流路线。

同时，经济学界的演化分析思潮远早于新古典经济学，这产生出了目前仍活跃于得克萨斯的制度主义、纽约的奥地利学派以及马萨诸塞的马克思主义经济学等。事实上，

作者简介：朱富强，男，经济学博士，河南大学中国经济学研究中心特聘教授，中山大学岭南学院副教授。研究方向为理论经济学。

当前经济学界也存在四股非主流的演化分析思潮：①哈耶克发扬的奥地利学派，把均衡视为事件的过程而不是事件的状态；②源于熊彼特创新思想的“新熊彼特”学派，强调了非均衡和质变在经济体系中的重要作用，突出了企业家和技术创新在“创造性毁灭过程”中的核心作用；③源于凡勃伦传统的后制度学派，主张经济学应围绕演化和变异这个核心和主题展开；④源于马克思主义的调节学派，强调系统的各个不同部分或过程在某种条件下交互调整而产生某些有序的动态。同时，这些流派的演化经济学家对新古典主义的演化均衡分析通常都持强烈的批判态度，这引起越来越多学者转向研究这些起源更早的非主流经济学并从中汲取营养。

其实，上述非主流的四股演化思潮与主流的新古典主义演化思维之间的关系也存在着明显差异，有的更具亲缘性，有的则更具对立性。但总体上说，这四股演化思维都强调事物演化的非均衡性，都注重事物的变异性和新奇性，从而也都在某种程度上反对还原论的分析思维。因此，我们可以将经济演化思维大致划分为两类：①源自新古典经济学的自然演化思潮；②源自非正统经济学的社会演化思潮。自然演化思潮倾向于简单地把自然选择学说从自然界搬到人类社会，倾向于将生物学隐喻引入人类社会之中，注重行为的无意识性、选择的随机性以及演化过程的均衡性；与此不同，社会演化思潮则关注社会有机体和生物有机体之间的差异，注重人类行为的目的性、选择的私人性以及演化的非均衡性。这就引发我们的思考：这两类演化思维在经济分析中的合理性如何？尤其是，主流的新古典主义演化分析倾向于将自然选择拓展到人类社会中，那么，这种分析路线合理吗？为此，本文尝试对两类演化思维进行系统的梳理和比较，并集中以制度和人性的演化作为剖析对象来加以说明。

二、自然演化思维的发展及其特点

生物演化思维拓展到对生活世界的观察时就形成了社会达尔文主义。社会达尔文主义的提出者斯宾塞就极端地反对任何有利于弱者生存下来的公共政策，包括公共教育、公共救济乃至公共卫生等。不过，斯宾塞的社会达尔文主义在其出生地——英国并没有被广泛接受，而是传到美国之后才取得巨大的成功。其原因在于，斯宾塞生活的时代，英国已经摆脱了肆无忌惮的市场规则的制约，工会、工厂监管以及对妇女儿童的工作时间限制已经被接受；与此不同，在美国，这种改善还正在以更严酷的方式进行着，正处于一个充满英雄主义式的贫富不均和令人难以置信的喧嚣显赫并存的时代（朱富强，2017a）。尤其是，耶鲁大学的经济学和人类学教授萨姆纳热烈地欢迎和宣传斯宾塞的社会达尔文主义，因为他受到马尔萨斯人口论的影响，并相信社会竞争和适者生存法则能够演化出一个更好的文明。到了 20 世纪中叶，一些新古典经济学家以更严格的逻辑将生物演化思想和自然选择原理引入经济学中，来解释经济行为及其衍生的社会制度等，从而就形成了新古典主义的演化思维。

（一）新古典主义的演化思维

开创新古典主义演化思维的先驱是阿尔钦（Alchian，1950），他的《不确定性、演化和经济理论》一文对利润最大化假设提出了批判，并在经济分析中用自然选择概念代替现行的最大化概念，由此把经济系统解释为一种在这些探索性的行为之间进行选择的采纳机制。按照新古典经济学的企业理论，企业是利润最大化的追求者，它不断调整边际产出以实现这一目的。显然，这种思维将利润最大化归因于企业家的深思熟虑，而这种深思熟虑以完全理性和完全信息为基础。不过，阿尔钦指出，这个思想存在严重缺陷，边际主义除了在分析上便利之外，并没有为这一程序的正当性提供说明。其基本理由是：现实生活中的信息是不完全的，个人拥有的知识是不完美的；在这种不确定的情形下，个体的每一行动的后果都是不确定的；进而，既然人们不能确定每一行动的后果，那么，利润最大化当然也就不再能成为行动的向导。相应地，阿尔钦认为，行为的结果严重依赖于环境的变化，因而生存下来的往往并非经过深思熟虑的理性行为，而主要是与既定环境相适应的行为；而且，在环境发生变化之后，这些被视为“理性”的行为也很可能就会死亡。

基于这一分析逻辑，阿尔钦提出，企业要生存，所需要的往往只是有“正的利润”而非有“最大化的利润”，而生存则主要是外在环境随机选择的结果。这样，阿尔钦就将基于主体选择的理性行为转化成自然选择的演化结果，存在并非理性选择的结果，而仅仅是一种接受的过程。为了说明这一点，阿尔钦借用了法国数学家波莱尔（Borel）给出的例子：初始有 200 多万个巴黎人随机地两两配对玩一种猜币游戏，猜对者可以幸存下来并参加下一轮随机配对的游戏。波莱尔的计算表明，如果每对巴黎人每秒钟抛一次硬币，那么10年后还有上百对玩家幸存；进而，如果这100多对玩家让他们的子孙接着玩，那么 1 000 年后大概还有 11 对幸存。据此，阿尔钦认为，如果 1 000 年后看到这 11 对幸存者就把他们的行为视为理性的，简直就是荒唐的；相应地，如果因为观察到一些生存了百年以上的企业，就把这些企业的经验视为成功的经验，那么也是不合理的。在这里，阿尔钦显然是重复了康德的看法：植物在阳面之所以有更多枝叶，不是因为它们有理性，而是因为向阳的枝叶可以生存。

由此，阿尔钦得出结论：决定生存的不是行为和选择，而是行为或选择的结果。即行为动机和预见力只是生存的一个充分条件，却不是必要条件。这一论断潜含了这样的寓意：幸存者并非最优者；但是，与那些未能幸存下来的相比，幸存者所获得的结果更接近于最大化，因为它更适应环境。这一思想引入市场竞争和企业经营中就可以得出这样的结论：企业过去的成功并不意味着后面还会同样成功，管理者在过去的成功经历也并不代表着他就一定具有高超能力，更不意味着他的行为选择与策略定位就一定合理（朱富强，2020）。正是通过引入环境和竞争压力的分析，阿尔钦撇开了边际主义的争论，甚至把微观分析也视为多余。但同时，为了避免与传统经济学完全对立，阿尔钦又对公理和定理做了区分：基于边际调整的理性行为可以实现利润最大化是公理，而现实生存下来的企业可以获得利润最大化则是定理[①]。进而，阿尔钦还得出了这样的论断：即使企业家的行为并非理性的，企业是利润最大化者的假设也是错误的，但非人格化的市场力量也会保证这个企业理论的定理成立。正是基于这一视角，阿尔钦的论点又捍卫了新古典企业理论：即使新古典企业理论关于利润最大化的严格假定是错误的，它的定理仍然成立。

在阿尔钦看来，只要我们能够了解环境的演化并将这种因素纳入考虑，那么，就可以使用边际分析来大致预测作为环境变化结果的总体选择效果的变化方向，可以预测一种经济行为模型在多大概率上能够生存下来。例如，阿尔钦发明了"旅游者"类比来进行阐述：数以千计的驾车旅游者从洛杉矶驾车出发前往芝加哥，随机地选择他们各自的行进路线，但只有一条（或少数）路线上设有加油站，而这些旅游者却不知道哪条路线上设有加油站。显然，那些最终抵达芝加哥的旅游者往往被主流经济学家视为是理性的，因为他们"好像"一开始就知道哪条路线上有加油站，并根据这一信息采取理性的行动。但是，阿尔钦的观点是，这种有效率的理性行为仅仅是环境的结果，如果加油站突然改变了分布，那么，原来"好像"理性的旅游者就变得不理性了，而原来"好像"不理性的旅游者则显得非常理性。在环境已经发生变化的情况下，任何一个旅行者都没有改变他们特定的路线，但是，一个边际分析家却可以根据环境的变化诊断出获得较大成功概率的类型分布，这种预测与现在变得成功的参与者类型大体相一致。

弗里德曼 1953 年发表的《实证经济学方法论》一文继承和拓展了阿尔钦的分析：一方面，他继承了阿尔钦的自然选择论，把市场视为纠正企业偏离最大化的行为的外部力量；另一方面，他把阿尔钦所强调的事后利润改成了预期收益，利用预期收益最大化假说来预测商人的选择行为。在弗里德曼看来，除非商人可以通过这种或那种方法而使其行为近似于与收益最大化相一致，否则就不可能长期维持他们的生意；这样，弗里德曼给出了生存的充分条件：如果商人能够表现出与"利润最大化"相一致的行为，那么，就不可能在市场竞争中被击败。为了说明这一点，弗里德曼举了职业台球手击球的例子："这位职业台球手在挥杆一击之时，就仿佛知晓能够给出最佳运行方向的那个复杂的数学公式一般；该球手可以通过对角度等指标的观察准确地进行估计，而这些指标则确定了该球所在的位置，此时，球手根据公式闪电般地进行计算，然后使球按公式所制定的方向运行。我们对这一假说的信赖并不是基于这样一种信念：台球室（即使是优秀的台球手）可以而且确实经历过如前所述的过程，而是除非这些台球手可以通过这样或那样的方法取得实质上与上述过程同样的结果，否则的话，事实上他们就不是职业台球手。"（弗里德曼，2007）

显然，弗里德曼的分析比阿尔钦朝新古典经济学更靠近了一步。事实上，根据阿尔钦的观点，收益最大化假设并不是说每个商人都是经过深思熟虑后做出决策的，而仅仅说明商人只是看上去在追求利益最大化，这是市场选择的结果；而且，尽管自然选择能够保证新古典理论所预测的总体行为趋势将会发生，却不能确保每一个生存下来的企业个体都能获得最大化利润。但是，弗里德曼却主张，选择过程使我们确信利润最大化模

① 也就是说，公理源自科学家基于一系列条件获得的基本结论，定理则来自对经验事实的观察和有效描述。

型的预测不仅在产业层次上而且对每一个企业来说都是精确的，因此，无论企业是否致力于利润最大化，经济的“自然选择”都将确保每一个生存下来的企业个体都表现出与“利润最大化”相一致的行为。在这里，弗里德曼借助“似乎”（as if）一词而把“存在的”视为理性选择的结果，从而把自然选择与最大化假说结合起来。弗里德曼写道：“在一个较大的范围内，单个企业常常是如此行事，仿佛他们在有计划地使其预期回报最大化，而且掌握着成功地实现这一目标所必需的全部资料；也就是说，他们仿佛知道有关的成本函数和需求函数，可以计算每个行动的边际成本和边际收益，并使得这些行动的力度都恰到好处地符合边际成本与边际收益相等的原则。”（弗里德曼，2007）正是经过弗里德曼的诠释，新古典经济理论所坚持的收益最大化假设就被理解为一种生存原则：只有那些力图获取最大化收益的行为主体才能够在市场选择中生存下来。

对新古典主义演化思维做出贡献的另一位经济学大家是贝克尔。不过，贝克尔1962 年的《非理性行为与经济理论》一文并没有重复弗里德曼的主张：选择过程是足够强有力的，它确保幸存下来的企业将是事后的利润最大化者。相反，贝克尔强调，每一家企业都面临着预算约束，盈利企业因预算约束放宽而增大规模，亏损企业则因可预算约束变得更紧而缩小规模，从而就出现了再生产的差异。同时，贝克尔的经济分析以这样的假设为前提：即使企业不是理性的，市场也将是理性的。贝克尔（1995）写道：“市场运行似乎是理性的，当家庭理性地行为时是如此，当家庭以怠惰、冲动或其他非理性方式行为时也是如此。”因此，即使企业是非理性的，但它也被迫对市场做出理性的反应，由此就使得幸存的企业大致符合新古典经济学的基本命题。在贝克尔看来，出现边际主义之争的原因就在于：反边际主义者坚信厂商的非理性，从而也就认为市场反应是非理性的；边际主义者则坚信市场反应是理性的，从而也就认为厂商也是理性的。贝克尔写道：“人们很少注意群体反应或市场反应同个人反应之间的区别。在传统理论中，由于市场反应通常只是个人反应的宏观印象，所以这种区别对理性行为的传统理论是不必要的。然而，一组非理性单位做出的反应比单个单位做出的反应更为平缓、更富于理性，而且，个人层次上的不适当强调很容易导致市场反应的非理性程度的扩大。”（贝克尔，1995）

因此，根基于新古典主义就形成了阿尔钦-弗里德曼-贝克尔演化思维，其基本观点是：现实世界中并非所有人的行为都与理性选择相一致，但“竞争力量能使那些按理性方式行事的人幸存下来，而另一些不这样做的人将被打败；因而在一个演化的、竞争的环境（符合所有新古典经济学有关稀缺和竞争的基本假设）中，能被不断地观察到的行为一定出自那些按照这种标准行事的人”（诺思，2008a）。正是由于坚信市场是理性的，它将迫使人们采取理性的行为，否则就不能生存；为此，贝克尔相信最优化模型能够模拟选择结果，并把理性选择说打造成社会科学的分析基石。但显然，这一演化思维潜含着这样一个问题：市场一定会比其行为主体更为理性吗？毕竟市场反应体现的是群体行为，而群体行为往往比个体行为更容易取向极端，进而也就会呈现出更大的非理性。譬如，勒庞的《乌合之众》、蒂利的《集体暴力的政治》以及哈丁的《群体冲突的逻辑》等都提出了“理性的个体与不理性的集体”这一论断，席勒的《非理性繁荣》则论证了周期性爆发的经济危机也主要源于群体非理性。

（二）演化博弈论的现代发展

20 世纪 60 年代也是博弈论迅速发展的时期，一些学者将基于生物学隐喻的演化思维引入博弈均衡分析之中，从而就形成了演化博弈论。实际上，演化博弈的发展源于 20 世纪六七十年代对生物进化的研究：1930 年，英国统计学家和生物进化学家费希尔对生物的性别比例做了开创性的研究（Fisher，1930）；1967 年，英国生物学家汉密尔顿进一步分析了一般性的性别比例的演化稳定问题，并提出了“不可战胜的策略”概念来描述一个对称博弈的一种对称均衡（Hamilton，1967）；1971 年，特里弗借鉴超级博弈的思想而引进了“交互利他主义”概念（Trivers，1971）；1973 年，梅纳德·史密斯和普赖斯引进“进化稳定性策略”（evolutionary stable strategy，ESS）概念来反映由自然选择和变异所驱动的进化过程的稳定结果，他们宣称，观测到的动植物的演化过程可以通过适当定义的博弈的纳什均衡来解释：自然选择和变异的结合导致种群在长期中达到一个稳定的纳什均衡（Smith and Price，1973）。

演化均衡（EE）的基本思路是：设想一个数量巨大的生物种群，这些生物在彼此互动中相互随机地相遇，相遇一次每个生物的支付由某种博弈矩阵给定；那么，由于自然选择的力量，经过几代之后，种群中越来越大比例的生物会渐渐地采用一个支付高于平均水平的策略，而支付低于平均支付的策略将渐渐萎缩。经济学中的演化博弈理论正是源于生物学中的进化思想：生物学中的演化博弈主要分析生物在进化过程中所具有的稳定状态以及向稳定状态动态调整、演进和收敛的过程和性质；经济学中的演化博弈理论则研究人类行为中的策略或行为方式的均衡以及向均衡状态调整、收敛的过程和性质。演化博弈论兴起的基本目的就是要寻找一种可以替代现实性较差的理性主义纳什均衡理论的理论，它以现实中的有限理性为基础，引进与学习和进化机制相联系的过程理性，从而把主观的理性意识和客观的理性能力分开，这样，局中人就可以逐步改进目标。

一般认为，演化博弈比传统的纳什博弈更贴近现实，这主要有如下几方面的原因：①演化博弈理论的思想源于达尔文的生物进化论和拉马克的遗传基因理论，它从理性出发认为局中人对世界状态只拥有有限知识；②演化博弈理论以局中人种群为研究对象，把种群行为的调整过程视为一个动态系统，个体通过学习、模仿等动态调整过程做出决策，其均衡的结果依赖于博弈的初始状态，当外部环境变化时，会影响博弈的演化路径；③演化博弈理论的演化稳定均衡虽然依旧是一个静态均衡，但在一定程度上也能描述动态系统的局部稳定性，从而可以预测局中人行为的稳定性；④它从有限理性出发，强调经济变迁的动态过程，认为局中人的行为也是一个动态调整的过程，达到次均衡需要一个漫长的过程，也许系统永远达不到；⑤当系统有多个均衡时，实现的均衡依赖于演化的初始状态和演化路径（肖条军，2004）。在很大程度上，正是由于演化博弈论在生物学领域取得了巨大成功，肖特（2003）、杨（2004）以及萨格登（2008）等人将演化博弈思维引入经济学中，广泛地对社会习惯、规范、制度等的形成和演变进行了分析，罗尔斯（1988）、斯坎伦（2014）、Gauthier（1986）等人则由此来探究道德伦理的形成和构建。

总之，无论是阿尔钦-弗里德曼-贝克尔的自然选择学说还是史密斯等发展的演化博弈分析，根基于新古典主义的这两类演化思维都致力于借鉴和模仿生物演化思想，把生物界的自然选择思维引入生活世界，把社会经济领域中的生存和发展视为对外在标准（如理性的市场）适应的过程。就此而言，即使演化博弈考虑到了种群的变异，但它却倾向于将变异视为随机的，从而也就缺乏对行为意向性的关注；正因如此，它依然采取新古典主义的还原论思维，依然将演化结果视为对环境的适应。也就是说，新古典主义演化分析的着眼点在于阐述最大化生存的结果，并以事后的结果来体现相关的"经济生存的实现条件"。从这点上讲，新古典主义的演化分析本质上依然是功能论而非实在论的，从而也就无法有效地揭示促进事物演变的因果机理及基本趋势。在很大程度上，新古典主义的演化分析都根基于还原论思维：它设定了原子化的经济人或理性人这一行为主体假设，并充分承袭了新古典经济学的原子个体主义分析方法。相应地，它带来的发展主要体现为，借鉴了达尔文"适者生存"的竞争思路来分析社会现象，从而把所有社会现象都视为优胜劣汰的结果。也正是根基于自然主义思维，新古典主义的演化均衡分析通常都是致力于为市场行为和现实制度提供解释并加以辩护，从而带有明显的保守主义倾向。

三、制度如何演化：自然选择抑或人为选择

受制于还原论思维，基于自然选择的生物演化分析根本上无法深入剖析动态演进的历史过程而具有显著的静态特性；同时，它舍弃了行为选择的意向性及其嵌入了权力因素，从而又无法洞察社会演化的现实问题及其发展指向。对此，劳森（2018）就批判说："坚持模仿自然选择范式，甚至先验地确认有待理解或解释的现象的'演化经济学'，毫不比先验地坚持演绎主义或形式主义经济学的现代主流好，主流认为所有现象都必须用封闭系统演绎建模的方法处理。这种具体的演化模型的相关性，与所有其他方法或认识论原理一样，只能事后被确定。"为了更好地理解这一点，这里先以制度变迁为例展开说明。布什（2011）就指出："如果制度经济学真正是一种'进化'经济学的话，那是因为它有能力解释制度变迁现象，是因为它结合了理论探讨和应用研究在这两方面的解释原理。"那么，我们就要问：现代经济学的流行解释真正揭示出制度变迁的演化和趋势了吗？进而又该如何理解制度变迁的动力和内容呢？

（一）制度演化中的目的性

承袭新古典主义的生物演化思维，主流经济学人在研究社会制度时大多倾向于将制度视为个体间互动而产生的一种博弈均衡，相应地，制度就被等同于个人行为间无意识互动所衍生出的习俗和惯例。不过，在现实世界中，社会互动中的行为选择通常会取决

于两大基本要素：力量和认知（朱富强，2011a）。其中，力量与社会组织结构有关，体现了社会力量的分布和对比；认知则源于对人类社会的理解，体现为社会正义的拓展（朱富强，2012a）。进而，无论是力量分布还是社会认知，它们都在一档程度上形塑了人性及其行为机理，由此形成多彩多姿的行为方式和社会合作形态（朱富强，2011a）。因此，即使采纳新古典主义的观点——社会制度是人类行动而不是任何设计的产物，我们也仍然需要追问：人类行为本身是无意识的还是具有一定的意向性？例如，个体自发行动转化为公共选择，公共选择的结果既可能产生有利的制度变革，也可能因投票悖论而导向囚徒困境。就此而言，基于人类所固有的知性思维，我们就可以且应该深刻揭示从个体选择到公共选择的传导机制，由此就可以发现结果与原初目的之间的脱节，进而就可以有意识地加以纠正。显然，这就是人类特有的认知功能，是人类否定性理性的体现（朱富强，2021）。

就此而言，马克思学说提供了极有助益的思考，它特别强调嵌入在社会发展中的人类目的性，也关注社会权力对制度设计和变动的影响。马克思的社会发展说不是机械的，其理由是，它并不将社会发展等同于自然演化过程，而是充分认识并强调其中所嵌入的人类意识，尤其强调阶级意识转化的社会行动对社会发展的推动。为此，马克思拒绝把社会经验分裂成某种只是原因的东西（外部世界）和某种只是结果的东西（意识），而是致力于从自然、社会和人的智慧这三者的相互作用中考察社会变动。这就是马克思关于社会变动的辩证法：从社会和自然的客观条件中（正题）产生出人类的需要和目的，这些需要和目的在承认特定情境的各种客观可能性（反题）的时候，发起一个旨在实现这些可能性的行动过程（合题）（胡克，1989）。所以，伊格尔顿（2011）就写道："马克思强调，人类创造的是历史而不是自然。他有时批判那种用生物学原理解释人类历史的方法，还反对那种认为存在真实普遍的历史法则的说法。"

同样，奥地利学派也特别关注人类行为中嵌入的目的性，强调只有在每个人行为背后的目的与基于个人"主观知识"的预期相结合时才得以形成个人计划，进而随之产生为实现每个计划所做的决策。当然，奥地利学派的主观主义分析思维又被先验地嵌入在方法论个人主义中，如米塞斯的行为分析就具有明显的先验性和原子性。其原因在于，奥地利学派认为，个人知识不仅是主观的而且是有限的，它受制于无法消除的无知、外在信息的匮乏、严重的不确定性以及认知能力的不足等；相应地，它就致力于阐发社会经济现象是如何从个人计划的交互作用中产生的，由此偏重于个体自发行为的无意识后果（贾根良，2010）。正因如此，奥地利学派也将社会制度的形成和演化归结为分立个体间的自发互动，由此突出社会制度变迁的自发性和内生性。尤其是，奥地利学派不仅将个体行为视为自主的选择，而且还是基于理性的选择，从而也就没有剖析嵌入社会互动中的权力效应和心理效应；这样，奥地利学派的演化分析实质上就回归到了新古典经济学，它尽管否定了严格均衡的存在，却又认为个体自主行为将不断导向市场协调，进而促成市场的演化和扩展（朱富强，2017b）。有鉴于此，我们就有必要对奥地利学派的市场秩序观进行深入剖析。

哈耶克在《两种秩序》一文中将秩序分为：自发（生成）秩序（endogenous order 或 spontaneous order）和设计（或建构）秩序（exogenous order 或 made order）；其中，

自发秩序是指没有人有意识地去做，设计秩序则是以有组织的方式进行。显然，自发秩序强调个人行为的互动性，强调决策上的分散性。哈耶克指出，对社会秩序的阐释，最终必须依凭的乃是对人性和社会世界性质予以阐释的社会理论，即对社会秩序的认识必须从人性以及个人与社会秩序间的关系的认知开始（邓正来，1998）。为此，哈耶克特别从个人之间的自发性互动中来探究社会秩序的形成，强调人类秩序大多是基于个人行动所生产的先前未预见的结果。不过，基于目的性和设计这两大维度，卡里尔提出了三类组织和秩序：①人为秩序，由具有目的性的人类进行设计的结果；②结构性秩序，既没有目的性也不是设计的结果；③组织秩序，由有目的的行为所产生的非设计的结果（Khalil，1996）。相对照可知，哈耶克所倡导的自发秩序中，有的属于有目的的行动的结果，这就是卡里尔所讲的组织秩序；有的则不属于有目的的行动的结果，这就是卡里尔所讲的结构性秩序。这就意味着，我们并不能简单地将人为秩序和自然秩序区分开来。

其实，哈耶克本人就专门批判了源自亚里士多德的古典两分法，它将秩序简单地界分为自然的和人为的。相反，哈耶克指出，这种两分法极具误导性，因为他们所旨在的这种界分既可以指独立存在之物与作为人之行动之结果的东西之间的界分，也可以指独立于人设计的东西与作为人之设计的东西之间的区别。根据哈耶克的看法，那些经由传统上人之惯例所形成的结构，既不是自然的（natural），也不是人为的（artificial），而是“人之行动而非人之设计的结果”。这意味着，被古希腊人合在一起通称为与自然规则相对立的那些实现经过深思熟虑而后制定的外部规则（thesis）和根据人们之间的约定俗成而产生的内部规则（nomos）是有区别的。为此，哈耶克进一步提出了内部秩序（cosmos）来指称所谓的自生自发的秩序，而用外部秩序（taxis）来指称那些以确定或实现具体目的为特征的组织形式。也就是说，哈耶克实际上确立了“自然”“人为”和“人之行动而非设计”的三分观；就社会秩序而言，则存在“人为”和“人之行动而非设计”的二元观（朱富强，2007）。

因此，任何社会秩序根本上都是由人类的互动而衍生的，从而也就必然会打上人类意识和能动的烙印。这也意味着，在人类社会的生活世界里，没有任何独立于人之计划与人之行动之外的纯粹的自然秩序。既然如此，我们就需要进一步追问：人类意识在社会秩序的形成和演化中究竟起何种作用？新古典主义的生物演化观认为，人类社会秩序像自然秩序一样是由基于力量斗争的自然选择所决定的结果。果真如此吗？钱永祥（2008）指出，纯粹的自然演化具有这样三大特色：①它不同于由外力有意造成的改变，不是遵从任何主体的意向，而是自发的发展；②它也不是某种本质性的内因所促成的改变，不同于出自本性的、预定的成长，而是没有在先的目的；③它还认为演化带来的变化构成了持续的进步，从而赋予社会变化以某种价值而形成自然进步观。与此不同，社会演化却通常与某种目的论结合在一起。诺思（2008b）就写道：“与达尔文的进化论相反，人类演化变迁的关键是参与者的意向性，达尔文进化论中的选择机制并非由有关最终结果的信念所决定。相反，人类的演化是由参与者的感知所支配的；选择-决策是根据这些感知做出的，这些感知能在追求政治、经济和社会组织的目标过程中降低组织的不确定性。经济变迁在很大程度上是一个由参与者对自身行动结果的感知所塑造的深思熟虑的过程。感知来自于参与者的信念——关于自身行动结果的推测——这一信念通常与他们的偏好混为一谈。”

（二）制度演化的基本动力

一般地，制度研究有两种基本思维：①将制度视为一种自发的自然演进过程，它关注的是制度发生和演化的自然原因，关键词是“因为”；②将制度视为一种自觉的人为改进过程，它关注的是制度发生和演化的人类目的，关键词是“为了”。皮里坎（2005）以恒温器来说明两者的差异：在自然论眼里，它只不过是一种循环流转并产生加热或制冷的机械装置；但在目的论看来，它具有保持恒温的目标。在很大程度上，根植于自然主义思维的新古典主义演化观接受了前一种思维：它将制度视为大量个体之间的无意识互动结果，从而是大量试错过程中保留下来的有效率的一种；与此不同，一些非正统经济学所推崇的社会演化观则倡导后一种思维：它将制度视为特定个人或群体基于其目的而有意识选择的结果，从而渗透了在学习中不断增长的人类理性。当然，在社会制度的漫长演化或改进过程中，任何个体所起的作用都显得微不足道；从这个角度上说，任何制度都是演化的，乃至演化成为学术界的共识。

同时，自然演化观和社会演化观对演化特性的理解又存在明显的不同，其中的主要差异就体现在是否承认演化进程中的“目的性”。在很大程度上，这也体现为达尔文进化论和拉马克进化论之间的差异。皮里坎（2005）写道：“在达尔文主义的演化中，抽奖具有任意性（盲目性），而在拉马克主义的演化中，它们包含着一种反馈，允许他们从过去的结果中学习，从而增加了未来成功的可能性，并降低了出错的可能性。在物种进化中，不可能观察到这种反馈，拉马克主义现在被认为是不成立的。但是在人类经济组织的演化中，人类能够明确地从过去的错误中学习，拉马克主义又复活了。”当然，达尔文进化论原本探讨的对象是生物的基因突变，而将之引入社会中所关注的则是社会变革。结果，将之引入社会制度的分析中就出现了认知思维上的差异：一方面，基因突变主要是环境引起的，而不是源自生物体的个人选择；但另一方面，社会变革往往都是个体或群体选择的结果，甚至环境也是人类行为的产物。

其实，纯正的自然演化观是无目的性的，它强调，作为演化结果的道德规则或文化传统仅仅只是一个事实，而不代表任何意义。例如，按照李世荣（2008）的看法，哈耶克意义上的演化也是没有目的的，而且演化结果只代表对环境条件的调适，而不代表生存优越等级。从这个意义上说，奥地利学派的演化主要就是自然演化。但不幸的是，自斯宾塞提出社会达尔文主义以来，社会达尔文主义就将进化与自然演化等同起来，乃至“自然”这个事实也被赋予了某种价值内涵，由此就形成了伦理自然主义；这样，自然演化就嵌入了明显的目的论色彩：演化结果往往是演化机制保证会实现且不可逆转的，而且这个结果正好也是较好的和可欲的，从而也就是进步的。相应地，新古典自由主义所持守的社会演化观就以这样三大命题为基础：①人类社会的演变构成了一个发展序列，序列里的每一个阶段都是前一阶段经过调整之后的改善状态；②社会发展的动力来自社会各成员之间以及他们与环境之间的互动和调适；③社会发展的方向既非由事先计划或潜在基因所决定，也不依赖外在于演化过程的力量来指引（钱永祥，2008）。正是基于这一信念，新古典自由主义经济学就将“演化结局中的幸存者”当成“适者”，并认为它具有不同于那些“非适者”的优点和价值；进而，它还以肯定性理性来看待自生自发的市场秩序，由此塑造出一种保守的社会观念。例如，威尔逊就认为，人类行为中的自私和竞争特性是由遗传决定的，高蒂尔和肖特等则分别将生物进化论引入道德伦理和社会制度的演化中，从而形成了流行的演化分析进路。

问题是，我们研究的对象毕竟是社会进化而不是物种进化，这两者之间存在着根本性差异。洛厄（2011）就指出：“对那些受到启发想从自然科学那里‘借用’重要概念的社会科学家来说，他们面对的最困难的任务模式构造真正适合不同于自然科学的社会科学的主题的概念和方法。”显然，这也就要求我们认真关注和剖析社会进化的根本特性。根据杜格和谢尔曼（2007）的归纳，社会进化具有这样四大特征：“第一，进化不仅包括社会所有方面的渐进变迁，也包括基本的社会制度和社会关系的结构变迁。第二，进化意味着变迁是由社会内部动力所引发的（称为内部变迁），而不是由外在于社会的外部原因导致的。第三，进化的变迁不能简化为只受单个因素的影响，而应该归因于整个社会的所有关系的运转（整体的或关联的变迁）。第四，所有等级社会或阶级社会的进化都要涉及集团间的冲突。”在很大程度上，制度变迁本身就是由力量之间的抗争所引发的，这主要不是指个体的力量而是群体的力量，从而具有显著的社会性；同时，制度变迁可以采取渐进方式也可以采取激进方式，但不管如何，它的产生和变迁过程中都渗入了主体的目的性。

可见，社会制度根本上不是自然之物而是人类的理性“构设”，相应地，制度演化本身不仅是一个自然淘汰过程，而更主要是一个人为选择或淘汰的过程。就此而言，康芒斯曾比较了他与凡勃伦的思维差异：“达尔文在那些变化性之中有两种‘淘汰’：自然的淘汰和人为的淘汰。我们的理论是人为的淘汰。凡勃伦的理论是自然的淘汰”，因为在凡勃伦看来，“达尔文式的进化没有预定的目标，而是一种因与果的连续，没有任何趋向、任何最终的极限或者完成点。它是‘盲目的累积的因果关系’。……这些变化性是达尔文式的，不是预先注定的，凡勃伦致力于研究它们，只作为一种单纯的过程，没有任何目标”，“为了适合这种连续变化而没有一个预定目标的达尔文式的新观念，凡勃伦简单地代以‘过程’的观念，而没有明确的目标。”相反，康芒斯则认为社会事物的发展潜含了一定的目的性，从而支持“人为的淘汰”，拥护并投身于社会改革。当然，康芒斯也承认，即使凡勃伦认为社会进化是没有目标的，但他还是强调人的行为是有目的的；这样，“凡勃伦不得不把目的加入他的技巧的本能，因而从达尔文的‘自然的淘汰’改变到达尔文的‘人为的淘汰’。”（康芒斯，1962）

四、人性如何演化：根植本能抑或根植社会

既然社会制度的制定和演化嵌入了主体的意识，那么，要深入理解实然制度和制度变迁的过程和趋势，也就必须理解人性及其相应的行为机理，而不能先验地设定一个经

济人假设。詹森（2011）就提出了三个连贯假设：①所有的社会经济理论都或明或暗地包含了一种人性理论；②制度主义是一种社会经济理论；③制度主义因而必然包含着一种人性理论。诺思（2008a）则强调："运用个人选择理论之所以是必需的，是因为任何具有逻辑一致性且可检验的假设集合，都必须建立在有关人的行为理论的基础之上。"在这里，我们就需要进一步考察：现实世界中的人性及其行为机理究竟如何？

（一）观察人性的二重本体论

学术界对人性的探讨可以追溯到霍布斯。霍布斯说："（人好像是）突然地从地里冒出来的，像蘑菇一样突然成熟，而无彼此间的任何约定。"（Hobbes，1998）因此，所有人都是平等的。受此影响，西方社会的主流观点一直都将人性视为先验的，它没有经历一个学习和演化的过程；同时，既然人性被认为是既定的，新古典经济学也就将经济学视为一门选择的学科。问题是，选择的动机是什么呢？新古典经济学诉诸西方社会的自然主义思维，将人类的行为动机或产生目的性行为的动力都归之于本能，本能是人类所有一切活动的推动者；进而，自然主义思维还派生出方法论的还原主义，人类本能就被还原为人和动物共有的生理需要，主要体现为自我保存和自我满足。这样，孤立而自闭的经济人就成为新古典经济学分析人类行为的立足点。相应地，由新古典经济学衍生出的自然演化思维同样持守着原子论个体主义的分析方法，由原子个体的互动来剖析社会经济现象的演化。在很大程度上，由于新古典主义的自然演化观将社会经济的演化视为与不断变动的环境相适应的结果，因而人类个体也就成为社会的被动接受者。

然而，生物演化论却表明，无论是人类社会还是人类个体，他们都是一个不断演化和成长的过程，人类本能以及人性根本上都是不断演进的而非天然的。行为主义者华生就强调："我们习惯上称为'本能'的东西大多是训练的结果——属于人类的'习得行为'。"（华生，1998）人性的习得性在美国老制度主义者的著作中得到了详尽的阐述。例如，凡勃伦就认为，生命的本能目的是在任何特定的文化环境下产生的，它是一种习惯本性，包含了意识和智力，而完全不同于单纯反射动作的生物学"向性行为"。康芒斯则认为，人类生来就进入了集体行动过程之中，并通过集体行动的规则而具有了个性，因而人性及其行为主要是后天决定而非先天形成。相应地，埃尔斯指出，人类本性的遗传有两条途径：生物学途径和社会-文化途径，其中，生物学途径的禀赋遗传过程是稳定的，而基于社会-文化途径的"习得活动"则发生了相当明显的变化。正因如此，人性与社会经济分析相关的唯一方面就是社会-文化成分的演变。为此，詹森（2011）强调，美国制度主义者寻求用一种多向度的人来取代单向度的经济人，这种个人是一种复杂的动物，他们的行为和行动很大程度上由一种社会-文化所决定，因而可以称之为"社会-文化人"。

基于人性演化观，我们就应该且可以审视新古典经济学基于生物学思维所得出的一系列命题。例如，新古典经济学的经济人假设人是厌恶劳动的，劳动将会产生负效用，每个人都尽可能地避免劳动。但是，马克思主义人性观却强调，人类通过自身的生产活动，不仅改变了自然界，也改变了他们的社会关系，改变了他们自己的本质；因此，人类既是他们自己社会生产活动的主体，又是他们自己生产活动的客体（塞耶斯，2008）。同时，凡勃伦也将劳动视为人的基本本能，这种劳动本能是在数百万年的人类进化中被选择出现，因为它有助于人类的生存和进步，有助于知识和技术创新，有助于塑造人的社会性偏好。事实上，正是从劳动本能中派生出了“好奇天性”和“父母天性”，前者对于在生产力和人类对自然的控制中已经取得的进步负有责任，后者则对人类对于爱、合作和创造性的需求得到满足的程度负有责任。

这意味着，人类不仅被动地适应社会，而且会根据自己的需要和认识有“计划”地改造社会。在很大程度上，人类历史就是人类自我创造过程的故事，“整个所谓世界历史不外是人通过人的劳动而诞生的过程”（马克思和恩格斯，1995）。所有这些，都依赖于被新古典经济学极力贬斥的劳动，从而也就有了不同于新古典经济学的人性观。凡勃伦写道：“对维持物种生命的活动的始终如一的厌恶，这种倾向在其他动物中肯定也找不到。在选择进程中，如果一个物种总是对促进自己生命进程的活动感到厌恶，该物种就不可能稳定地存在。”（Veblen，1898）既然劳动对人类如此重要，是人类维持生命和进化发展的必不可少的手段和过程，那么，现代人为何又显得如此普遍地厌恶劳动呢？这就涉及劳动的异化，正是这种异化的环境改变了人们的观念（朱富强，2018）。

不仅劳动观是如此，而且人的生活观、生产观、消费观等都是如此，它们往往相互影响，共同演进。例如，按照马克思学说，生产以三种不同的方式影响着消费：它提供被消费的对象，它决定消费的方式，它引起消费的需要，而新的需要又引起别的各种生产活动。同时，正是生产活动引起了新的需要和欲望，从而导致人性的重大发展，因而社会改变的过程同时也就是心理改造的过程。进一步地，人类所有社会事物之间都是相互联系、相互影响和相互促进的：不仅是人们的心智决定了对社会实在结构的认知与改造，而且社会环境以及对此的认知也反过来影响了人类心智的发展以及相应的行为。即心智和世界在互动中共同演化：一方面，人性及其行为受到特定社会-文化的影响，而社会-文化环境在动态的技术力量影响下则不断演变；另一方面，这种力量又是置于期间的个人作为社会成员，而且是积极参与的社会成员中的人所创造的。显然，这是柏格森（2004）的创化论思想，也是何梦笔（2004）的“二重本体论”思想。

关于“二重本体论”，马克思和恩格斯都曾做了深刻而先驱性的刻画。马克思并不是把社会关系中的个人看作固定的，而是认为人性在历史中变化，从而强调个人不能离开他们的关系而被理解（古尔德，2009）。在马克思看来，人的本性只有在一个社会关系中才能显示出来，从而人性也就是一个历史的事实。马克思写道：“假如我们想知道什么东西对狗有用，我们就必须探究狗的本性。这种本性本身是不能从‘效用原则’中虚构出来的。如果我们想把这一原则运用到人身上来，想根据效用原则来评价人的一切行为、运动和关系等等，就首先要研究人的一般本性，然后要研究在每个时代历史地发生了变化的人的本性。但是边沁不管这些。他幼稚而乏味地把现代的市侩，特别是英国的市侩说成是标准的人。凡是对这种标准的人和他的世界有用的东西，本身就是有用的。”（马克思和恩格斯，1972）同时，尽管人类由社会所决定，但它又能够通过活动去改变社会和他们本身，从而将社会活动变成创造性活动。恩格斯在《辩证法和自然》一书中写道：“自然科学和哲学一样，完全忽视了人的活动对他的思维的影响。它们一方面只知道自然界，另一方面只知道思维，但是，人的思维的最本质的和最主要的基础，却恰恰是通过人而在自然界中所引起的变化，而非单独是自然界本身。人的智力是按照他改变自然界的程度的比例而发展的”（马克思和恩格斯，1971）。

（二）二重本体观下的人性演化

基于二重本体论，我们就应该从社会互动和历史演化的角度来重新认识和审视人性的发展，来重新理解人类所有的理性特征。现实世界的人不像现代主流经济学所假设的那样是同等地完全理性的，而是经历理性成长和成熟的过程。完全理性体现了对长远利益的完全认识，而现实社会个体对未来的认知和展望却具有明显的局限性，并且也会因经受不起短期诱惑而放弃这种长远利益，人性的发展就是要不断突破这种局限性（朱富强，2012b）。维塞尔（2012）写道：“人不可能在所有时间里都克服即时欲望的诱惑。但是一个人如果在任何试点都始终不考虑未来，他一定不能存活。因为他始终糊涂地不顾未来地屈从于即时的欲望。或许一般人发现自己像鲁滨逊·克鲁索那样完全孤独的话，都难以抵制即时的欲望。”

当然，人类不是动物，人类个体在与他人的社会互动中不断学习和总结经验，由此学会了懂得克制自己的短期欲望，懂得了与他人的分工合作，进而也就促进实质理性的持续成长；同时，社会也发展和建立了一系列的制度来制约个人的短期行为，从而进一步将理性制度化。维塞尔继续写道：“正是在社会联系中，他们获得了那些维持其生存的心理约束。每个人都感到他的生活受到他的家庭、他的伙伴和他的环境的约束……在可能的权范围内，他们寻求通过禁令、惩罚或其他方法来干涉他，迫使他履行他的经济责任。经济生活的法律就像财产的法则那样由社会创造。”（维塞尔，2012）

同时，也只有引入这种实质理性，才可以为我们对社会经济现象的理解和分析奠定更为坚实的微观行为基础。凡勃伦很早就指出，“所有经济变迁都是发生在经济共同体内的变化——即共同体利用物质对象的方法的变化。这种变化总是在万不得已的时候，成为一种思想习惯的改变。……为达到特定物质目标而产生的一种特定发明成为影响思想习惯——程序上的习惯方法——进一步发展的一种环境，从而成为达到这些所追求的目标的方法进一步发展的一个起点，以及所追求的目的进一步变化的一个起点”，其中，“经济利益在塑造所有伤害的文化发展中关系重大”，因而“进化经济学的目标，必然是探索文化序列中的经济利益是如何累积式地产生的。它一定是关于人类或者社会的经济生活过程的理论。（但新古典）经济学家们已经接受了关于人性和人类行为的快乐主义先入之见，而快乐主义心理学所给出的经济利益观是不能为一种人性发展理论提供素材的。快乐主义不是根据行为来考虑经济利益。因此，它很难根据思想习惯的累积式发展来理解和鉴别经济利益，也不能激发（尽管它有助于）通过进化方法来对待经济利益。同时，流行于人们对人性的惯常理解中的人类学先入之见（经济学家也习惯性地依赖这种先入之见），也不会强化根据生活习惯的一种累积式发展来阐述人性”（凡勃伦，2008）。

大量的行为实验都表明，现实社会中的个体行为并不是如现代主流经济学宣扬的那样是平面的经济人，相反，不同社会文化伦理下的个体行为以及同一个体面对不同情境所采取的行为方式往往存在很大的差异。在某种程度上，文化伦理已经被内化为人类行为的一个自变量。因此，人性根本上就不是由基因先天决定的，而是由文化后天塑造的。

例如，马克思就指出，人性本身是社会性的，因而他的追求并不局限于物质利益，更不能将丰富多样的人性还原为动物性本能，分析社会经济现象也不能像新古典经济学那样简单地基于所谓的共同本性。马克思写道："'人'？如果这里指的是'一般的人'这个范畴，那么他根本没有'任何'需要；如果指的孤立地站在自然面前的人，那么他应该被看作一种非群居的动物；如果这是一个生活在不论哪种社会形式中的人……那么出发点是，应该具有社会人的一定性质，即他所生活的那个社会的一定性质，因为在这里，生产，即他获取生活资料的过程，已经具有这样或那样的社会性质。"（马克思和恩格斯，1965）

同样，凡勃伦也写道："经济学家们的心理学和人类学方面的先入之见，是早在几代人之前就被心理学和社会科学所接收的东西"，而"得到现代人类学研究成果所支持的后期心理学，提供了一种不同的人性观念。根据这种观念，人的特征就是要去做某件事，而并非只是简单地在核实的力量的影响下去经手快乐和痛苦。人并非只被放置在环境力量运行的路线中，从中获得满足的欲望，而是一个在演变的活动中寻求实现和表达的习性和习惯的连贯结构。根据这种看法，人类活动，以及其中之一的经济活动，就不是满足既定欲望的过程的某种伴生物。活动本身就是这个过程本质上的事实，引导行为得以发生的欲望是个人性情的一些具体表现，它们决定着给定情况下活动自身演变的具体方向。"（凡勃伦，2008）

可见，人性不是先验的，更不是由基因决定的；相反，它在很大程度上是文化的产物，人类心智与社会本体之间呈现出共同演进关系。凡勃伦写道："社会进化是气质与思想习惯在集体生活环境的压力下的淘汰适应过程。思想习惯的适应是制度的成长。……不但人们的习惯会随形势要求的变化而变化，而且这些变化中的要求也会使人类性格发生相应的变化。"（凡勃伦，1964）正是经历长期的社会互动以及各种社会性因素的熏陶，任何现实社会中个体都具有较强的亲社会性，从而不是现代主流经济学凭借简单的理性和自利所能概括的；同时，个体行为本身具有某种意向性，而这种意向性又与复杂且变化的社会文化背景密切相关，从而也不是现代主流经济学凭借单纯的市场或供求所能解释的。在很大程度上，新古典经济学之所以基于动物性本能而坚持经济人假设并由此采用原子个体主义分析思维，根本上就源于根深蒂固的自然主义思维，这种思维将人类社会和自然世界都视为客观的存在：不仅自然世界独立于观察者而存在，而且人类行为也独立于自然世界而存在。同时，现代主流经济学又将自然主义思维和方法论工具主义结合在一起，将人类在处理和控制自然的过程中所培育的工具理性推广到人与人之间，从而就犯了严重的工具主义谬误。正因如此，我们就应该从根本上反思人性及其行为机理：要从社会发展中理解心智问题，理解人性以及行为机理，要保持人性的历史和逻辑的一致。

五、结语：理解演化思维的本质要点

制度经济学的特色就在于，它一方面考察了制度对经济行为的影响，另一方面又剖析制度本身是如何因人类行为而演变的。因此，本文通过剖析制度和人性的演化，对流行的自然演化观进行了审视。显然，新古典经济学派生出的自然演化观充分承袭和拓展了生物进化的观点，认为本性比环境更为重要，能力和行为的变异则被视为根植于基因之中。但实际上，社会现象与自然现象存在根本性差异：社会现象是人类行为所衍生的，而人类行为是由心理意识所推动的，因而社会现象一直就处于持续的变动之中，不仅具有很快的演化速度，而且也一直处于非均衡状态；相反，自然现象是由自然物相互作用所产生的，而物的运动是无意识，因而自然现象往往比较稳定，不仅演化速度非常缓慢，而且在相当长时间内可以看作一种均衡状态。为此，哈耶克就指出，“那种探求定量关系的路径，在解释两个变量或三个变量之间的相互依存关系方面确实是十分有效的；但是，我们现在却没有理由相信那种探求定量关系的路径也能够对我们解释自我维续的结构——这类复杂的结果完全是因为它们有着自我维续的特性而存在的——大有助益。”（哈耶克，2000）

有鉴于此，针对结合了物理学和生物学方法而形成的自然演化思维，我们运用它来分析和解释社会经济现象时，就必须持有审慎的态度。威特就强调：“尽管新达尔文主义理论在人类发展史方面的解释力受到了高度重视，但它对当代文化与经济惊人的演化所做解释的适用性问题则受到了怀疑。试图或多或少明确地使用基因进化与经济演化的类比非常多。然而把生物学的思想移植到经济学中来仍然存在着严重的缺陷。”（威特，2004）由此，我们就可以审视流行的唯物史观，因为这种唯物史观往往带有明显的自然主义特性，往往单方面地认定自然条件决定着人的发展历史，而往往忽视人对自然界的反作用，忽视人对生存条件的改变和创造。胡克则强调：“所有这一切唯物主义哲学的主要缺陷，就在于，试图将社会性的东西说成仅仅是非社会性的东西的一种错综复杂的结果，而结果是没有看到在人们的联合行为中产生的不可否认的与众不同的新型关系。加之，把社会行为的特殊性质和规律说成是物理学和生物学的范畴是不同的，而除了这样基本的异议之外，证据说明了下面这样的一个事实，即：在任何特定的地区，这些物理和生物学上的因素都是相对不变的，而社会生活却表现出显著的变化。”（胡克，1989）

其实，学术界对社会经济现象的演化分析和解释要远远早于新古典经济学，无论是早期的古典经济学以及当时的很多流派，还是与新古典经济学对立的老制度经济学、奥地利学派等，都关注社会事物的演化，分析中都有某种类型的演化思维。威特指出：“关于经济现象如何演化的主要思想是独立地产生于达尔文主义启示之外的。”（威特，2004）而且，这些演化思维传统往往将行为个体视为一个内生变量，而不是一个独立变量。例如，凡勃伦就强调：“个人的经济生活史是一个手段适应目的的累积过程，当这个过程进行时，目的本身也在累积性地变化着，行为人和他所处的环境，在任何一点上都是前一个过程的结果。他今天的生活方式受到从昨天流传下来的生活习惯的强制，也受到作为昨天生活的机械性残余的环境的强制。”（凡勃伦，2008）相应地，这种社会演化思维更加注重人类行为的意向性，更加注重分析个体的异质性，所确立的行为模型具有更强的多向度性。这一点也在社会科学其他分支的研究新进展中得到体现。美国早期著名社会学家和社会心理学家库利就强调，人不是孤立的个体，而是社会的成员，人的思想和行动是相互关联的，当个人作用于社会时，也将改变其他人的行为；为此，他以“镜像自我”（looking-glass self）来形容自我是与别人面对面互动的产物：别人好像一面镜子，我的自我意识是我从别人的心里看到别人怎么看的我。

由此可见，社会演化思维更符合生活世界的本体，更符合社会制度变迁的实际，更符合人性的发展，从而也就更值得为社会制度和经济行为的研究所借鉴和吸收。贾根良（2006）把强调静态均衡的分析和基于动态演化的分析分别称为牛顿主义的和达尔文主义的，并做了简明扼要的列表比较。在这里，贾根良所强调的达尔文传统更大程度上突显了非正统经济学的社会演化思维而非新古典经济学的自然演化思维。其实，早在100多年前，凡勃伦就指出，由于“经济学还不是一门进化科学”，“今天没有哪个经济学家会厚颜无耻地或者倾向鲜明地认为，无论在理论结果的细节上，还是在理论的基本特征上，这门科学都得到了最为成熟的阐述”；而且，经济学之所以还不是一门进化科学的一个重要原因就在于，经济学家们“把人性视为一种被动的、实质上是无生命的、永恒地给定的东西”（凡勃伦，2008）。更进一步地，由于人性及其行为机理深受社会文化的影响，社会经济事物的演化不是一个生物学意义上的自然选择过程，而是文化学意义上的人为选择过程，其中渗透了人类意识。从这个意义上说，经济学的麦加就不是生物学，而是文化学。相应地，更精确地说，现代经济学之所以还不是一门进化科学，根本上在于它并没有建立起成熟的社会演化思维，从而无法真正揭示人类社会的演化过程和特征。

参考文献

贝克尔 G S. 1995. 非理性行为与经济理论//贝克尔 G S. 人类行为的经济分析. 王业宇，陈琪译. 上海：上海三联书店，上海人民出版社.

柏格森 H. 2004. 创造进化论. 姜志辉译. 北京：商务印书馆.

布什 P. 2011. 制度变迁理论//图尔 M R. 进化经济学（第1卷）：制度思想的基础. 杨怡爽译. 北京：商务印书馆.

邓正来. 1998. 自由与秩序：哈耶克社会理论的研究. 南昌：江西教育出版社.

杜格 W M，谢尔曼 H J. 2007. 回到进化：马克思主义和制度主义关于社会变迁的对话. 张林译. 北京：中国人民大学出版社.

凡勃伦 T B. 1964. 有闲阶级论. 蔡受百译. 北京：商务印书馆.

凡勃伦 T B. 2008. 科学在现代文明中的地位. 张林，张天龙译. 北京：商务印书馆.

弗里德曼 M. 2007. 实证经济学方法论//豪斯曼 D. 经济学的哲学. 丁建峰译. 上海：世纪出版集团，上海人民出版社.

古尔德 C C. 2009. 马克思的社会本体论：马克思社会实在理论中的个性和共同体. 王学虎译. 北京：北京师范大学出版社.

哈耶克 F. 2000. 法律、立法与自由（第2、3卷）. 邓正来，等译. 北京：中国大百科全书出版社.
何梦笔. 2004. 演化经济学的本体论基础//多普菲 K. 演化经济学. 贾根良，等译. 北京：高等教育出版社.
胡克 S. 1989. 对卡尔·马克思的理解. 徐崇温译. 重庆：重庆出版社.
华生 J B. 1998. 行为主义. 李维译. 杭州：浙江教育出版社.
贾根良. 2006. 中国经济学革命论. 社会科学战线，（1）：64-79.
贾根良. 2010. 西方异端经济学主要流派研究. 北京：中国人民大学出版社.
康芒斯 J R. 1962. 制度经济学（下）. 于树生译. 北京：商务印书馆.
劳森 T. 2018. 重新定向经济学. 龚威译. 北京：中国书籍出版社.
李世荣. 2008. 哈耶克自由主义的证成途径：社会演化之方法论典范//姚中秋. 自发秩序与理性. 杭州：浙江大学出版社.
罗尔斯 J B. 1988. 正义论. 何怀宏译. 北京：中国社会科学出版社.
洛厄 M D. 2011. 制度主义视角中的技术概念//图尔 M R. 进化经济学（第1卷）：制度思想的基础. 杨怡爽译. 北京：商务印书馆.
马克思，恩格斯. 1965. 马克思恩格斯选集（第19卷）. 北京：人民出版社.
马克思，恩格斯. 1971. 马克思恩格斯选集（第20卷）. 北京：人民出版社.
马克思，恩格斯. 1972. 马克思恩格斯选集（第23卷）. 北京：人民出版社.
马克思，恩格斯. 1995. 马克思恩格斯选集（第3卷）. 北京：人民出版社.
诺思 D. 2008a. 制度、制度变迁与经济绩效. 杭行译. 上海：格致出版社，上海三联书店，上海人民出版社.
诺思 D. 2008b. 理解经济变迁过程. 钟正生，邢华译. 北京：中国人民大学出版社.
皮里坎 P. 2005. 经济和生物演化中的自组织过程和达尔文主义选择：对组织过程信息来源的研究//福斯特 J，梅特卡夫 J. 演化经济学前沿：竞争、自组织与创新政策. 贾根良，等译. 北京：高等教育出版社.
钱永祥. 2008. 演化论适合陈述自由主义吗//姚中秋. 自发秩序与理性. 杭州：浙江大学出版社.
萨格登 R. 2008. 权利、合作与福利的经济学. 方钦译. 上海：上海财经大学出版社.
塞耶斯 S. 2008. 马克思主义与人性. 冯颜利译. 北京：东方出版社.
斯坎伦 T. 2014. 道德之维：可允许性、意义与谴责. 朱慧玲译. 北京：中国人民大学出版社.
维塞尔 F. 2012. 社会经济学. 张旭昆，等译. 杭州：浙江大学出版社.
威特 U. 2004. 演化经济学：一个阐释性评述//多普菲 K. 演化经济学. 贾根良，等译. 北京：高等教育出版社.
肖特 A. 2003. 社会制度的经济理论. 陆铭，等译. 上海：上海财经大学出版社.
肖条军. 2004. 博弈论及其应用. 上海：上海三联书店.
杨 P. 2004. 个人策略与社会结构：制度的变化理论. 王勇译. 上海：上海三联书店，上海人民出版社.
伊格尔顿 T. 2011. 马克思为什么是对的. 李杨，等译. 北京：新星出版社.
詹森 H E. 2011. 人性理论//图尔 M R. 进化经济学（第1卷）：制度思想的基础. 杨怡爽译. 北京：商务印书馆.
朱富强. 2007. 社会扩展秩序中的“人类意识”刍议：哈耶克的自生自发社会秩序之检视. 制度经济学研究，（4）：135-157.
朱富强. 2011a. 制度研究范式的逻辑基础：对象界分和分析思维. 公共行政评论，（4）：23-49.
朱富强. 2011b. 行为经济学的微观逻辑基础：基本假设和分析维度. 社会科学战线，（10）：47-59.
朱富强. 2012a. 制度改进的基本思维：演化动力和优化原则. 财经研究，38（4）：16-25，133.
朱富强. 2012b. “经济人”分析范式内含的理性悖论：长远利益、为己利他与行为理性的理解. 上海财经大学学报，14（4）：10-17.
朱富强. 2017a. 中国人仇富？现代主流经济学的荒谬逻辑. 政治经济学评论，（2）：180-208.
朱富强. 2017b. 市场主体的分散行动能否导向市场协调：奥地利学派的市场过程观审视. 天津社会科学，（6）：109-118.
朱富强. 2018. 现代消费理论三大基本假设缺陷：兼评现代主流经济学的逻辑前提. 东北财经大学学报，（4）：10-23.
朱富强. 2020. 企业能力、职位租与高管高薪：现代市场经济中的收入分配机制. 财经研究，（3）：

65-79.
朱富强. 2021. 否定性理性与辩证法思维特质：兼论辩证法用于经济分析的限度. 财经问题研究，（2）：13-24.
Alchian A A. 1950. Uncertainty，evolution，and economic theory. Journal of Political Economy，58：211-221.
Fisher R A. 1930. The Genetical Theory of Natural Selection. New York：Dover.
Gauthier D. 1986. Morals by Agreement. Oxford：Oxford University Press.
Hamilton W D. 1967. Extraordinary sex ratios. Science，156：477-488.
Hobbes T. 1998. On the Citizen. Cambridge：Cambridge University Press.
Khalil E L. 1996. Friedrich Hayeke's Darwinian Theory of evolution of institutions：two problems. Australian Economic Papers，35（June）：183-201.
Smith M，Price G. 1973. The logic of animal conflict. Nature，246：15-18.
Trivers R L. 1971. The evolution of reciprocal altruism. Quarterly Review of Biology，46（4）：35-57.
Veblen T B. 1898. The instinct of workmanship and the irksomeness of labor. American Journal of Sociology，4（2）：187-201.

从创造性破坏范式失衡到共同富裕情境下创新的政治经济学分析

王焕祥

摘要：本文通过梳理近百年来创新研究的脉络及关键文献发现，自熊彼特提出创造性破坏范式分析以来，创新研究一直聚焦于如何激发创新而忽视了破坏分析，其原因涉及思想史形成与经济发展史；本文全面概括了创造性破坏范式及破坏的内涵，归纳出创新在微观、中观及宏观层面的政治、经济、社会、道德、组织等领域可能产生的破坏，进而从创造性与破坏本体论、包容性创新的启发式策略及情境分析方法论层面，基于中国共同富裕情境分析模型，从政治及宏观、中观、微观政治经济等四个层面，提出了一个构建创新政治经济学框架的指南。

关键词：创造性破坏　破坏　共同富裕情境　包容性创新　政治经济学

中图分类号：F091.354

从以增长为目标到以可持续发展为目标的创新，创造性破坏范式提供了比主流经济学更科学的解释及政策启示，但随着包容性增长①与发展目标的导入，该分析范式一直聚焦于“创造性”而忽略“破坏”的传统，导致该范式面对包容性目标时表现出一种分析的失衡。本文在梳理创造性破坏分析范式近百年理论进路的基础上，通过厘清其为何、如何失衡，以中国共同富裕为情境分析模型，提出了一个兼容创造性与破坏即包容性创新的创新政治经济学分析框架。

一、创造性破坏范式分析归核化中的失衡

（一）创造性破坏分析范式及其归核化

熊彼特最初提出“创造性破坏”，主要是描述企业家创造性地破坏市场均衡的过程，在

作者简介：王焕祥，男，经济学博士、管理学博士后，嘉兴学院中国共同富裕研究院、长三角一体化研究中心研究员，嘉兴学院·奥尔堡大学区域软实力研究所中方所长，清华大学《演化与创新经济学评论》执行主编，主要研究方向为演化与制度分析的一般理论、区域创新与发展。

① 包容性增长（inclusive growth）由亚洲开发银行在2007年首次提出，意指寻求社会和经济协调发展、可持续发展的增长方式，最基本的含义是公平合理地分享经济增长成果；包容性发展（inclusive development）由时任中国国家主席胡锦涛于2011年在博鳌亚洲论坛上首次提出，意指更为公平和均衡的新发展方式。

历经后继者解读并利用其进行相关研究的进程中，这一术语迄今至少具有了以下几个含义：①义同“创新”，但人们一般使用“创新”而非“创造性破坏”；②为了给新的生产方法让路而故意废除已有方法；③作为经济变革的形式或方法的一个长期演化过程；④描述破坏性技术的一种创新模式即破坏式创新。承袭熊彼特而令创造性破坏分析真正上升为一种范式意义上的理论阐述的，一是新熊彼特学派或主义，他们在创新的微观、中观及宏观层面均形成了较为成熟的理论体系，追求独立于主流经济学研究的范式特征，通常被贴上“演化”的标签；二是 Nelson 和 Winter（1982）的经济增长的演化理论以及 Aghion 等以“创造性破坏范式”为名提出的“熊彼特增长模型”（Aghion and Howitt，1992；阿吉翁等，2020）。其他如熊彼特经济学、熊彼特范式、创造性破坏经济学等称谓的研究，大都在二者之列。

综合熊彼特本人及新熊彼特学派、Nelson 和 Winter 以及 Aghion 等有代表性的研究，创造性破坏范式即创造性破坏驱动经济增长的范式，其含义主要有四：一是增长过程的核心为创新及其传播，二是创新依赖于激励但并不限于产权保护制度，三是创造性破坏导致既有创新失效，四是创新方式至少包括模仿创新与前沿创新，创新方向受创新路径依赖规律的制约。如表 1 所示，创造性破坏范式分析自熊彼特以来，近百年创新研究思想史的发展基本围绕创造性破坏与创造性破坏范式的分析展开，以经济学与管理学为主线，形成了具有跨学科特征的若干理论体系，涉及政治学、组织学、政策科学、历史学、哲学及社会学等，研究对象聚焦于创新的发生与扩散，科技发展的组织与激励，创新与增长，以及科学、技术与社会之间的关系等四个领域。

表 1　熊彼特以来的创新研究进展与关键文献（1912～2022 年）

<table>
<tr><th>主要进展</th><th colspan="2">关键文献</th></tr>
<tr><td rowspan="4">1. 创新企业（中小企业与大型企业）
2. 政府弥补创新的市场失灵
3. 从单一部门到多部门作用
4. 从技术采用到技术扩散
5. 从科学推动到需求拉动
6. 从静态创新模型到动态创新模型
7. 从线性模型到交互链环模型
8. 从通用创新过程到行业特有创新类型
9. 从新古典范式到演化经济学范式
10. 从新古典外生增长理论到创新驱动的新增长理论
11. 从最优化企业到基于资源观的企业
12. 从单个创新主体到创新体系
13. 知识创造与管理
14. 从单一技术企业到多技术企业
15. 从区域/国家创新体系到多层次创新体系
16. 从封闭式创新到开放式创新
17. 从开放式创新到创新生态
18. 协同创新</td><td>1969 年及以前</td><td>1. Schumpeter（1912，1936）创新驱动增长/发展
2. Schumpeter（1942）创新的经济、社会与政治学
3. Burns 和 Stalker（1961）创新管理
4. Rogers（1962）创新扩散
5. Arrow（1962）创新资源分配及其福利</td></tr>
<tr><td>1970~1989 年</td><td>6. Freeman（1974）产业创新经济学
7. Nelson 和 Winter（1982）经济变革/创新的演化理论
8. Pavitt（1984）技术变革的部门模式
9. Freeman（1987）技术政策与经济绩效
10. Von Hippel（1988）创新模式</td></tr>
<tr><td>1990~2000 年</td><td>11. Romer（1986，1990）知识外溢，人力资本投资、研究和开发，收益递增，劳动分工和专业化，边干边学
12. Porter（1990）国家竞争优势
13. Cohen 和 Levinthal（1990）学习和创新的吸收能力
14. Lundvall（1992）国家创新体系
15. Nelson（1993）国家创新体系的比较研究
16. 创新与区域优势
17. Nonaka 和 Takeuchi（1995）知识创造与管理</td></tr>
<tr><td>2001~2022 年</td><td>18. Henry（2003）开放式创新
19. Watanabe（2008）创新生态系统
20. 陈劲（2011）协同创新与中国经验
21. 陈劲（2021）整合创新与中国经验</td></tr>
</table>

注：根据 Fagerberg J，Martin B R，Andersen E S. 2013. Innovation Studies：Evolution and Future Challenges（中译本，科学出版社，2018 年 10 月）整理，本文进行了删减与增补。此外，该表所涉文献均为经典文献，囿于篇幅原因，未详细列出，如有需要可向作者索取

苏塞克斯大学、耶鲁大学和斯坦福大学已围绕创新的过程及实证研究形成了一个研究成果的系统综合体，Dosi等（2005）认为该系统综合体意味着对创新过程中的某些特征（如偶然性与不确定性、创新收益的公共物品属性、隐性知识与经验式学习的重要作用等）形成了共识。但 Lundvall（2013）认为该系统综合体并未真正构成范式意义上的理论核心，创新研究领域的知识复杂与多元现象已指向一个共同的理论核心，即创新是多主体参与且持续扩展演化的交互过程。这也印证了 Antonelli（2007）综合斯密和马克思的古典理论、熊彼特的理论、Arrow 的理论以及马歇尔的生物学隐喻理论等四种启发式框架得出的结论：在创新经济学不同分析领域的细化和演化中，创新被视为一种复杂的、路径依赖的过程，具有多种异质性主体相互依存和相互作用且能够学习，并以主观和过程理性对创造性做出反应为特点。由表1可以看出，在近30年创新研究领域形成的创新组织、创新网络、创新集群、创新体系、开放式创新、协同创新、创新生态等思想中，Lundvall 的看法更加准确。Cecere（2015）通过对创新经济学关键出版物的总结得出同样的结论：尽管目标和理论基础不同，但创新总是表现为嵌入复杂系统的个体间互动的结果①。

（二）创造性破坏范式分析的失衡

创新研究呈现出知识归核化的同时也伴随着另一个为学界忽视已久的问题：研究重心大都集中于“创造性”而忽视了“破坏”，这偏离了熊彼特的本意。熊彼特使用创造性破坏来描述资本主义社会经济中破坏与创造的相互依存关系这一核心特征，是有其特定背景的（H. Reinert and E.S. Reinert，2006）：当时尼采（Nietzsche）首先在社会科学领域使用了这一术语，提出了破坏是创造的先决条件这一具有革命性的观点，马克思和熊彼特都认为这种“创造性破坏”的特征终将导致资本主义的毁灭。因此，创造性破坏的概念在当时代表了一种对“进步”的持久信念，创造和毁灭是同一事物的正反两面。如 Dosi（2013）指出的，源于创新过程的“创造性毁灭”的重要性将重点放在了“创造”这一部分，很大程度上忽略了常常伴随着它们的社会与生态破坏，现在是时候解决这个问题了。基于此，我们认为熊彼特的“破坏”有两个基本含义，一是创造性破坏导致既有创新失效，二是导致资本主义社会的毁灭。正是因为第二点，西方学者认为熊彼特的结论过于悲观，也不可能将其理解为“进步”意义，也许是因此才形成了重创新轻破坏的研究格局。如表 1 所示，熊彼特的后继者多用创新而少用创造性破坏这一术语，聚焦于激发创新、创新发生及扩散等主题，鲜有探讨创新之破坏面的，最终形成了创造性破坏范式分析失衡的局面。

① 目前，以创新经济学为题的文献，基本可以涵盖所有这些相关研究，这与主导国际熊彼特学会（The International Joseph A. Schumpeter Society）近20年来的演化分析思潮一致。该学会成立于1986年，旨在推进对熊彼特精神及相关领域的研究，专注于结构变化的动态过程、源头及影响。

二、创造性破坏范式分析为何、如何失衡

首先是熊彼特本人，自 1912 年提出创造性破坏后的 30 年间，一直围绕创造性展开研究，加之彼时西方世界的大萧条背景，西方学者自然忽略破坏而兴奋于以“创新”这个新变量去探讨资本主义的发展问题。直到 1942 年《资本主义、社会主义与民主》出版，熊彼特才从经济学、社会学、文化学及政治学的视角系统阐释破坏，并预言资本主义终将被其内在创新的成功所毁灭。西方学者要么是像凯恩斯那样以著述进行辩护，表达资本主义如何“自救”；要么是纯粹讨论创新驱动资本主义的持续发展问题。新熊彼特学派则把熊彼特的创新理论和研究方法与新古典经济学的微观经济理论结合起来，重在量变到质变、动态非均衡及产业经济分析，聚焦于技术创新与制度创新在经济增长中作用的研究。

其次是 19 世纪 70 年代的边际革命，使经济学从古典经济学的强调供给侧（生产、供给和成本）转向现代经济学的强调需求侧（消费、需求和效用），20 世纪后的新古典经济学进一步强化了对需求侧的理论聚焦，将创新处理为外生变量。如表 1 所示，Romer 虽然在一定程度上对创新进行了内生化分析，但主要还是沿着 Arrow 开创的创新独占性与公益性这一思想展开（Lundvall，2013），关注点在于知识外溢，人力资本投资、研究和开发，收益递增，劳动分工和专业化，边干边学等，破坏在主流经济学中则被视为市场失灵。

最后，从创新研究产生及发展的社会经济背景来看，20 世纪 50 年代初至 70 年代初是资本主义的“黄金时期”，西方发达国家一方面通过建立累进税制为医疗、教育、社会保障和社会援助等广泛的社会福利提供资金，另一方面大大增加了工人在资本劳动合同中的劳动权利，促成了一个由商业企业家、新技术官僚阶级和工人组成的发展阶级联盟，其共同政治目标是创造进步资本主义。在这个经济快速增长、金融稳定和不平等现象相对减少的时期，如表 1 所示，学者对创新的关注点主要在于创新管理、创新扩散、创新资源及创新驱动工业体系等问题，（工业）创新经济学作为概念和理论体系被正式提出来（弗里曼和苏特，1974）。这种背景下的创新研究是很难产生审视破坏的集体行动的。

三、重新理解创造性破坏之“破坏”

在早期，熊彼特主要描述了三个层次的破坏：微观层次上创新竞争对企业的破坏，中观层次上创新的时空蜂聚导致的产业部门破坏，宏观层次上创新从经济体系内部破坏旧的、创造新的结构。此时他提及破坏的目的是论述资本主义的创造性过程及特征，暗含了创造性破坏可能会破坏某些现任者利益但令社会整体获利的思想，直至 1942 年的《资本主义、社会主义与民主》才正式将破坏作为分析内容，认为资本主义终将被自己的创新所产生的诸多成功所毁灭。

熊彼特之后，创造性破坏一般是以经济增长的引擎和福利增加的源泉进入理论体

系，相关研究几乎全部集中于如何激发创新，破坏分析被系统性地搁置了，只有一些偶发的实证研究。但正如 Witt（1996，2016）指出的，创新的经济活动对一些社会成员而言总是意味着损失，有时甚至是困苦，以及无法估量的风险。新熊彼特学派中正式在规范经济学意义上触及破坏的是 Soete（2013），她用“破坏式创造”（destructive creation）这一术语来说明创新有可能使大多数人受损而少数人受益，强调这种破坏式创造在制造业与金融部门中都有典型案例。Komlos（2016）认为我们有关创新对 GDP 影响的估计存在偏差，破坏部分的社会和经济成本被遗漏了，虽然在第一次和第二次工业革命期间与 GDP 净增加值相比，创新的破坏性成分的规模可能很小，但进入 21 世纪后，创新的破坏性成分相对于创造性成分的规模无疑是增加的，因此呼吁对创新经济学进行更深入的研究，将创新分解为创造性和破坏性因素，从而更好地估计创新对 GDP 和就业的贡献。

如上所述，主流经济学以 Arrow 和 Romer 等为代表，其贡献集中于如何激发创新，并就创新的公益性提出了市场失灵问题。直到 1992 年，Aghion 和 Howitt 提出了“熊彼特增长模型”，创造性破坏思想才真正受到主流宏观经济学的重视。他们将创新与破坏的关系描述为某种“厮杀”与“挣扎”式的竞争，认为市场中的创新并非一出现就是正外部性的，而是会受到既有利益主体的各种漠视、打击甚至扼杀，但同时创新也在不断地冲击着旧技术、既有利益。后来，阿吉翁等（2020）又进一步将创新描述为三阶段的浪潮式过程：“浪潮 1”中基础创新发生但应用创新并没有跟上，此阶段的创新是一个被歧视、漠视乃至被排斥的过程；“浪潮 2”中创新开始打击“守旧”企业和就业岗位，“破坏”愈演愈烈，甚至达到大于创造的程度；“浪潮 3”中的创新已形成巨大的经济规模，会创造更多的岗位，创造大于破坏，不平等因此会得到缓解。不过，一方面，他们明确表示其研究是“从资本家手中拯救资本主义”，防止熊彼特所预言的矛盾结果出现；另一方面，他们的研究总体上是基于经验研究的实证经济学，但破坏首先是规范经济学问题。李磊和王焕祥（2020）综合现有研究成果，从政治经济学视角比较系统地概括了创新活动可能引致的“破坏”：社会层面主要导致社会资源浪费、失业与收入不平等加剧、环境污染与能耗量增加；组织层面则会引起组织内冲突，降低组织效率等；道德层面对应着社会不道德行为和“搭便车”行为等。

综上所述，相关创新研究的不同发展阶段均零星涉及了破坏，这些破坏发生在政治、经济、社会、道德、组织等不同领域，微观、中观及宏观不同层面，表 2 综合了破坏的主要类型及内容，但目前尚未纳入创新研究的理论框架。

表 2 “破坏”发生的领域及类型

领域	微观	中观	宏观
政治	1. 利益集团游说、寻租导致资源浪费（Shouro Dasgupta et al.，2016） 2. 创新方向/路径锁定（Aghion et al.，2020）	创新方向/路径锁定（Aghion et al.，2020）	1. 资本主义毁灭（Schumpeter，1942） 2. “政治失灵”的资源浪费（Schnellenbach and Schubert，2019） 3. 金融市场高度政治化导致“技术僵化”、虚假再分配（Caballero and Hammour，2000） 4. 创新管理政策效率低下的损失（Guan and Liu，2005） 5. 减少 GDP（Komlos，2016）

续表

领域	微观	中观	宏观
经济	1. 创新破坏原有市场结构（Schumpter，1934） 2. 金融产品创新破坏家庭储蓄（Soete，2013） 3. 新产品设计摧毁现有产品（Soete，2013） 4. “专利丛”（Dosi et al.，2006）、“专利鲨鱼/专利蟑螂”（Chien，2014）及“专利泡沫”（Shleifer and Vishny，1994）浪费社会资源 5. 组织内创新的个体/团队与其他个体/团队冲突（Yuan et al.，2010；Anderson and Havermans，2007） 6. 导致组织环境不稳定、资金不足（Anderson et al.，2004）	1. 金融产品创新导致金融系统失灵（Soete，2013） 2. 创新管理效率低下的损失（Guan and Liu，2005） 3. 导致部门、区域间收入不平等（Lee，2011；Breau et al.，2014） 4. 创新浪潮推进中不同部门间社会资源浪费（Aghion et al.，2020）	1. 创新导致的摩擦失业（Acharya et al.，2013） 2. 创新破坏原有市场结构导致失业（Davis and Haltiwanger，1990） 3. 失业、直接加速现有工作价值贬损和间接降低现有工作创造的价值（Aghion and Howitt，1994） 4. 塑造了劳动力市场不平等（Hornstein et al.，2005） 5. 创新管理效率低下的损失（余泳泽和刘大勇，2013） 6. 创新导致能源消耗增加（Binswanger，2000）
社会	1. 破坏家庭组织（Schumpeter，1934；Harrison et al.，2015） 2. 导致旧学历过时及其价值贬损（Aghion et al.，2020） 3. 造成学习机会不平等（Lorenz，2013） 4. 创新能力较强的决策单位面临困境时实施不利于集体的不道德行为（Mazar et al.，2008；Beaussart et al.，2013） 5. 导致市场失灵的“搭便车”的不道德行为（肖条军和盛昭瀚，2000；易余胤，2008） 6. “恶意创造力”（Cropley，2011）	1. 压力、焦虑、局部的健康恶化（Aghion et al.，2020） 2. 局部的幸福感丧失（Aghion et al.，2020） 3. “恶意创造力”（Cropley，2011）	1. 破坏社会形式与生活方式（Schumpeter，1936；Lundvall，2013） 2. 破坏劳动力市场结构而导致收入不平等（Acemoglu，2002） 3. 创新的产生与应用过程产生了各种废弃物从而导致环境污染（Jaffe et al.，2003） 4. 创新引致能源消耗增加致使二氧化碳排放增加（Berkhout et al.，2000） 5. 创新能力较强的决策单位面临困境时实施不利于社会的不道德行为（Mazar et al.，2008；Beaussart et al.，2013） 6. “恶意创造力”（Cropley，2011）

注：表中所涉文献，囿于篇幅，未详细列出，如有需要可向作者索取

四、创新的政治经济学：本体论、方法论与启发式策略

要将上述有关破坏的经验研究纳入一个含有新的规范意义的理论框架，形成一个包容创造性与破坏分析的框架，需解决本体论、方法论及启发式策略三个层面的科学推理问题。

（一）本体论

本体论是一种理论对有关现实结构做出的基本假设。创新研究相较于主流经济学的优越性便在于以创造性破坏为本体论，但创造性破坏范式分析的失衡表明其本体论并不完整，尚需一种包容创造性与破坏分析的本体论。如表2所示，破坏分析主要出自偶发的实证研究，但破坏研究更多地涉及对创新活动的价值判断以及对破坏进行治理的价值取向，这是规范经济学的问题。

（二）方法论

方法论是用什么方法来表述和验证理论，由目标问题的特殊性决定，各种方法往往是互补而非替代关系，故该层面更多的是务实性问题而非原则性问题，但破坏分析所涉规范经济学具有特定情境嵌入的特征，创新的网络、集群、体系/系统、生态等分析同样具有情境嵌入特征，故在方法论层面，情境分析对于创新研究具有特殊意义。

按照情境分析模型，社会科学的中心任务是构建一个典型事件模型，理论社会科学中的模型是对特定社会情境的描述或重构[①]。作为政治经济学术语，共同富裕之所以适合作为兼容创造性与破坏分析的情境分析模型，是因为它符合情境分析所要求的制度性模型特征：包含主体的期望或者态度，并可根据主体的内在因素来分析情境模型。如表 3 所示，以国际上常用的情境分析建模——斯坦福研究院拟定的 6 步骤，我们从共同富裕视角重构自主创新这一典型事件，将创造性破坏的包容性分析嵌入共同富裕情境模型，有助于获得共同富裕情境下创新的政治经济学知识启发。

表 3 包容创造性与破坏的中国共同富裕情境分析模型

模型		典型事件重构与描述	主体的期望或态度
1	明确情境主体	“共同”是高水平社会生产关系，“富裕”是高水平社会生产力	共同富裕是社会主义的本质要求与奋斗目标，是人类文明新形态的价值追求
2	关键因素识别	1. 创新是共同富裕的第一动力 2. 在创新支撑高质量发展中促进共同富裕	为“全人类共同价值”提供中国范本、注入中国内涵，发展生产力是根本
3	外在驱动力	1. 国际科技竞争推动的新发展战略 2. 数字经济赋能高质量发展的机遇	坚持共同富裕是中国式现代化新道路有别于西方现代化道路的重要标志，通过自主创新实现赶超战略
4	选择不确定的轴向	1. 创新支撑高质量发展是夯实共同富裕的经济基础 2. 绿色创新奠定共同富裕的“双碳”基础 3. 创新支撑城乡一体化发展确保共同富裕的高质量 4. 创新收益分配中的效率与公平	创新成为第一动力，共享成为根本目的
5	发展情境逻辑（分析内容）	1. 科技创新举国体制实现自主创新 2. 通过自主创新实现高质量发展 3. 通过高质量发展实现共同富裕	创新的价值导向是实现共同富裕
6	分析情境分析的内容	应对 1~5 进行专家评价，找出共同富裕情境下自主创新的最优分析模型，但其内容均出自党和国家的相关文件，为确定性的	2021 年中央财经委员会第十次会议关于共同富裕的议题

情境分析模型包括人与社会关系，人指的是主体的态度、期望、信念和价值，社会关系包括社会机构（如官僚规章、金融市场、法律规范等）以及传统和社会规范。由表 3 可知，共同富裕、高质量发展、自主创新等体现了主体（中国政府与社会）的态度、期望、信念和价值，社会关系则体现为社会机构（共产党执政的行政体系、创新主体及相关支持体系等）以及（自主创新嵌入的）中国文化传统及社会规范。因此，共同富裕

① 情境分析模型由 Popper（波普尔）首创，出自经济学方法，优点在于它对现实状况的反映，已在多领域成功应用。我国情境分析研究开始于 20 世纪 80 年代后期，主要应用于企业管理、农业发展、能源需求、交通运输、人口发展等领域。本文不展开介绍，可参考波普尔. 1988. 波普尔思想自述. 赵月瑟译. 上海：上海译文出版社：54-90.

情境分析模型中的创造性破坏作为特定事件，与中国模式具有逻辑一致性，其贯彻的平衡性、协调性、包容性的实现机制具有新形态价值追求的典型特征。中国共同富裕情境下完整本体论的创新研究，需在现有创新经济学的基础上纳入政治学、管理学、组织学、社会学等跨学科的方法，是一种包含了新的价值体系的政治经济学分析，该政治经济学可以用来阐明价值体系及其在特定经济分析中的作用。

（三）启发式策略

与本体论相关的启发式策略涉及如何表达问题以归纳出假说，即如何在创新研究的框架下将破坏概念化并对创造性和破坏进行统合分析，共同富裕情境下的创新则进一步强调通过理性的集体决策如何避免上述诸多破坏的产生并实现创新成果的共享。熊彼特在其民主理论中曾表示，完全相同的社会机制和人类微观属性在市场和政治（民主）的任何一个系统中都会起作用，其主要差异在于主体表现出的理性程度以及两个领域内各自的竞争范围和强度的不同；不过，与经典方法不同，他警告说，尽管公民的政治认知能力与政治领导人存在差距，但民主的核心问题是如何实现理性的集体决策（Egidi，2017）。我们将此称为熊彼特条件（创新发生的政治/民主条件），该条件意味着无论是资本主义市场经济的社会情境，还是中国特色社会主义市场经济及其共同富裕情境，创造性破坏范式的激发机制同样有效，并不纯粹依赖新古典范式有关竞争机制的条件假设。这两种典型事件情境的区别在于，共同富裕情境下举国体制的自主创新，与包容性发展理念一致，体现了中国政府的认知、信念及其价值观，是一种理性的集体决策。

本体论与方法论共同决定了启发策略的不同，这三者的相关差异对于理解创新研究范式的差异是决定性的。结合以上论述，可由图 1 的 2×3 矩阵来描述两种本体论立场及其三种启发策略，但此处并不试图以概览的方式对它们详加描述与讨论，而是为构建创新政治经济学框架提供一个指南。

		本体论		
		激发创新	包容性创新	
启发式	新古典经济学	主题：研发、内部化、最优、均衡、竞争	主题：市场失灵	意识形态特征，社会伦理道德，习惯的规定
	创新经济学	主题：创新、技术、复杂性、研发、产业动力学、竞争、增长、创新的制度基础	主题：失业	经济政策相关的部分
	创新政治经济学		主题：兼容创造性与破坏的包容性创新分析	新形态的价值

图 1　不同创新研究范式的解释

图 1 矩阵左上方框表示的是新古典经济学的创新研究，属于分析失衡的一种本体论，将破坏归于市场失灵；左中是基于熊彼特《经济发展理论》立场，目前聚集在创新经济学名下，涵盖了熊彼特学派在内的众多创新研究，属于分析失衡的一种本体论视角，但破坏之失业问题在其分析框架内；右下在秉持熊彼特《经济发展理论》立场的基础上，贯彻一种更加平衡、协调、包容的创新研究，相较于左上、左中而言，其实现机制具有一种新形态价值追求的特征。

矩阵右侧给出了三种启发式所暗含的价值规范。贯穿于经济学研究中的“价值规范”一般有以下几种不同含义：经济政策所及部分，微观经济学中有关暗示习惯的规定，特定经济理论中体现出的意识形态特征，以及社会伦理道德所属范畴等。于是我们可以看出，新古典经济学与创新经济学的创新研究，具有共同的意识形态特征、暗示习惯的规定与社会伦理道德，根植于对西方发达资本主义社会经济的关注。在经济政策方面的价值规范，创新经济学与新古典经济学的创新研究、创新政治经济学同时存在着交叉。

按照包容创造性与破坏的中国共同富裕情境分析模型，坚持共同富裕的新形态价值规范，是中国式现代化新道路有别于西方现代化道路的重要标志。因此，共同富裕情境下的创新政治经济学，从价值规范层面界定了一种全新的创新研究导向，其研究对象与内容是高质量发展目标下的经济与社会环境的综合型平衡发展，由追求经济“量”的飞跃过渡到走向高质量发展与内涵式经济发展的道路选择，以“提质增效”作为创新驱动经济增长的价值目标牵引，创新的价值目标必然回归至经济发展与社会发展的约束，并趋向于高质量发展与共同富裕下经济与社会环境均衡发展的综合目标。包括新制度经济学在内的新古典经济学与创新经济学的创新研究，其对象与内容是将创新视为驱动经济增长的内生性要素和生产要素，创新的使命目标聚焦于经济目标与经济价值，创新产出与创新成果的直接使命都是创造物质经济财富。

五、创新的政治经济学框架指南

Courvisanos（2009）从两个层面指出了对创新进行政治经济学分析的意义：一是创新过程受特定制度和政治框架的约束，公共创新政策作为经济发展战略必须纳入强烈的政治关注，现有研究虽然具备了这种政治经济学的含义，但却不存在创新研究的政治经济学框架；二是创新政治经济学框架需要在评价创新绩效现状的基础上设计政策导向的干预措施，以促使创新政策服务于更广泛社会的最佳利益，而非仅仅是一些强大的商业组织及其政治支持者的狭隘利益，这将有助于将该体制维持在一定的政治上可接受的不平等和不稳定的范围内。这与表 3 所示共同富裕情境具有内在的理论逻辑一致性，从共同富裕情境（高水平社会生产关系与高水平社会生产力统一体）重新审视（自主）创新研究，本文所谓创新的政治经济学框架，主要涉及四个层次的内容构成。

在纯粹政治层面，如果以经济学将国家隐喻成一个竞争性市场体系的逻辑为预设，则创新政治经济学分析框架首先要识别出中国特色的政治-经济制度中，党管经济的政治制度优势如何创造并利用国家的多元主体即国家的多主体性，进而实现熊彼特所谓“理性的集体决策”，进而如何从包容性创新的新实践、新规律中概括出特定政府能力创造乃至创新“熊彼特条件”的新经验、新模式，提炼出超越主流经济学与创新经济学探究中国国家治理创新的效率的逻辑，阐明包容性创新支撑共同富裕这种新形态价值实现中的政府意志行为及其领导力，是如何避免创新创业精神掉入熊彼特所谓“常规化”陷阱、沦为一个适应理性计算的决策过程①。

在宏观政治经济层次，将中国自主创新实践的政策分析及经济决策的规范性研究，与共同富裕为“全人类共同价值”提供中国范本、注入中国内涵的新形态价值进行整合，概括提炼出中国包容性创新实践的新典型事实、新规律的政治经济学逻辑演绎模式；超越新古典经济学与创新经济学聚焦于特定创新主体的强激励、优化创新资源配置及其制度政策等属性的局限，构建更强调政府能力与市场配置资源决定性作用相结合的、中国特色的政治-经济制度分析框架，形成理解中国国家创新系统对经济、社会与环境发展发挥整体性与系统性功能的政治经济效率的制度理论体系，为创新的价值目标转向经济发展与社会发展约束，进而推动创新政策从强选择性向功能性与普惠性转型提供一个合理的政治经济学解释。

在中观政治经济层次，对市场组织（企业）、大学、科研机构、金融机构、政府（公共产品与服务创新）等多重异质性主体在产业、区域等场域形成的特定的联结过程中的举国体制、“权力”进行政治经济学界定②，形成对不同主体蕴含的不同制度行为逻辑倾向的政治经济学解释；尤其是从技术创新主体企业本位论来看，在共同富裕情境下，创新政治经济学需要为解释企业由聚焦市场逻辑下的私人场域（实现私人场域下创新的最大化和创新效率改善的市场逻辑）转向公共场域的新事实、新规律，提供一个涵盖国家逻辑、社会逻辑等多元场域的包容性创新行为的中观逻辑框架③。

在微观政治经济层次，一方面，创新政治经济学框架需解释宏观层面创新价值目标的转向，如何直接约束并衍生出创新主体的价值目标选择，即企业创新的动机超越企业经济效率与经济价值创造，更加强调创新推动企业的可持续发展；另一方面，还需解释共同富裕情境下企业主体将利益相关方的多元价值诉求更好地纳入其创新视野的微观制度行为，以及市场逻辑、社会逻辑、国家逻辑等多重逻辑间在企业层面的冲突、耦合、分化过程，企业创新如何涵盖经济、社会与环境的多元利益相关方进而创造综合价值与共享价值。

---

① 在《资本主义、社会主义和民主》中，熊彼特从社会学角度，以制度分析的方法，分析了在微观的企业（大公司）层面与宏观的社会层面，创新创业精神逐渐成为常规业务的趋势，即创新是可以计划的、适应理性计算的决策过程。他认为这种理性主义的创新方法与资本主义制度是不相容的，故而资本主义必然被取代。

② 此处权力的含义涉及权力、强制性政策、等级制度或权威，统制性权力是资本主义及其他社会中劳动场所、家庭及政府中的中心环节，会促成或限制人们的选择。详见鲍尔斯等著《理解资本主义：竞争统制与变革》（第 4 版），孟捷、赵准译，中国人民大学出版社，2022 年 3 月。

③ 场域的概念来自场域理论，是社会学的主要理论之一。此处是指企业创新的每一个行为均被行为所发生的场域所影响，场域并非单指物理环境而言，也包括其他主体的行为以及与此相连的许多因素。

六、结　论

创造性破坏范式分析的失衡贯穿了整个创新研究思想史。本文在全面总结创造性破坏及其分析范式内涵的基础上，系统梳理了创新研究领域的主要变迁，并结合经济史探讨了创造性破坏分析范式重创新激发而轻破坏分析的内在过程及原因，对有关破坏的偶发性经验研究进行了全面的概括，在微观、中观及宏观三个层面归纳出发生在政治、经济、社会、道德、组织等不同领域的破坏的类型与内容。

本文认为破坏首先涉及规范经济学，因此在廓清创造性与破坏作为分析本体的基础上，主要从科学推理的启发式及方法论层面，尝试以包容性创新的概念将破坏分析纳入创新研究框架，创造性地融合中国共同富裕情境与包容性创新分析，从政治以及宏观、中观、微观政治经济等四个层面提出了一个包容创造与破坏分析的政治经济学框架的指南。

但本文更多的是透过百年来的思想史来审视创新研究，加之所涉内容具有明显的跨学科特征，故只能提供一个有关创新政治经济学框架的指南，而没有以概览的方式对其加以详细讨论，只能实现较为有限的目的，但这也为下一步深入拓展本议题奠定了基础，厘清了方向。

参考文献

阿吉翁 P，安托南 S，比内尔 S. 2020. 创造性破坏的力量. 余江，赵建航译. 北京：中信出版社：2-58.

弗里曼 C，苏特 L. 1974. 工业创新经济学. 华宏勋，华宏慈，等译. 北京：北京大学出版社：1-10.

李磊，王焕祥. 2020. 创新的政治经济学——一个关于“创新反扑”的研究综述. 演化与创新经济学评论，（2）：82-96.

熊彼特 J. 2009. 经济周期循环论. 叶华译. 西安：中国长安出版社：119-160.

熊彼特 J. 2017a. 经济发展理论. 贾拥民译. 北京：中国人民大学出版社：118-158.

熊彼特 J. 2017b. 资本主义、社会主义与民主. 吴良健译. 南京：江苏人民出版社：29-59.

Dosi G. 2013. 创新、演化和经济学：我们处于什么位置？该走向何方？//Fagerberg J，Martin B R，Andersen E S. 创新研究：演化与未来挑战. 陈凯华，穆荣平译. 北京：科学出版社：111-134.

Lundvall B. 2013. 创新研究：研究现状//Fagerberg J，Martin B R，Andersen E S. 创新研究：演化与未来挑战. 陈凯华，穆荣平译. 北京：科学出版社：21-70.

Soete. 2013. 创新总是有利的吗？//Fagerberg J，Martin B R，Andersen E S. 创新研究：演化与未来挑战. 陈凯华，穆荣平译. 北京：科学出版社：135-148.

Aghion P，Howitt P. 1992. A model of growth through creative destruction. Econometrica，60（2）：323-351.

Andersen E S. 2013. Schumpeter's core works revisited//Pyka A，Andersen E S. Economic Complexity and Evolution. Berlin：Springer：9-31.

Antonelli C. 2007. The foundations of the economics of innovation. Working paper，No. 02/2007，DipArtimento Di Economia，Universita' Di Torino.

Cecere G. 2015. The economics of innovation: a review article. The Journal of Technology Transfer，40（2）：

185-197.
Courvisanos J. 2009. Political aspects of innovation. Research Policy，38（7）：1117-1124.
Dasgupta S，De Cian E，Verdolini E. 2016. The political economy of energy innovation. Working papers. Fondazione Eni Enrico Mattei.
Dosi G，Marengo L，Fagiolo G. 2005. Learning in evolutionary environment//Dopfer K. Evolutionary Principles of Economics. Cambridge：Cambridge University Press：79-102.
Egidi M. 2017. Schumpeter's picture of economic and political institutions in the light of a cognitive approach to human behavior. Journal of Evolutionary Economics，27（1）：139-159.
Fagerberg J. 2003. Schumpeter and the revival of evolutionary economics：an appraisal of the literature. Journal of Evolutionary Economics，13：125-159.
Festré A，Lakomski-Laguerre O，Longuet S. 2017. Schumpeter and Schumpeterians on economic policy issues：re-reading Schumpeter through the lens of institutional and behavioral economics//An introduction to the special issue. J. Evol Econ，27：3-24.
Komlos J. 2016. Has creative destruction become more destructive? The B. E. Journal of Economic Analysis & Policy，16（4）：1-12.
Nelson R R，Winter S G. 1982. An Evolutionary Theory of Economic Change. Cambridge：Harvard University Press：10-42.
Reinert H，Reinert E S. 2006. Creative Destruction in Economics：Nietzsche，Sombart，Schumpeter. Berlin：Springer：85-119.
Schnellenbach J，Schubert C. 2019. A note on the behavioral political economy of innovation policy. Working papers 51，The German University in Cairo，Faculty of Management Technology.
Sombart W. 2014. Understanding Inescapable Modernization：Joseph Schumpeter Manfred Prisching. Berlin：Springer-Verlag：Heidelberg：102-135.
Witt U. 1996. Innovations，externalities and the problem of economic progress. Public Choice，89：113-130.
Witt U. 2016.What kind of innovations do we need to secure our future? Journal of Open Innovation Technology Market and Complexity，2（1）：68-101.

克里斯·弗里曼的学术思想、影响与启示*

眭纪刚　封凯栋　杨可佳

摘要：克里斯·弗里曼是现代创新经济学的奠基人，他和其他学者开创的“新熊彼特学派”不但带动了创新理论的复兴，而且将创新研究推向新的发展阶段。弗里曼的历史贡献包括但不限于创办全球科技政策研究重镇 SPRU、提出国家创新系统理论、推动长波理论复兴、后发国家创新追赶、技术变革的社会影响、倡导演化与历史方法等。弗里曼的创新系统理论介绍到中国后，对中国的科技创新研究和科技体制改革产生了重大影响。在弗里曼一百周年诞辰之际，系统回顾弗里曼的学术思想，对于中国的创新理论研究和创新发展政策制定，具有重要的理论意义和政策启示。

关键词：弗里曼　SPRU　创新经济学　国家创新系统　科技与创新政策

中图分类号：F091.3

克里斯·弗里曼（Chris Freeman，1921—2010）是英国著名创新经济学家。在创新理论鼻祖熊彼特的思想沉寂了几十年之后，弗里曼与理查德 R. 纳尔逊（Richard R. Nelson）、内森·罗森伯格（Nathan Rosenberg）等继承了熊彼特的思想和研究传统，一起开创了“新熊彼特学派”，不但带动了创新研究的复兴，而且将创新研究推向新的阶段，成为新时期创新研究的奠基人。全球学者深受弗里曼学术思想的影响，很多人的创新研究是从学习弗里曼的经典著作开始的。自从弗里曼开创的国家创新系统理论介绍到中国后，中国科技体制改革的思路焕然一新。尽管弗里曼已远离我们而去，但是他为世人留下了一笔丰富的思想遗产。在弗里曼一百周年诞辰之际，系统回顾弗里曼的学术思想，对于中国的创新理论研究和创新发展政策制定，仍然具有重要的理论意义和政策启示。

---

* 基金项目：本文是国家社会科学基金重大项目“创新引领发展的机制与对策研究”（18ZDA101）和国家自然科学基金项目“新型创新载体效率优势及其制度化整合机制”（71673012）的阶段性研究成果。

作者简介：眭纪刚，中国科学院科技战略咨询研究院研究员，中国科学院大学公共政策与管理学院岗位教授，研究方向为创新发展理论与政策。封凯栋，通信作者，北京大学政府管理学院长聘副教授，英国苏塞克斯大学 SPRU 博士，研究方向为创新理论、政治经济学，邮箱：fengkaidong@pku.edu.cn。杨可佳，挪威奥斯陆大学技术创新和文化研究中心（TIK）博士后，英国苏塞克斯大学 SPRU 博士，研究方向为创新理论与政策。

一、弗里曼生平简介

弗里曼于1921年9月11日出生于英国谢菲尔德。他成长于一个左翼家庭，他的父亲阿诺德（Arnold）是英国著名的工人运动理论家，也是工人教育协会的早期先驱，曾长期担任西德尼·韦伯（Sidney Webb）的秘书，而后者则是费边社和伦敦政治经济学院的创始人。弗里曼在20世纪30年代的大萧条中成长，受当时经济社会和家庭环境的影响，他在中学时就和一些朋友成立了一个共产主义青年团。在伦敦经济学院求学时期，他深受共产主义科学家J.D.贝尔纳（Bernal）思想的影响，加入了英国共产党。第二次世界大战爆发后，弗里曼在军队服役，曾在巴尔莫勒尔担任保护王室的任务，后被编入曼彻斯特团，成为一名坦克部队的上尉，还曾担任蒙哥马利元帅的司机。战争和大萧条为弗里曼提供了研究技术创新经济学的条件：战争期间接受的军事训练，使他对技术创新产生了浓厚兴趣；大萧条造成的社会混乱促使他探索技术创新如何创造或破坏就业机会（Muchie，2011）。

第二次世界大战之后，弗里曼组建了家庭，他的第一任妻子辟果提·塞尔森（Peggotty Selson）同样也是一名社会主义者和语言学家。由于他的政治取向，弗里曼一度被英国的学术界列入黑名单。在这一时期，弗里曼成为工人运动的组织者，在相关的媒体以及英国的俄罗斯文化关系协会工作。但是苏联入侵匈牙利后，他对苏联的政治主张相当失望，并选择在1956年离党。但在此后一段时间，他依然在英国邮政局以及伦敦出口集团工作，致力于促进英国与中国和苏联的贸易。随后他进入英国的国家经济和社会研究所（National Institute of Economic and Social Research）工作，从事一系列研究不同行业创新的项目，开始致力于将经济学与科学结合起来。在此期间，他还担任经济合作与发展组织（Organization for Economic Co-operation and Development，OECD）的顾问，并领衔主编了《弗拉斯卡蒂手册》（*Frascati Manual*）（OECD，1963）。

1966年，弗里曼受到苏塞克斯大学（University of Sussex）时任校长、历史学家阿萨·布里格斯（Asa Briggs）的邀请，在苏塞克斯大学成立了世界上第一个跨学科科技政策研究机构——SPRU（Science Policy Research Unit，科学政策研究中心），并担任该中心主任。在此期间，弗里曼创立了 *Research Policy* 等一系列科技政策领域的旗帜性期刊。1982年，弗里曼辞去SPRU主任职务，专注于自己的研究，直至1986年正式退休。退休后的弗里曼仍然为SPRU的研究和教学做出贡献，同时在丹麦奥尔堡大学担任客座教授，并和罗克·苏特（Luc Soete）在荷兰马斯特里赫特共同创办了UN-MERIT[①]，该机构随后也成为创新研究领域的重镇。

弗里曼一生致力于研究创新和技术变革的经济学、科学技术指标、技术的传播、世

① UN-MERIT. 2010. In memory of Chris Freeman. https://www.merit.unu.edu/archive. UN-MERIT为United Nations University-Maastricht Economic and Social Research Institude on Innovation and Technology（联合国大学-马斯特里赫特技术与创新研究中心）的简写。

界经济中的结构变革，以及发展中国家的追赶等，并因为在科技、创新理论与政策方面的杰出贡献，获得 1987 年的贝尔纳奖和 1988 年的熊彼特奖。弗里曼一生著作等身，几乎每部作品都具有划时代的贡献：《产业创新经济学》（*The Economics of Industrial Innovation*）（1974）标志着创新经济学的诞生，而且是最早的且持续使用了 30 多年的创新经济学教科书[①]；《失业与技术创新》（Freeman et al.，1982）是对技术长波理论的复兴；《技术政策与经济绩效》（*Technology Policy and Economic Performance：Lessons from Japan*）（Freeman，1987）首次提出“国家创新系统”理论；《技术变革与经济理论》（*Technical Change and Economic Theory*）（Dosi et al.，1988）代表“新熊彼特学派”的形成；《希望经济学》（Freeman，1992）关注绿色技术发展范式；《光阴似箭》（*As Time Goes By*）（Freeman and Louça，2001）强调创新研究的历史方法。此外，弗里曼也是《新帕尔格雷夫经济学大辞典》（第一版）中“创新”和“经济增长中的长波”两个词条的撰写人（Freeman，1996a，1996b），这是一项至高无上的荣誉，可以体现撰写人在该领域的学术地位。

2010 年 8 月 16 日，弗里曼在刘易斯（Lewes）的家中与世长辞，享年 89 岁。英国《泰晤士报》《每日电讯》《卫报》等主要媒体报道了弗里曼去世的消息。此后数天，来自全球的很多著名学者（包括理查德 R. 纳尔逊、内森·罗森伯格和罗克·苏特等）和学生都追忆了和弗里曼交往的历史和他的思想贡献[②]，Nelson（2010）甚至认为弗里曼塑造了他看待世界的方式。

二、弗里曼的学术思想与贡献

尽管熊彼特的创新理论是现代创新研究的出发点，但是弗里曼等尝试在很多方面超过熊彼特，尤其是在科学技术系统的动态分析、技术进步的分类、政府对科学和技术的政策，以及处理国际的发展问题等方面，都超越了熊彼特的研究议题。尽管经济学被托马斯·卡莱尔看作“沉闷的科学”，但弗里曼（1992）坚信技术和创新能让世界更美好，他认为加入创新后的经济学可以被改造为“希望的科学”。因此，弗里曼毕生在寻找一种改进经济学的方法，并从历史发展和演化理论中吸取营养，以此建立一种更科学的分析框架，来分析与主流经济理论不兼容的技术创新活动和现象（柳卸林，2022）。

（一）创办 SPRU 的奠基性贡献

在全球科技与创新政策界，SPRU 享有盛名，其中大部分功劳要归于弗里曼。在创

① 该书英文版最早出版于 1974 年，后来经过 1982 年再版，1997 年第三版，内容不断更新，在创新研究和教学中的影响力长盛不衰。中文版最初翻译为《工业创新经济学》（北京大学出版社，2004），因书中的产业不仅包含工业，还有信息服务业等，后改为《产业创新经济学》（东方出版中心，2022）。

② 资料来源：HOME-Remembering Chris Freeman（freemanchris.org）。本文中引用的一些学者对弗里曼的评价即来自该网站的评述，由于是非正式文献，故没有在参考文献中列出。

办 SPRU 的过程中，弗里曼充分发挥了苏塞克斯大学作为一所没有学科固化传统的新大学的优势[①]，将新熊彼特主义的创新研究构筑于经济学、社会学、心理学与工程学交叉学科的基础上（Fagerberg，2005）。SPRU 作为研究科技、创新、政策与发展的先驱机构，加上令人耳目一新的风气，迅速吸引了一批当时世界各国和各行各业的理想主义者的加入，其中包括 Martin Bell、Charles Cooper、Giovanni Dosi、Michael Gibbons、Jonathan Gershuny、Mary Kaldor、Ben Martin、Roy Rothwell、Luc Soete、Nick von Tunzelmann 和 William Walker 等一大批学者，从而使 SPRU 成为全球研究科技创新政策的重镇。在 SPRU 之外，尤其是通过由弗里曼在 1971 年所创办的 *Research Policy* 期刊，团结了一大批优秀的国际学者，如 Richard Nelson、Nathan Rosenberg、Kim Clark、David Mowery、David Teece、Paul David、Carlota Perez 和 Bengt-Ake Lundvall 等。弗里曼所团结的科学家和政治家们构成了一个"隐形学院"式的科研及知识网络，成为人们发展关于科学的社会功能的讨论平台。可以说，SPRU 为新熊彼特主义在 20 世纪 60~90 年代的快速发展提供了重要的组织基础，成为这一时期国际科学技术与创新研究领域学术共同体的中心，而弗里曼则是创造了这个中心的奠基性人物。正是由于其在创立和推动 SPRU 发展中的杰出贡献，弗里曼被该领域的学者、朋友、同事与学生们尊称为"当代创新研究之父"。为了表彰弗里曼的贡献，苏塞克斯大学将当时 SPRU 所在的建筑命名为"弗里曼中心"[②]。

在弗里曼的领导下，SPRU 成为日益壮大的国际科技创新政策和创新研究学者网络的中心枢纽。访问 SPRU 的研究人员、数百名硕士和博士生来自世界各地，其中许多人后来在学术界、政府和其他领域取得了卓越成就。弗里曼本人则指导了几代从事技术变革、创新和知识社会工作的经济学家和社会科学家，包括 Keith Pavitt、Luc Soete、Carlota Perez、Mary Kaldor、B. Å. Lundvall、Igor Yegorov、Giorgio Sirilli、Daniele Archibugi、Giovanni Dosi 和 Jan Fagerberg 等。可以说，弗里曼的思想已通过 SPRU 的学生扩展到世界各地，其中一些人将其应用于非洲、亚洲、拉丁美洲和加勒比地区的发展中。在一些著名的公共政策机构中，如哈佛大学肯尼迪政府学院贝尔弗科学和国际事务中心（Belfer Center for Science and International Affairs），仍然开设带有他的思想起源的课程[③]。

SPRU 自始至终倡导学术研究与政策实践的紧密互动，同时将研究的视野面向全球而不仅仅是英国或者欧洲；在美国宾夕法尼亚大学历年所发布的年度性"全球智库报告"（Global Go To Think Tank Index Report）中，SPRU 一直高居全球科技政策类智库的前 10 名[④]。从设立之初开始，SPRU 的研究就获得了大量来自国际组织的资助和外国政府的项目委托。在科技与创新政策以及国家创新系统等研究快速发展的 20 世纪 70~90 年代，SPRU 在整个国际学术共同体中扮演了如此重要的角色，以至于我们很难在这个时期的创新研究领军人物中，找出没有在 SPRU 求学、工作、访问或者合作的学者。随

① 苏塞克斯大学设立于 1961 年，仅比 SPRU 的成立时间早 5 年。
② 自 2009 年之后，SPRU 归属于苏塞克斯大学商学院，现办公地址为 Jubilee Building。
③ 资料可参考：Christopher Freeman - Wikipedia （hereiszyn.com）。
④ 历年报告可见 https://repository.upenn.edu/think_tanks/。

着 SPRU 在学术界和政策界影响力的广泛传播，到 20 世纪 80 年代，一些欧洲和亚洲大学及研究机构开始学习 SPRU，纷纷设立立足于交叉学科的创新研究机构（如荷兰马斯特里赫特大学的 MERIT、挪威奥斯陆大学的 TIK、丹麦奥尔堡大学的 IKE、瑞典隆德大学的 CIRCLE 等）。这些机构一起推动了创新政策研究和政策实践的发展。

（二）《苏塞克斯宣言》及其国际影响

1970 年，弗里曼和著名的发展经济学家 Hans Singer、Charles Cooper、Geoffrey Oldham 等同事一起，共同发布了《苏塞克斯宣言》（*Sussex Manifesto*）。该文件是当时联合国委托的一项研究工作的报告，是新熊彼特主义经济学早期的奠基性文件，是较早地将创新理论应用于分析和讨论经济社会发展政策实践的尝试。该报告开宗明义地强调了科学与技术对于人们理解当今世界格局的重要性，讨论了科学与技术对于发展以及世界不同国家与地区之间发展问题的影响，并试图通过科技政策寻求解决这一不平衡的问题。宣言指出，当今的不平等与世界范围内的劳动分工有密切的关联，而现有制度结构则无法从根本上解决这一问题。《苏塞克斯宣言》所涉及覆盖的政策与研究话题是如此广泛，甚至于直到今天人们所讨论的大量问题，都没有超出该宣言的范畴。在当时，《苏塞克斯宣言》对于一大批年轻学者、学子以及政策分析人士都产生了重要影响，不少学子正是看到了这一份宣言后才投身到研究科技与创新政策的大潮中去的。

20 世纪 70 年代，西方国家陷入经济增长危机。罗马俱乐部出版的《增长的极限》声称，除非立即在国际范围内对经济和人口增长施加严格限制，否则世界体系的全面崩溃是不可避免的。以弗里曼为代表的 SPRU 学者（Jahoda et al.，1973）参加了关于增长极限的大辩论，并对上述观点进行了回应，指出该报告没有对技术和创新给予足够的重视。弗里曼对 OECD 的麦克拉肯（McCracken）报告也提出了尖锐批评，他断言战后资本主义国家的长期增长已经结束，如果没有有意识的国家和机构干预，经济将不会复苏。

20世纪60~90年代，弗里曼的名字频繁出现在OECD和联合国教科文组织的一系列会议和年度报告中。弗里曼旗帜鲜明地将科学政策与技术、工业以及社会经济的发展结合起来，用来解释长期经济增长、就业与社会矛盾以及国际竞争等诸多事务，从而将熊彼特的创新思想很好地与政策分析实践结合起来。同时，弗里曼还领衔编写了最早的《弗拉斯卡蒂手册》（OECD，1963），旨在收集标准化的 R&D 统计数据，以及在 OECD 和全世界范围内的科学和技术指标，尝试用大量可以度量的指标来对创新进行分析，如资金和人员投入、人才流动、专利和新技术新产品的产出等。这项工作有助于政策分析者利用量化工具来讨论创新，并能进行跨国比较，使得创新这个理论概念逐步成为重要的、可以操作化的政策语言。这些工作直接影响了欧洲主要国家、OECD 以及联合国教科文组织在讨论长期经济与社会发展时的语境，使得这些组织在 20 世纪 80 年代普遍将科技政策、创新政策作为重要的议题。如今，OECD 正在努力将这些创新指标扩展到非洲、亚洲和拉丁美洲的发展中国家和新兴经济体。

（三）提出国家创新系统理论

第二次世界大战后，很多学者开始关注技术创新在经济增长中的作用，如何提高创新效率成为学者们研究的焦点。在早期对创新模式的各种解释中，布什的线性模型最为流行，即科学研究是创新的起点，增加科学研究投入将推动下游的创新。但是在实践中，创新并不是一种简单的线性行为，特别是随着创新的复杂性不断升级，简单的线性模型已经不能很好地解释复杂的创新现象。因此，从系统的角度来研究制度、技术与经济之间的相互作用机制成为内在要求。正是在研究日本的经济奇迹时，Freeman（1987）受熊彼特创新理论与李斯特“国家体系”的启发，在《技术政策与经济绩效》一书中首次提出国家创新系统理论[①]，即一种由公共部门和私人部门共同构建的网络，一切新技术的发起、引进、改良和传播都通过该网络中各组成部分的活动和互动得以实现。国家创新系统的功能是支持创新的产生与扩散，其效率取决于系统与技术经济范式的匹配度。Freeman（1987）的创新系统概念成为许多创新学者使用的标准定义。其后，Lundvall（1992）和 Nelson（1993）进一步发展了这一理论，使国家创新系统研究在世界范围内得到了进一步的发展。

弗里曼的国家创新系统理论不仅关注创新的产生条件，也侧重于分析创新与国家经济发展绩效之间的关系。Freeman（1995）通过对 17~20 世纪英、德、美、苏、日等国家技术创新实践的比较分析，指出国家兴衰很大程度上取决于能否建立高效的创新系统。特别是在考虑国家间出现的技术差距和后发国家的追赶时，“国家创新系统”被视为最有力的研究视角。弗里曼认为不同国家在不同时代先后领先的根本原因在于，相对于其他国家而言，领先国家的各个子系统相互匹配并为关键技术提供了完善的支撑结构（Nelson，2001）。国家间的追赶和超越不仅仅与发明和科学活动的增加有关，也是制度、组织管理创新综合作用的结果，即国家创新系统是提高一国竞争力的源泉。换句话说，在一国的经济发展和追赶过程中，仅靠自由竞争的市场经济是不够的，需要政府从一个长远的、动态的视野出发，以推动企业和产业的技术创新。虽然有一些学者认为，全球化在很大程度上已经降低甚至排除了民族国家的重要性，但是研究结果发现，即使在世界经济日趋一体化的情况下，“国家创新系统”仍是一国经济发展的关键概念框架（柳卸林，1998）。

国家创新系统理论的出现是创新研究和发展研究的一个新阶段，它的提出是对创新模式、科学技术与社会经济发展关系的认识不断深化的结果。该理论能对创新与经济发展做出很好的诠释，在世界范围内掀起了研究创新系统的热潮，逐步形成了面向政策建议的创新系统绩效比较研究，并出现了许多理论分支，如区域创新系统、产业创新系统等。国家创新系统概念被提出后，被不同地区、国家和国际组织广泛使用，已经成为欧盟、OECD、联合国贸易与发展会议、联合国工业发展组织等国际机构在创新研究领域中的主要方向之一。

---

① 弗里曼认为是 Lundvall（伦德瓦尔）在 1985 年首次提出创新系统概念，但是伦德瓦尔本人则认为是弗里曼在 1982 年的一篇文章中首次提出这个概念。弗里曼对重大理论创新荣誉的谦让彰显了他的人格魅力。

（四）推动长波理论的复兴

20 世纪 20 年代，苏联经济学家康德拉季耶夫发现了经济增长中的周期性波动现象。但是新古典时代的经济学家们主要关注特定条件下的资源配置问题。在 20 世纪上半叶的主要经济学家之中，几乎只有熊彼特赞同康德拉季耶夫的观点。熊彼特（Schumpeter，1939）用创新理论解释康德拉季耶夫长波（简称“康波”），形成独特的视角，但是他的理论当时没有受到应有的重视。因为在 30~40 年代，凯恩斯的理论影响更大。第二次世界大战后 50~60 年代的繁荣时期甚至让学界产生一种幻象，以为普遍采用凯恩斯主义政策就可以避免 30 年代那样的大萧条。然而 70~80 年代的经济衰退和失业率大幅增加，让这种自信开始动摇，再次引发学界对经济周期理论和长波理论的研究热潮。

弗里曼和克拉克、泽特合作的《失业与技术创新》（*Unemployment and Technical Innovation：A Study of Long Waves and Economic Development*）（1982 年）对不同历史时期的技术与制度创新的研究，完善了康德拉季耶夫长波和熊彼特商业周期理论。Dosi 等（1988）赞同熊彼特的观点，认为技术创新是解释经济周期和长波的关键因素，而不是没有价值的“残差”和外生因素。弗里曼也认为新技术导致了产业的兴起与衰落、主要基础设施投资、技术领先和其他有关的结构变化等。但是与熊彼特的方法不同的是，弗里曼更加强调创新的扩散，认为投资、产出和贸易高涨依赖创新的扩散及其引致的规模经济。Freeman 和 Soete（1997）进一步提出，创新的出现和扩散本身是一个不均衡过程，有时是爆炸性的，有时则非常缓慢，众多重大创新的聚集出现可能引发技术革命和产业革命，在范式转变过程中充满了动荡。为了更好地理解技术、产业结构以及整个经济和社会系统的变化，Freeman 和 Louça（2001）对不同的产业和技术发展采取历史分期，将不同的发展阶段划分为蒸汽时代、钢铁时代、电力时代、信息时代[①]。他指出，经济的长周期波动是近代工业革命以来的常态，对于波动的研究应该成为经济学的核心而不是边缘。

尽管技术在长波中扮演重要角色，但弗里曼等认识到技术变革本身在一定程度上也是社会、政治和文化影响的结果。新产品、新工艺的创新和扩散不是彼此孤立的事件，而是和要素、技能、基础设施等联系在一起的。因此，Freeman 和 Louça（2001）认为对长波的分析需要用协同演化（co-evolution）的视角。在影响技术变革的众多因素中，弗里曼强调制度的重要作用，认为所有技术都需要必要的制度结构提供支撑。在一定制度框架下的核心技术迟早会进入报酬递减阶段，建立在这种技术基础上的经济发展必然会减慢。新的经济增长需要新的核心技术的推动，要求重塑制度结构以适应新的需要（Nelson，2001）。Dosi 等（1988）指出，经济长期波动与技术经济范式的变革有关：一旦制度体系与技术实现良好匹配，新范式就会表现出高速增长的潜力，从而在二

① Freeman 和 Louça（2001：150）指出，一些经济史学家（如图泽尔曼、钱德勒等）也赞成分期和在不同时期技术创新的重要性，他们倾向于把第一、二次康德拉季耶夫长波合称为第一次工业革命，第三、四次长波合称为第二次工业革命，现在正在发生的变化是第三次工业革命。弗里曼等（Freeman and Louça，2001；Freeman and Soete，1997）沿着熊彼特开辟的道路，相信过去两个半世纪中发生的变化应该称为“连续发生的工业革命”。

三十年中会呈现出比较稳定的长期投资行为。但是当技术快速变化时，因为利益集团的生存受到技术革命的威胁，社会制度存在相当大的惰性与阻力。当技术系统与旧的社会制度之间的不匹配程度日益加深时，就会出现长期衰退迹象。只有在社会制度发生广泛变化时，新技术的潜力才能实现（Freeman，1996b）。

（五）后发国家的创新追赶

自工业革命后，广大发展中国家与发达国家的差距越来越大，成为世界发展格局的主要特征。但是在 1850 年以后的半个多世纪里，除了马克思和极少数学者以外，再没有学者系统论述过经济发展的性质。虽然熊彼特开创了创新发展理论，但他几乎没有注意第三世界的边缘区域。弗里曼因为早期政治信仰的缘故，在年轻时就一直保持着一个信念：真诚地致力于改善非洲、拉丁美洲、亚洲等地区数十亿普通人的生存条件和状况。因此，他在创新、商业周期、长波和生产力方面的工作不仅与一般经济增长理论相关，而且也与发展经济学相关。弗里曼对通过实施科技计划和政策促进贫困国家的发展充满兴趣，他也因此留下了一份伟大的遗产，让发展中国家对科技创新在改善人类福利方面的力量充满希望①。但是对弗里曼来说，科学是实现人类解放的手段，但它需要被治理，并得到制度性的支持，才能服务于贫穷阶层和地区，防止被有权势的国家或力量滥用。弗里曼在《把非洲放在第一位》的序言中提出，“保护科学和教育免受无能和误导的‘结构调整计划’的影响”。

Dosi 等（1988）通过研究发达国家的案例发现，一个国家内部的创新能力及其与外来技术结合的能力使其与众不同，政治、文化和经济环境的契合则是一个国家创新能力的基础。在历次技术长波和工业革命中，这些国家认识到了新技术在工业化进程中的重要性，也意识到追赶越来越成为国家协调的有机过程，而不仅仅是市场的自发反应。那些缺乏必要的教育、管理、研发及设计能力的国家，在国际竞争中处于更加不利的地位。但是弗里曼的研究发现，发达国家与落后国家之间的格局不是永恒不变的，国际劳动分工和国际技术领导关系会随着技术经济范式的变革而发生转变。Freeman 和 Soete（1997）、弗里曼（2001）认为，在技术范式转换期，新兴国家可能比社会结构已经定型的领先国家更能做出必要的社会和制度创新。例如，第三次长波导致全球经济力量和市场份额急剧变革，德国和美国的赶超是 19 世纪后期世界经济发展的重要特征。昔日领先的英国，则成为路径依赖的牺牲品。

但是范式转换不是一个平稳的过程，Freeman 和 Louça（2001）指出，每次范式转换都要经历一段相当长时期的国际性结构调整危机。特别是世界经济的非均衡发展和新技术的非均衡扩散，给调节机制造成了异乎寻常的困难。例如，1999 年世界贸易组织西雅图会议期间发生的冲突，部分源自个别群体对全球化的恐惧，也与发展中国家和发达国家之间围绕农业等问题存在的长期贸易摩擦有关。当前，世界范围内的收入分配不平等越发严重，威胁着国际调节系统的稳定性，国际治理结构面临重构的挑战。

① 资料来源：HOME-Remembering Chris Freeman（freemanchris.org）。

Freeman（1987）早就指出，后发国家借鉴国际经验非常重要，但是在一个国家中运行十分成功的政策或制度，不能被生搬硬套到另一个经济、社会和文化环境完全不同的国家中去。因为每个国家的历史、文化和发展阶段截然不同，后发国家需要根据自己的国情探索适合自己的发展道路。

（六）技术变革的社会影响

从上述内容可知，弗里曼是一位极具人道主义的学者，他的学术研究议题反映了对人类社会发展的关怀。Freeman（1991）认为科技政策应该是现实主义和理想主义的混合：现实主义应该追寻其客观规律和事实，而理想主义则追求科技应该服务于人类更加美好的生活的宗旨。面对主流理论认为传统的经济增长模式会带来人类社会崩溃的悲观言论，弗里曼在《希望经济学》（*The Economics of Hope*）（1992年）中宣称经济学研究不需要马尔萨斯人口论式的悲观科学（dismal science），相反人类应该积极寻求改变并保持这种努力的期望。弗里曼对世界发展的洞悉与个人理想在《如果由我统治世界》（If I ruled the world）（Freeman，2001）一文中体现得淋漓尽致，他笃信科技的发展应该为了一个更好的人类世界，而科技政策应该服务于这一宗旨。弗里曼的研究一直围绕着如何使得科技更好地服务于人类发展，除了关注科技的经济功能外，在技术对社会影响方面的研究则主要聚焦在就业和环境两个领域。

技术变革的“创造性毁灭”除了导致产业的新旧更替，还会带来深刻的社会影响，如失业和社会不平等问题。如果不能正确理解技术带来的社会影响，便会引发历史上的“卢德运动”（Luddite movement）。Freeman 等（1982）出版的《失业和技术创新》一书，是最早系统性地分析创新对经济和社会变化长期影响的著作。他们特别探讨了经济周期不同阶段就业的变化。技术变革在创立新兴产业初期，会带动经济的繁荣和劳动力需求的增长，因此会提升社会的整体就业水平。但是技术成熟和产业衰退会引发利润萎缩，导致大量的工厂倒闭和失业率上升。此后，Freeman 等（1995）合作研究了信息技术革命可能带来的就业影响，提出加强职业技能培训和人力资本投入应对新技术变革的建议。

弗里曼对世界发展趋势有着非凡的洞察，他在20世纪90年代初就开始关注绿色技术革命和可持续发展问题（这个问题二十年后才成为大众讨论的议题），并将其纳入科技与创新政策分析中，成为创新政策转型的基础。Freeman（1992）在《希望经济学》中提出，21世纪的经济应该向可持续方向发展，特别是当时刚兴起的以信息通信技术为主导的新一轮产业革命可以为节约能源和材料提供优势，但这一切基于两个重要的条件：①需要一系列的制度变革来引导世界经济向更加可持续的方向发展；②应引导研发系统服务于环境目标的优先级。弗里曼意识到了科技创新扩散所带来的大规模生产和消费模式对环境的影响，因此 Freeman 和 Soete（1997）在《产业创新经济学》的第三版中增加了“技术和环境”一章，对这一问题进行了更加深入的探讨，并强调科技政策应该充分发挥作用，促使对环境和可持续发展更加友善的新技术对传统技术的替代和扩散。由此引发出技术创新的方向性这一重要研究主题。

除上述问题外，弗里曼还关心另一个根本性的问题：技术进步真的能帮助我们提高生活质量吗？科技政策应该扮演什么角色？Freeman（1991）认为经济增长本身或许并不能够自然而然地解决诸如社会公平、提高生活质量等所有的社会问题，而科技政策若只是关注经济增长则会忽视在更广阔的社会议题上发挥作用。在这一方面，Freeman 和 Soete（1997）回顾了科技政策发展的历史：从20世纪50年代以科学驱动的框架，到20世纪60年代对经济增长和创新管理的关注，再到20世纪70年代对环境和生活质量的关注。但是值得注意的是，在很长时间内，许多国家的科技创新政策依然以研发投入为主导，围绕技术创新如何服务于经济增长的目的，直到现在才开始关注技术创新对环境和人类生活质量的影响。

（七）倡导演化与历史方法

在现代社会，科学技术对经济和社会的影响力在不断增强。但是很长时间内，技术和创新并不是经济学家关注的对象，传统的经济学无法解释基于技术创新的经济现象。例如，20 世纪 70 年代，罗马俱乐部出版的《增长的极限》在全世界引起了轰动。但是以弗里曼为首的 SPRU 的学者指出，这本书通过静态变量的因果关系呈现出了宿命论般的预测，特别是书中的模型忽略了重大技术变革这一动态变量的作用（Jahoda et al. 1973）。在弗里曼看来，经济增长特征并非像新古典增长理论所刻画的静态均衡那样，相反，必须将经济增长理解为一个动态的演化过程。但是这种观点在当时并不被主流经济学接受。弗里曼领导下的 SPRU 的学者们成为探索独木桥的杰出先驱，他们与主流经济学分道扬镳（Nelson，2001）。从《产业创新经济学》（1974 年）开始，弗里曼开启了一种新的经济理论，通过将创新作为经济理论分析的核心，站在亚当·斯密、马克思和熊彼特等巨人的肩膀上观察现实世界的变化。弗里曼的工作奠定了“新熊彼特学派”的基础，他们开始了以技术创新和制度变革为主要分析对象、用更令人满意的新理论取代旧理论的工作。正如蒂尔克詹所说，弗里曼就像圣徒一样，他的使命是创造一种新的信仰或科学，即“创新经济学”。

由于创新和变革本质上是演化的，自 20 世纪 80 年代以来，克里斯·弗里曼、理查德 R. 纳尔逊、内森·罗森伯格等创新经济学家继承了马克思、凡伯伦和熊彼特的演化思想，形成了现代演化经济学这个专门研究创新的理论分支，为经济竞争力、经济增长和变革等问题提供了一个替代性概念框架。弗里曼与同事、学生们共同编撰的《技术变革与经济理论》（1988 年）一书，成为 20 世纪末推动创新理论和政策研究快速发展的重要著作。该书主要探讨技术创新和制度变革的经验研究，这种范式与主流经济学的均衡理论和主要假说完全不同，但是与古典政治经济学家的研究有许多共同之处，是一种整体的、系统的和演化的理论范式。Freeman 和 Soete（1997）、Freeman（2001）认为，在研究技术变革时采用演化视角非常重要，因为技术创新引发了永不停息的不安定性及演化的动力。企业、产业和国家的发展不仅仅是由于进出口数量的增加，更重要的是技术变革引发的质变。他认为不能仅仅从总投资增加的视角评价工业革命，新机器体系或工厂体系的创生才是研究的旨趣所在。

但是主流经济理论仍旧被一般均衡模型所统治，无力解释长期的结构性变革和社会变革。所以弗里曼特别呼吁经济学应回归多元化，以能更好地解释现实世界的经济问题。弗里曼指出，传统经济理论的主要弱点在于没有充分关注社会学习过程，尤其是没有注意到科技和创新具有不稳定和动态性等特点，很难用新古典经济学的均衡模型来描述，而从历史的角度出发是一个恰当的方法。因此弗里曼很推崇熊彼特的演化和历史方法，并且积极响应熊彼特"将历史视角与经济理论相结合"的号召，认为经济学只有与历史结合在一起，回到技术、制度、发展等长期动态现象中，将技术和经济变革的周期特征置于广阔的制度和社会背景下，才能显示经济理论对现实的解释与洞察力。例如，Freeman（1987）提出国家创新系统理论时，他把这个概念的起源归功于德国历史学派的创始人李斯特。他的重要代表作《产业创新经济学》和《光阴似箭》也从历史的角度来论述科学技术在经济社会发展中的作用。新熊彼特学派也秉承了历史研究方法，强调动态性、有机性、系统性以及情境相关的传统，尝试发展一种可以将动态的历史现实和抽象理论有机联系起来的分析方法。

三、弗里曼学术思想对中国的影响

如前文所述，弗里曼早年因为政治信仰的缘故，一直对中国充满感情，并尽自己所能帮助中国发展。即使 20 世纪 80 年代末发生东欧剧变，他仍然预言了中国的经济奇迹。弗里曼的创新经济学和科技创新政策思想传入中国后，在中国学界掀起了创新研究的热潮，对中国的创新发展政策制定也产生了很大影响。

弗里曼对中国影响最大的是国家创新系统理论。1992 年，弗里曼等主编的《技术变革与经济理论》（1988 年）被翻译为中文，书中的国家创新系统概念首次被引入中国，后来成为指导国家宏观经济调控和科技体制改革的重要理论之一。1995 年，受当时国家科学技术委员会委托，加拿大国际发展研究中心（IDRC，1998）对中国科技体制改革十年来的问题进行评估，并形成《十年改革：中国科技政策》。该报告建议"中国应该重视国家创新系统这种分析方式，以此作为辨认未来科技改革需要、确定科技系统与国家的整个经济和社会活动的关系的手段"。这一观点为中国政府关注国家创新系统研究开启了一扇大门，并得到国家科学技术委员会的高度重视。国家创新系统对于中国的意义，不仅在于为中国的经济和科技体制改革带来新的思路，同时也为解决中国科技与经济"两张皮"问题提供了方法，更"为提高中国的技术创新能力提供基础，最终将有助于提高中国产业的国际竞争力"。

受弗里曼等国家创新系统理论的启发，1997 年 12 月，中国科学院向党和国家领导人提交了一份《迎接知识经济时代，建设国家创新体系》的报告[①]，受到领导人的高度重视。1998 年，党中央、国务院做出建设国家创新体系的重大决策，并成为中国科技体制改革思路的分水岭。1999 年 8 月，全国技术创新大会提出将完善和发展国家创新体

① "国家创新系统"和"国家创新体系"是对 national system of innovation 的不同译法。一般学术研究常用"创新系统"，官方文件常用"创新体系"，本文不对二者的细微差别做区分。

系当作一项长期战略任务。2006 年出台的《国家中长期科学和技术发展规划纲要（2006—2020 年）》（简称《规划纲要》），是国家创新体系建设进入新阶段的标志。《规划纲要》建议继续深化科技体制改革，建设具有中国特色的国家创新体系，其中支持企业成为技术创新主体被列为科技体制改革的重点任务之首。党的十八大将创新驱动发展提升为国家战略后，2016 年中共中央、国务院印发的《国家创新驱动发展战略纲要》指出，当前我国“适应创新驱动的体制机制亟待建立健全，企业创新动力不足，创新体系整体效能不高”，实现创新驱动是一个系统性的变革，要按照“坚持双轮驱动、构建一个体系、推动六大转变”进行布局，其中“一个体系”就是建设国家创新体系。2020 年中共中央十九届五中全会通过的《中共中央关于制定国民经济和社会发展第十四个五年规划和二〇三五年远景目标的建议》，再次强调“完善国家创新体系”在创新驱动发展中的重要地位。可见，“国家创新系统”理论在中国科技体制改革、建设创新型国家进程中发挥了重要的指导作用，也反映了弗里曼的理论影响范围之深远。

四、对中国创新研究与政策的启示

弗里曼的学术思想为建设国家创新系统、后发国家追赶和可持续发展提供了重要理论基础。当前新一轮科技革命与产业变革正在兴起，同时，以科技为核心的国际竞争也更加激烈，为我国实施创新驱动发展战略同时带来重大机遇和严峻挑战。弗里曼的创新理论能为我国创新研究与政策制定提供重要启示。

中国的创新发展实践为重新思考发展理论和创新理论提供了一个鲜活案例和难得机遇。同时，发展方式转变也需要新的理论指导发展政策，这是理论界无法回避也不应回避的重大问题。创新发展涉及科技、经济、社会等多个领域，需要与经济学、管理学、社会学、政治学等学科开展对话，深入开展对科技体制改革和创新驱动发展的理论研究，深入分析科技创新与经济社会之间的关系。特别是在当前的国际竞争背景下，从政治经济学视角研究创新发展尤为迫切，如此才能为制定合理的创新发展政策提供理论基础。

创新是一个系统的概念，要求与创新有关的经济部门、科技部门、教育部门密切配合、协同创新，强化国家创新政策的引导作用，从更广泛的视角去思考一个国家的发展问题。不但需要加强各类创新主体之间的紧密联合，有效整合创新资源，还需要建立功能健全、互相兼容的创新发展政策体系，加强科技政策与产业政策、贸易政策、竞争政策的紧密结合，以完善的市场环境激发企业创新的内生动力，有效激发各类主体自主创新的活力。此外，还需发挥科技创新在社会发展与环境保护中的积极作用，为可持续发展提供有力保障。

参考文献

国家创新驱动发展战略纲要. http://www.gov.cn/gongbao/content/2016/content_5076961.htm.

国家中长期科学和技术发展规划纲要（2006—2020 年）. http://www.gov.cn/jrzg/2006-02/09/content_183787.htm

柳卸林. 1998. 国家创新体系的引入及对中国的意义. 中国科技论坛，（2）：26-28.

柳卸林. 2022. 产业创新经济学. 上海：东方出版中心.

中共中央关于制定国民经济和社会发展第十四个五年规划和二〇三五年远景目标的建议. http://www.gov.cn/zhengce/2020-11/03/content_5556991.htm.

Freeman C. 1996a. 创新//新帕尔格雷夫经济学大辞典. 第二卷. 北京：经济科学出版社.

Freeman C. 1996b. 经济增长中的长波//新帕尔格雷夫经济学大辞典. 第三卷. 北京：经济科学出版社.

IDRC. 1998. 十年改革：中国科技政策. 北京：北京科学技术出版社.

Christopher Freeman Obituary in the Times. 2010-08-18. The Times Wednesday.

Dosi G，Freeman C，Nelson R，et al. 1988. Technical Change and Economic Theory. London and New York：Pinter Publisher.

Fagerberg J. 2005. Innovation：Literature Reviews//Fagerberg J，Mowery D C，Nelson R. The Oxford Handbook of Innovation. Oxford：Oxford University Press.

Freeman C. 1974. The Economics of Industrial Innovation. Harmondsworth：Penguin Modern Economic Texts.

Freeman C. 1987. Technology Policy and Economic Performance：Lessons from Japan. London：Pinter.

Freeman C. 1988. Introduction//Dosi G，Freeman C，Nelson R，et al. Technical Change and Economic Theory. London and New York：Pinter Publisher.

Freeman C. 1989. New technology and catching up. European Journal of Development Research，1（1）：85-99.

Freeman C. 1991. Technology，progress and the quality of life. Science and Public Policy，18（6）：407-418.

Freeman C. 1992. The Economics of Hope：Essays on Technical Change，Economic Growth and the Environment. London：Pinter Publisher.

Freeman C. 1995. The 'National System of Innovation' in historical perspective. Cambridge Journal of Economics，19（1）：5-24.

Freeman C. 2001. If I ruled the world. Science and Public Policy，28（6）：477-479.

Freeman C. 2002. Continental，national and sub-national innovation systems-complementarity and economic growth. Research Policy，31（2）：191-211.

Freeman C，Clark J，Soete L. 1982. Unemployment and Technical Innovation：A Study of Long Waves and Economic Development. Westport：Greenwood Press.

Freeman C，Louça F. 2001. As Time Goes by：From the Industrial Revolutions to the Information Revolution. Oxford：Oxford University Press.

Freeman C，Singer H，Cooper C M，et al. 1970. 'Draft Introductory Statement for the World Plan of Action for the Application of Science and Technology to Development'，Annex II of Science and Technology for Development：Proposals for the Second UN Development Decade，UN Department of Economic and Social Affairs.

Freeman C，Soete L. 1997. Economics of Industrial Innovation. 3rd ed. London：Routledge.

Freeman C，Soete L，Efendioglu U. 1995. Diffusion and the employment effects of information and communication technology. International Labour Review，134（4）：587-603.

Jahoda M，Pavitt K，Cole H，et al. 1973. Thinking About the Future：A Critique of 'The Limits to Growth'. London and Brighton：Chatto and Windus / Sussex University Press.

Lundvall B. 1992. National Systems of Innovation. London：Printer.

Muchie M. 2011. Christopher Freeman：the founder and doyen of the economics of innovation theory. Innovation and Development，1（1）：135-150.
Nelson R. 1993. National Systems of Innovation：A Comparative Study. Oxford：Oxford University Press.
Nelson R. 2001. Preface，As Time Goes By：From the Industrial Revolutions to the Information Revolution. Oxford：Oxford University Press.
OECD. 1963. Frascati Manual. Paris.
Schumpeter J. 1939. Business Cycle：A Theoretical，Historical and Statistical Analysis of the Capitalist Process. New York，Toronto，London：McGraw-Hill Book Company.

制度变迁、交易成本与国家能力
——以日本废藩置县改革为例[①]

贾 宸 郎 玫

摘要： 废藩置县是日本国家建构初期，在形式上实现国家统一和中央集权的重要标志。本文致力于解释废藩置县的一系列制度变迁对日本明治维新初期的国家能力发展有怎样的影响。在方法上，本文尝试建构一种“制度变迁-国家能力”的分析框架，以制度变迁为解释变量，以国家能力为被解释变量，以交易成本为连接制度变迁和国家能力的因果传递变量，从而揭示废藩置县的制度形式变迁和日本明治时期国家能力之间的因果联系。废藩置县中的国家结构形式、官制、军制以及社会关系结构变化，将通过限制交易成本增加的制度因素和人为因素来降低明治国家的交易成本。通过考察交易成本下降后国家控制社会过程中权力运转的周期、政策收益以及国家政策对当时情境的适应性，可以得出结论：国家权力使用的效率上升，即国家能力增强。

关键词： 废藩置县　制度变迁　交易成本　国家能力

中图分类号： D73/77

一、引　言

废藩置县是日本由传统国家向现代国家转型的关键事件，是日本在事实上实现国家统一并迈上现代国家构建道路的关键节点，因之得到学者们的关注。有关废藩置县与日本国家转型的研究多集中在历史学领域，重在解释废藩置县的发展过程，及其过程中不同势力的动向和影响，如松尾正人（1986，2001）、石井孝（1969）和原口清（1980）在其成果中全面考察了废藩思潮产生直至废藩置县的全过程，以及该过程中社会、政治的变迁；勝田政治（2000）从政体变革的角度展开论述，即论证废藩置县的改革塑造中央集权国家的过程。已有研究多注重对当时社会基础、历史过程和历史细节的考察，而从政治学意义上的制度变迁及其影响视角进行探讨的则较少。

基于过往的研究，从政治学的分析视角重新审视废藩置县可借助新制度主义的相关

---

① 本文于 2022 年 1 月 15 日获得第三届本硕博牧野论坛一等奖。

作者简介：贾宸，男，河北沧州人，首都师范大学政法学院硕士研究生，研究方向为政治学理论、比较政治。郎玫，管理学博士，兰州大学管理学院教授、博士生导师，主要研究方向为地方政府创新及政府绩效管理。

概念。我们将废藩置县的制度变迁作为解释变量，将国家能力作为被解释变量，并引入“交易成本”这一概念作为连接两者的因果逻辑变量，分析的核心在于因果逻辑变量和被解释变量。解释废藩置县的制度变迁何以影响日本初期的国家能力形成，将是本文探讨的主要问题。这一案例研究的尝试，对理解西方欧美世界之外的现代国家建构模式、制度变迁与国家能力之间的关系具有范式性的意义。同样，日本作为近代东亚地区唯一成功实现现代化转型的国家，考察其现代国家建构的制度变迁过程对于本国以及其他后发国家而言具有理论与实践层面的双重价值。

二、概念界定与分析框架

（一）基本概念：交易成本与国家能力

1. 交易成本

交易成本是新制度主义经济学的核心概念之一。最早由 Coase（1973）提出，意指通过价格机制组织生产的最明显的成本，即发现所有相对价格的成本。其包括在市场交易中谈判和立约的成本，以及通过价格机制运作而产生的其他成本，并指出这种成本可以削减，但无法彻底消除。Coase 之后，其他学者都在尝试进一步明确交易成本的定义，Arrow（1969）从市场体制运行的角度将交易成本定义为“经济体系运转的成本”，Williamson（1985）全面发展了交易成本理论，将交易成本比喻为物理学领域中产生损耗的摩擦力，可以将其理解为经济活动中的摩擦损耗。此外，Williamson（1985）还区分了交易成本的类型，即事前的谈判、立约、维护契约的成本，以及事后的契约不适的成本、议价成本、构建结构与结构运行的成本、担保与约束成本。

以道格拉斯·诺思（Douglass North）为代表的学者则将交易成本引入政治学研究领域，由此产生了名为政治交易成本的新概念。Ádám（2019）将其定义为“与社会成员达成协议，并将政治决策强加于社会成员的政治交换的成本”。弗鲁博顿和芮切特（2015）提出了“建立和维持政治组织的成本和政体运行的成本”的分类。Dixit（1996）将这一概念发展成交易成本政治学的新研究框架，首次明确了交易成本政治学研究的逻辑起点、价值取向、研究的主体以及处理政治交易成本的方法。

于是，基于已有交易成本研究的成果，本文尝试提出一种适用于分析政治领域中国家相对于社会的“交易成本”概念，并将其定义为政治行为主体实现对社会有效控制所必须付出的代价。其可以划分为汲取成本、整合成本、议价与决策成本、执行成本。

2. 国家能力

国家能力研究兴起于 20 世纪 80 年代的回归国家思潮，并在此后一直作为考察现代国家建构的重要方面。随着几十年来的理论发展，国家能力理论已相当成熟。

一些影响力较大的思想，如 Evans 等（1985）带有国家中心主义色彩的定义：“国家通过政策实现其目标的能力”。王绍光和胡鞍钢（1993）也将国家能力视为国家将自己意志、目标转化为现实的能力。Mann（1984）、Migdal（1988）虽然也强调国家能力是一种达成目标的能力，但二者更重视国家与社会的双向互动，尤其是社会对国家的制约。Mann 视国家能力为“渗透到市民社会当中，在逻辑上可以在领土范围内实施政治决策的能力”。Migdal则将国家能力定义为国家领导人运用国家机构让人民去做领导人希望他们做的事情的能力。此外，还有基于政策实施或政策绩效的定义，即国家实施政策的能力（海贝勒，2004；福山，2007）。从与环境互动的角度，又可以将其定义为对国内外环境的影响能力（阿尔蒙德和鲍威尔，1987）。此外，尚有权力论、职能论、综合因素论等不同类型的定义（黄宝玖，2004）。通过梳理众多的国家能力定义，我们可以尝试从中抽取共性特征，并结合本文目标重新界定国家能力。首先，上述定义多基于国家与社会关系这一类研究框架之中，考察国家如何寻求社会支持并影响社会。其次，目的论的定义更具有普遍性。其他的政策、绩效角度定义，实际上是以目的实现程度的测量标准定义国家能力，故其都可以被视为目的论的外延。因此，从国家与社会博弈的角度，综合过往国家能力定义的特征，我们将国家能力定义为国家将政治意志施加于社会以实现其愿景的能力。

有关国家能力的构成要素，不同学者之间的理解差异更大。比较有影响的构成要素划分，如 Evans 等（1985）的划分：主权完整、领土内稳定的政治控制和军事控制、高素质的官僚队伍、丰富的财政资源、配置资源的手段。Migdal（1988）则从国家控制社会的角度将国家能力划分为渗透、规制、提取、分配四类。Robinson（2008）界定出发展中国家必需的基础设施能力、转化能力、再分配能力和关系型能力四种能力。王绍光和胡鞍钢（1993）则认为，国家能力包括汲取财政能力、宏观调控能力、合法化能力及强制能力，中国学者的构成要素划分多由此扩展而来。还有学者关注到了国家能力的国际维度，其将国家能力区分为对内能力和对外能力两方面，并将维护领土主权能力、竞争能力、合作能力等纳入国家能力分析的框架中来（王仲伟和胡伟，2014；黄清吉，2013）。综合以上研究成果，既要兼顾划分的全面性又要突出国家能力的主要特征，可以将国家能力的构成要素划分为对内国家能力和对外国家能力两类。对内国家能力包括资源汲取能力、社会规管能力、制度供给能力、价值引导能力、暴力强制能力、公共服务能力；对外国家能力包括安全能力和竞合能力。

（二）基于交易成本的分析框架

依照新制度主义经济学的论断，“不同的产权制度导致不同的交易成本，不同的交易成本最终也将导致不同的经济绩效”，在过往的研究中，制度变迁及制度形式多作为中介变量、因变量或内生变量，即交易成本分析框架中的下游概念。对废藩置县的分析，需要制度变迁或制度形式作为自变量，即作为上游概念而存在。在交易成本的经典研究中一般认为，交易成本的增加将导致制度的变迁。新制度的存续取决于交易成本是否在各行为主体可接受的范围之内，也就是说新制度带来的预期交易成本同样会影响制度框架下各行为主体是否接受新制度的行为趋向。故已有分析仍是在“制度影响预期，预期影响行为”的制度分析框架下。因此，我们尝试提出这样的假设：废藩置县的制度变迁导致交易成本的变化，不同的交易成本也将决定不同政策绩效水平的国家能力。

需要明确的是，废藩置县不仅是历史意义上制度变迁的过程，其本身也体现为一系列的政策举措，所以在遵循新制度主义方法论的前提下，在废藩置县的制度变迁考察中，我们关注的制度不仅是传统意义上宏观的、现实的、正式的政治制度，还包括其他层面的非正式制度，如社会关系结构的变化。为了验证日本明治维新时期废藩置县的制度变迁将影响当时日本的国家能力的假设，也为了验证本文提出的交易成本的概念和重新界定的国家能力概念的适配性，需要建立一个容纳制度变迁、交易成本和国家能力三种变量的“制度变迁-国家能力”的分析框架（图 1），分析废藩置县这一解释变量如何导致交易成本发生变化，进而影响作为被解释变量的国家能力。

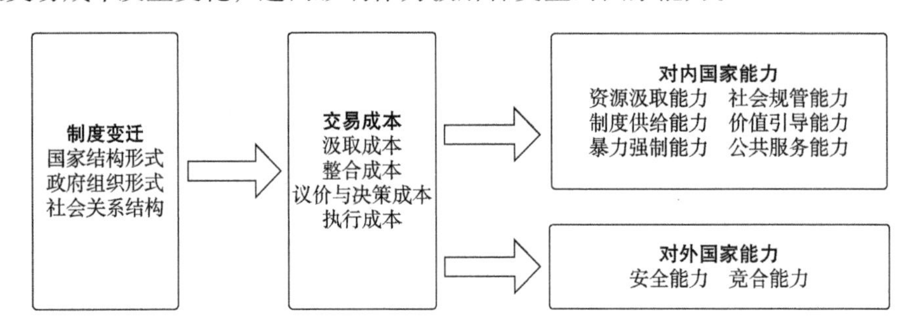

图 1　制度变迁-国家能力分析框架导图

三、废藩置县的制度变迁分析

废藩置县标志着日本在制度形式上从封建国家转向了中央集权国家，是日本现代国家建构过程中的关键一步。对此过程的制度变迁界定，可以在狭义和广义两种含义上应用。在狭义上，即指代明治四年（1871 年）7 月，“废藩置县诏书”颁下，正式宣布废除藩制，改行府县制这一历史事件。广义上的废藩置县则涵盖了这一制度变迁自酝酿直至落实的全过程及与其紧密相关的政策，包括版籍奉还、正式废藩、军制改革等关键节点。在本文接下来的分析中，将采用广义上的废藩置县（佐藤誠朗，1987）。

（一）国家结构形式变迁

废藩置县不是骤然推行的。在此之前，还有一系列的改革举措作为铺垫，即版籍奉还和藩政改革。首先是 1869 年开展的版籍奉还。已经掌握政府实际控制权的萨长土肥四强藩“各藩主奉还版（土地）、籍（人民）于朝廷”（竹内理三等，1988），而后，诸藩纷纷效仿。但是藩仍然作为一级行政组织而存在着，藩主则以“藩知事”的身份继续保持着对其领土的控制。其次是藩政改革。戊辰战争后，各弱藩自不待言，中央政府同样承担着巨大的财政压力（千田稔，1973）。1870 年明治政府开始整顿各藩财政和部分官制。版籍奉还与藩政改革虽未能一步到位，却为后来的废藩置县提供了坚实的政治基础。藩知事虽继续控制各自领地，但其本身不再是纯粹的封建领主，而是国家公职，即否定了封建领主制度和封建私人臣属关系（松尾正人，1986）。藩政改革的政治遗产则是集权化的地方官制，其不仅为中央集权的转化顺畅化，也为中央集权政府准备了大量行政、政治资源（汤重南和王仲涛，2013）。

经版籍奉还与藩政改革的铺垫，废藩置县于1871年7月正式推行。明治政府“召集在京的各藩知事，命令废藩。由此，藩府县三治制废除……同年 11 月实行所谓改置府县，对府县进行统一、废除、合并，共设三府七十二县”（竹内理三等，1988）。地方的行政层级由藩府县三治制变为府县两治制，藩作为一层行政结构彻底消失。最深刻的变革则是在央地政治关系上。传统封建幕藩体制下，各藩主，即大名，独立地统治自己的土地和人民，全国处于被众多封建领主分割统治的状态。幕府将军必须通过大名实现其对全国的控制（房宁等，2011）。幕府将军凭恃压倒性的经济与军事力量居共主之位，实际上诸藩与幕府间也仅仅是维持着一种不可靠的服从的关系，而非制度化的隶属关系。废藩置县之前，日本实际上保持着一种松散的“邦联”状态。

废藩置县后，政府公布“县治条例”“县治职制”等文件，规定了地方官员选任上的中央垄断、异地而任、选贤举能等重要原则。自此央地间形成制度化的隶属关系。府、县一级地方主要官员悉由中央任命，直接受中央政府领导，对中央负责，中央政府享有最高权威。中央与其下属地方共同组成单一主权实体，日本国家结构形式自此转变为单一主权的单一制。这种向单一制的制度变迁为中央集权提供了莫大的方便，中央的政令得以畅通无阻地贯彻到基层，实现了“除冗去简，去有名无实之弊，无政令多歧之忧”（歴史学研究会，1997）。同样，“明治维新政府的领导核心就可以自上而下地实施他们所要的近代化”（汤重南和王仲涛，2013）。

（二）官制、司法与军制变迁

1. 央地官僚体制

废藩置县之际，官僚体制的变迁分为两大部分，一是改进中央层面的太政官制，二是确立地方行政体制。

废藩后，中央官制因时而变以适应集权需要。改革的主要内容首先是建立太政官三院制（松尾正人，1986）。其次是各省改革，政府设外务、大藏等八省，结合财税制度的改革，大藏省的变动影响最大。民、藏并省后，大藏省的地位迅速上升，其作为兼财政与民政职能于一身行政部门，对地方统治机构具有极大的影响力（勝田政治，2000）。同时，在大藏省的改革上，仿美国财政制度，大藏省主管全国财政，具体包括设立各寮司并明确其与大藏卿的权责以及官员任免、财政年度起止、经费审批等具体规定（松尾正人，2001）。经过以上改革，大藏省逐渐成为明治政府财政集权的重要工具。随着“县治条例”颁布，在央地税收分配上，中央又占去极大的比重，“县治条例”规定“各县以幕藩时期的收获量为基准核定本县判任官以上级别的官员人数，以此为依据，根据统一基准限定府县留成额，剩余部分上缴中央”（湛贵成，2017）。至

1875 年，明治政府实现了国税（含地税、营业税、消费税等）和府县税（含民费、赋金、杂税等）的分离，由此为集权政府奠定最为重要的物质基础（吉岡健次，1981）。

确立地方官僚体制。藩政改革后，地方各藩已经确立了基本的官僚体制。废藩数月后，政府公布"县治条例""县治职制"等文件，开启府县一级改制进程。相较于藩制时期，中央政府完全控制了地方官员的选任。除了以考试制度选贤举能外，还在任命地方官员上贯彻了"异地而任"的原则（松尾正人，1986），在制度上断绝了旧藩势力染指政务的可能。另外，在府县以下设置区、町、村，以完善基层政治组织，保证中央意志向基层贯彻渠道的畅通。

2. 军制、司法的制度变迁

废藩置县主干任务逐步推行的过程中，其他分支任务也随之展开，如军制改革、司法改革及统一宗教，都被融入废藩置县的进程中。

一是军制改革。随着"废藩改变了实行军事变革的环境"（詹森，2014），军制改革得以顺利进行。首先是改兵部省为陆海军两省。其次是实行征兵制，中央政府得以任意向全国征兵。最终，征兵制于 1873 年正式实行。军制改革使日本在军队建设上取得了长足的进步，不久就显示出它有能力在国内强行维持秩序（詹森，2014）。二是司法改革。为了巩固废藩置县带来的中央集权化成果，建立适应中央集权的行政体制，明治政府开始着手建立现代司法制度与警察制度。废藩后，江藤新平出任司法卿，并主持司法改革，而后改革司法省，在全国范围内建立各级法院。随着县治条例等文件公布，地方各级府县建立了现代性的警察体系，为中央权力向地方扩展提供了必要的制度支持。

（三）去等级化的社会关系结构

乘废藩置县之势，明治政府厉行去等级化的社会变革。1871 年 4 月，明治政府颁布《户籍法》，建立统一国民身份，依照居住地登记户籍，由政府编户齐民，整合基层民众。明治政府因此建立中央集权国家与当时社会之间正式且稳定的制度联系。8 月，明治政府公布了一系列改革武士与平民生活习俗的政令，对武士的服饰、平民冠姓及严禁武士任意杀戮平民等做出了明确的要求。同年，政府宣布取消四民的职业限制。随后废除贱民制，社会改革超出四民之限。如此，明治政府在形式上完成了统一国民身份的塑造。

在旧藩势力的安置上，有关旧势力安排的政策内容包括：藩知事保留华族荣誉（遠山茂树，1988）；辞去现职并迁居东京；政府接管各藩财政及其债务。自此旧藩势力彻底丧失了对原有领土与领民的控制。迁离居所则进一步"切断了旧藩主与家臣团的主从关系，随着藩主前往东京居住和家臣团的解散，以藩为单位的组织性军事对抗几无可能"（杨栋梁，2019）。

同时，自维新之初，配合社会改革的教育改革也在相当程度上促进了塑造国民的进程，新式国民教育体系，除了"带来了一个更具流动性的社会"（詹森，2014），佐以宗教的改革，在意识形态上塑造了统一的国民认同。"1870 年 1 月，颁布'大教宣布'

的诏书，宣布唯有神道是国教，3 月开始布道，命藩府县推举布教使，中央政府直接管理或控制地方的思想与信仰，通过宗教来让人民‘奉事朝廷’”（汤重南和王仲涛，2013）。中央政府因此得以利用“天皇崇拜”统合国民思想与行动。在处理改革中利益受损的武士阶层的问题上，明治政府以财政补偿的形式来引导武士接受社会关系上的变革，而流动性更强的社会也促使一些精英武士乐于接受这一现实（詹森，2014）。但对武士阶层的挤压还是为日后的内战埋下隐患。以“四民平等”为宗旨的改革措施标志着旧封建等级制度的崩解以及社会关系结构的变化。这种变迁则间接却深刻地影响了中央集权化进程。此在“掌握最重要的人力资源以及社会状况方面是最重要的依据”（汤重南和王仲涛，2013）。

四、废藩置县与交易成本的变化

制度变迁与国家能力之间的必然联系已成共识，但是解释两者之间如何关联仍需要论证其间的因果机制，而交易成本正是这样一种连接制度变迁和国家能力的逻辑概念。一般观点认为，交易成本是促成制度变迁的动力。改革成功后的制度同样能有效降低政府的执政成本。故我们假设废藩置县的制度变迁将影响明治政府的交易成本。

（一）交易成本的构成与影响因素

国家权力从试图到完全穿透社会的过程可被视为一个国家与地方以及社会中的各行为体相互“摩擦”的过程，在该过程中，承载国家意志的国家权力不免会受到其他行为体的不同程度的阻碍，欲突破阻碍就要面对权力效率的各种损耗。同理，其他政治行为主体在实现同一目标的过程中，也要面对这些政治过程中的权力的损耗。以前述交易成本的分类为基础，我们将这一政治过程中各个环节所产生的损耗划分为汲取成本（政治行为主体向社会汲取资源的成本）、整合成本（政治行为主体寻找并控制特定社会群体的成本）、议价与决策成本（各主体间进行协商并达成共识的成本）、执行成本（保障政治行为主体的意志完整地、顺利地向社会贯彻的成本）。

制度因素导致了这些成本的发生，其中既有单纯制度方面的因素，又有制度条件下的人为因素。

首先是制度因素。①资源专用性。经济学领域中的资产专用性指在不牺牲生产价值的情况下，特定资产对特定用途的依赖程度（Williamson，1985）。同样，在政治交易中也可以此来解释政治资源的专用性，如财政资源，在明治政府清理债务的财政改革之前，武士仍作为食利阶层而存在，国家财政需要固定划拨大量资金用以支付武士俸禄，此即较高的资产专用性。②政治过程的透明性。此指“本国政治体系内外的行动者获取有关政府和社会信息的法律的、政治的与制度的结构”（Finel and Lord，1999）。制度设计可能掩盖政治过程中的某些环节，从而为参与到该过程中的成员提供暗箱操作的便利。相对密闭的政治过程将导致信息在传递过程中失真或被阻断，行动者难以获取必要的信息，交易成本因而增加。低透明度的政治过程同样也为少数交易提供便利。信息等资源无法流通，导致部分行动者把控个别的关键环节，被排除在外的行动者参与到该环节的成本因而提升。

其次是制度下的人为因素。制度规范了权力运行的路径，同时也在塑造权力主体的行为与偏好。①有限理性，即“有意识的但有局限的理性”（Williamson，1985）。政治过程中行为主体的行为可能是深思熟虑的审慎行为，但是主体本身的禀赋有差，使其行为难以实现最优目标。例如，1869 年以前的明治政府在缺乏完善预算制度的情况下，财政负责人常凭主观臆断决定财政收支（湛贵成，2017）。②投机主义。各政治过程中的主体在互相进行利益交换的过程中，会出于实现个体利益最大化的目的而试图“隐瞒或歪曲信息，尤其是致力于误导、歪曲、混淆或其他各种有碍视听的行为”（Williamson，1985）。其他行为主体需要采取必要的防范措施，因此必须承担代价。③行为的不确定性。这种行为上的不确定性可能是投机主义或信息不畅影响下的结果，也可能是行为个体偏好上差异的难预见性导致的行为上的不确定性。这里强调的是后一种不确定性。不同主体在一定的制度条件下的偏好存在差异，如幕藩体制下，中央政府与地方政府必然存在偏好的差异。

（二）明治国家的交易成本

有关明治国家的五类交易成本的评估，可以从宏观上的制度特征推断影响交易成本的因素可能发生的变化。正式与非正式的制度规定了行为主体的角色定位、行为模式以及偏好的形成，作为个人或组织参与政治过程的途径、方式发生变化将改变政治过程中影响交易成本的诸因素。基于这一论断来对比制度变迁前后的制度特征，从而推断交易成本可能的变化。

废藩置县后的国家建构的基本取向是中央集权化业已明确，这种中央集权内核在具体制度层面体现为三方面：①由国家结构形式调整和中央官制改革造成的行政层级扁平化与央地政治关系变化；②军制、司法、社会改革及其带来的高度组织性；③经财政体制改革实现的财政基础统一。

首先，行政组织的扁平化及央地政治关系变化。废藩置县后，中央政府不再是有名无实的象征机构，而是掌控实际统治权的最高权力机关。从藩府县三治制到府县两治制的转型，缩小了最高政府与基层政府之间的距离，减少了阻碍中央意志向下贯彻的制度因素和人为因素。伴随央地政治关系的变化，不同于名义上松散的服从关系，废藩后的府县政府完全服从中央，即使是府县政府独断的事项，也有必要向各省报告……县级长官有义务在中央政府的监督下处理地方政务（勝田政治，2000）。

新制度使得央地政治过程透明度显著提升，并有效地削减了投机主义与行为不确定性对国家行为的影响。在废藩前的邦联制下，旧藩势力作为加盟幕藩体制的参与者，其拥有独立的利益，因此也就不会与中央保持偏好与行动上的一致。在中央与各藩利益不一致时，各藩更倾向于遏制国家层面的行为来维护自身利益。废藩置县后，与中央偏好各异且行为上难以同步的各藩势力基本退出了政治舞台，把控信息等资源传递的藩一级政府消失，旧藩势力再难控制央地政治过程中的任一环节。旧藩势力再难凭借掩盖一级政府的政治过程来采取各种投机行为对抗中央，府、县一级政府形成并保持着与中央统一的偏好和行动的步调。由于中央获取了实质上的最高权力且央地间保持了行为上的统一性，中央相对于地方的议价成本与决策成本必然降低。由于中央政府得以彻底控制自中央至府县的全部政治过程，在国家政策向下贯彻的过程中投机行为和不确定行为减少，中央政府的执行成本也因此降低。

废藩置县后，国家常备军、司法与警察制度的建立使维新政府与军事、司法等具体行政机构之间建立了明确的隶属关系，提升了政府的组织化程度，同样是形成并保持明治政府与下属军、警等政府结构偏好上和行为步调一致，这些政府结构的举动悉决于中央。塑造国民与改进社会关系的社会变革则通过教育、意识形态引导、四民平等实现国家与社会中个体的直接对接，从而塑造统一的国家认同，激发国民爱国情感，并引导国民服务于国家目标（戈登，2008）。最终使得国家与社会在偏好与行为上保持高度一致，其带来的是国家对国民整合或社会整合的程度提升。这种较高的组织性抵消了各行为主体在行为上的不确定性的影响并降低了资产专用性。军队、司法、警察等具体部门与决策机关的协调配合可以实现步调统一，且基本被排除在政治过程之外的主体的阴谋举动基本不会影响政府行为的连贯性。在社会层面，“四民平等”的改革消除了身份差别，使全社会成员得以接受国家统一管理，如统一的教育和意识形态引导，统一的户籍管理等。自此，军队、警察等暴力结构与社会全体成员都将与国家意志和行为基本保持一致。资源专用性方面，明治政府致力于实现四民一套方案，而非四民四套方案，明治国家暂时塑造了一个整体型社会，排除了旧藩影响，提高了社会整合的程度，形成了有效的社会控制（Migdal，1988）。故国家相对于部分社会势力的整合成本必然降低。国家顺利实现对大多数社会成员的统合与控制，获取了较高的政治合法性，国家的政策主张更容易得到绝大多数社会成员的接受与配合，则国家的执行成本和议价与决策成本也随之降低。但是在改制过程中丧失特权的武士阶层必然会对这一趋势进行抵制，国家又必须耗费相当的资源来实现对武士阶层的规管，由此也造成了短期内整合成本、议价与决策成本上升。

在财政体制上，相对稳定的财税来源、统一的财政关系、完善的财政制度进一步明确了中央相对于地方，国家相对于社会在资源配置上的主导地位。第一，稳定的财税来源。废藩以及地税改革后，中央不必以 800 万石之一隅治理 3 000 万石的天下（大藏省，1932），并统一了地税征收标准和方式。政府掌控全国税收且主要财源显著扩大并在一定时期保持相对的稳定。第二，统一的财政关系。县制实行后，央地明确了各自应得的税收份额，理清了央地间的“主从”关系。第三，完备的财政制度。废藩后，财权收归中央，需要与新政情相适配的财政制度。官制改革基本明确了大藏省总理度支的职责，现代意义上的财政制度基本形成。

统一、完备的财政基础在中央集权最重要的方面扩展了中央政策制定者的有限理性，并在相当程度上提升了政治过程的透明度。完善的财政制度实现了中央决策者在财政预决算问题上以理性决策代替主观臆断，财政资源运用效率迅速提升。另外，稳定且不断扩大的财源和统一的财政关系为国家提供了充足的财政资源，政府不再因各项专门费用而承担巨大的财政压力。财政资源配置上的流动性增强，有效地抵消了资源专用性的影响。完善的财政体制，尤其是预决算制度，改进了信息传递的速度与准确度，进而提升了政府过程的透明度，1873 年的年度收支会计预算表对公众公开标志着预算公开的开端（湛贵成，2017）。这些因素的变化间接体现在汲取成本和执行成本之上。决策者理性的扩展，极大程度地在财政决算上避免了高成本的选择，从而减少了诸多不合理的开支。政治过程透明度提升，则有效避免了分离群体在资源汲取过程中的投机行为，减少了财政资源向上汲取过程中不必要的损耗，因此汲取成本必然下降。同样，决策者避免高成本收入时也在尽量降低高成本的支出，即致力于降低输出端上的执行成本。

需要指出，以上制度变迁表现出的各个新特征，并非产生于具体的影响因素，而是新制度最直接的、最显著的影响首先指向了这些个别因素。总的来看，明治国家作为一套整体性的制度最终决定着交易成本的各影响因素。明治国家的交易成本降低不只体现在制度变迁后绝对交易成本下降，由于国家与社会资源的分配难以实现帕累托最优，国家交易成本的下降必然伴随着其他行为主体交易成本的上升，因而其他行为主体更难以与国家对抗，即国家交易成本相对下降。

五、交易成本与国家能力变化

从宏观上看，废藩置县的制度变迁确实降低了明治政府的交易成本，或抵消了相应成本的影响。交易成本作为连接政治制度与国家能力的因果传递机制，其变化的影响必将在国家能力层面体现出来。接下来我们将尝试论证交易成本变化何以影响废藩置县后的日本国家能力。

（一）权力的效率

在交易成本的理论分析中，尤其是在政治分析中，交易成本始终与组织效率相关。最先将交易成本引入政治分析的North指出了两者之间的联系。North（1990）以美国立法机构为例，论证了便于达成政治交易的制度设计下的交易成本相对较低，即该制度下的效率较高。相对较低的交易成本意味着相对较高的效率，交易成本与组织效率之间呈明显的负相关关系。在后来的交易成本政治学中，Dixit（1996）进一步论证衡量政治市场中的效率只能在一般意义上进行，即对“时间与功能”以及对当时具体环境的“适应性”（adaptability）的评估。需要指出无论前者还是后者，强调的效率都是政体政治市场运作的效率。North（1990）认为对于政治市场中的各主体（小型立法团体）而言，制度框架只是促进了其各自的低成本交易。

在政治过程中，可以将政治效率等同于权力运作的效率。制度结构不仅是进行低成本交易的场域，同时也是促成政治过程中部分主体交易成本降低的主要因素。制度变迁的推进者总能在新制度的设计中预先确定最有利于自身利益的各种结构，故这些推进者，或者说是制度变迁后，在政治过程中处于优势地位的掌权者运用权力的成本势必降低，处于政治过程边缘的各行为主体运用权力的成本也势必增加（在相对层面也降低了掌权者运用权力的成本）。不同行为主体的交易成本变化，导致各主体有效行为的频率乃至收益的变化，即效率的变化。依据交易成本政治学，这种效率具体可以分为：①权力运转的周期，指权力行为运使开始到获得政治收益为止的单位时间；②权力运使的收益，即运用权力获得的净政治收益；③权力运使与当时环境的适应性，此指权力运使的效率满足政治需求的程度。

从具体构成要素中可以发现，这种权力的效率在相当程度上具有有效性的含义，且这种含义与能力的有效性特征是相契合的，即都指向在考察权力的运使实效时，对特定功能或目标的满足程度（李普塞特，2011）。降低交易成本以获取更高的政治收益实际就是一种政治目标。故可以尝试将权力的效率作为衡量政治行为主体能力的标准。在具体的测量上，净政治收益和获得收益的周期长短可反映直观上的能力强弱，适应性标准则在长期上反映相应水平能力的维持状况。

（二）废藩置县后的国家能力

需要首先明确，明治国家的国家能力强弱变化以废藩置县之前的国家能力为参考坐标。以权力的效率作为测量的指标，将从权力运转的周期、收益及适应性三方面衡量。在操作上，可以通过对国家能力的具体构成要素的变化来进行分别考察。其中对内能力包括：资源汲取能力，国家向社会提取物质与非物质资源的能力；社会规管能力，国家规范社会群体行为与社会关系的能力；制度供给能力，国家为社会、经济、政治各个领域提供基础性制度的能力；价值引导能力，国家通过价值塑造来获取社会各群体与个体认同的能力；暴力强制能力，国家运用暴力强制手段的能力；公共服务能力，国家引导社会经济发展、社会建设的能力。对外能力包括：安全能力，维护主权、领土以及公民等利益不受侵害的能力；竞合能力，国家利用战争、外交合作等手段获取国家利益的能力。

1. 权力运转的周期

权力运转的周期即国家实现特定目标所需的时间。权力运转的速度越快，运转周期越短，单位时间内相对的政治收益就越高，其意味着国家能力越强。需要指出的是部分依靠权力运转周期的评价方式并不适用于全部的具体国家能力。例如，财政汲取能力的评估方式通常是依赖税收额度，而财政税收以固定年度为周期，权力运转的周期固定，也就不存在权力运转周期的变化问题。另外，有关塑造国民归属感，获取合法性的价值引导能力也难以用周期衡量，全体国民的认同感不可能在较固定的时段中同步实现。另外，明治政府在废藩置县前后的公共服务供给呈现出政策上的连续性，废藩置县前后的公共服务供给共同构成完整政策周期，因此也就不存在前后周期长短的变化。

接着评估其他具体能力的具体指标。

（1）社会规管的周期。中央政府对平息叛乱所耗费的时间即可体现权力运转的快慢，由此体现国家在履行社会规管、国民统合和暴力强制职能过程中的效率。困于高汲取成本、高整合成本以及高议价与决策成本的明治政府在废藩置县前面临多次民众反抗。在废藩前的 1869 年末至 1870 年 3 月，山口藩旧奇兵队成员 2 000 余人发动叛乱，历时数月，并暗中牵连多个藩国，以及梅村骚动（14 天）、蓑衣骚动（约一个月）等，此为诸多反叛中的典型。废藩后，汲取成本降低，议价与决策成本和整合成本在部分过程中降低，国家得以更快速地采取暴力强制，实现社会规管和统合。废藩后数月间，消除同样甚至更大规模的叛乱的时间却显著缩短。例如，1871 年 8 月伊予国数万平民寻求减轻负担而引发的暴动（8 天）、9 月高松县的上万人动乱（9 天）以及同年 11 月末岡山县 7 000 余平民反对新政引发的暴动（11 天）等均在数日至十数日内平息（谷山正道，1992）。到后来 1874 年佐贺之乱（18 天）、1876 年的神风连之乱（1 天）等也未持续过长时间（竹内理三等，1988），但也有个别的例外（如萩之乱在其他叛乱呼应下持续 40 余天）。可见废藩置县后平息叛乱的周期相较于废藩前总体呈现缩短趋势，由此推测国家实现暴力强制和社会规管所需的周期呈现缩短的趋势。

（2）新制度的供给周期。在废藩置县前，政府议价与决策成本、执行成本居高不下，给制度供给带来了阻碍。废藩前的重要制度变迁，如 1869 年 1 月至 6 月的版籍奉还尚算成功，1870 年 9 月开始的藩政改革则诸项内容尚未完成，就被更为激进的分废藩置县政策所取代（持续约 10 个月）。在政府成功削减了议价与决策成本、执行成本后，废藩后的制度供给更多地体现为完整的周期，如 1871 年 7 月至 1872 年太政官制改革（以大藏省正式运转为止）、1871 年 7 月至 1873 年 3 月征兵制全面实行的军制改革、1871 年废藩后至 1872 年 2 月的司法、警察制度改革以及 1871 年 9 月至 1884 年的地税改革等（汤重南和王仲涛，2013；湛贵成，2017）。相较废藩前，废藩置县后的制度供给周期更长。但是由于废藩未给当时的政府预留充足的时间，各制度未能完成有效供给，故周期较短。废藩后的制度供给周期更为完整，体现出废藩后明治政府在政府行为上更强的连贯性。

（3）外争国权的周期。考察明治政府争夺海外利益行为的周期可依据最终实现日本国家利益的条约的订立周期。国际条约作为固定国家利益的象征，其周期可从各国际主体就某一事件最早接触起，至书面条约正式签署为止可被视为对外权力运转的周期。由于高汲取成本和高执行成本，政府未能建立支撑外争国权的财力与人力基础，且未能形成中央主导的统一的对外关系。以日本对清廷外交为例，自 1870 年 1 月至 1871 年 7 月，订立《中日修好条规》诸约（吴廷璆，1994），历时 18 个月。戊辰战争期间至 1870 年争取北海道主权时，地方政府竟两度直接与外国势力对接，出卖国权（吴廷璆，1994），历时近一年。废藩后，统一的外交关系，使得政府外交上的执行成本降低，与外国交涉并达成共识的周期明显缩短。自 1874 年 4 月至 1874 年 10 月，签署《北京专约》。再如，对朝方面，自 1875 年 9 月江华岛事件起至 1876 年 8 月，日本同朝鲜签订《日朝修好条规》及其一系列附属文件，攫取了在朝诸多特权（吴廷璆，1994）。日本与"万国对峙"的进度明显加快了。

2. 权力运转的绝对收益

权力运转的绝对收益即政府的实际可见的政策绩效，是国家能力水平最直观的体现。

（1）财政收入水平。财政收入是评估国家财富资源汲取能力的通用指标。废藩置县前的明治元年至明治四年这段时期的财政总收入维持在 2 000 万至 3 400 万日元的区间，其间最高年度收入为 3 443.8 万日元，出现在 1869 年（奥田晴樹，2018；梅村又次和山本有造，1997）。从废藩置县后的 1872 年开始，汲取成本下降，政府财政收入急速增长。该年财政收入为 5 044.5 万日元，此后直至 1881 年松方正义财政改革前，财政年度收入一般维持在 6 000 万日元左右，其中峰值出现在 1873~1876 年，分别为 8 550.7 万、7 344.6 万、8 632.1 万日元（梅村又次和山本有造，1997）。

（2）常备军事力量。作为国家的底牌，常备军力强弱反映着国家贯彻自身意志程度的下限。明治时期的日本得以实现现代化最直接得益于不断强化的军事力量。在废藩置县前，政府依靠强藩献兵组成了最初的国防常备军，计有 14 200 多名士兵（吴廷璆，1994），但其中各藩所献的御亲兵多由各强藩控制，政府直接统辖的兵力十分有限。废藩后，明治政府厉行征兵制，将征兵的基础从武士阶层扩展至全体国民，人力汲取成本下降。同时，针对一般民众的整合成本下降，基层民众也乐于参军。至 1873 年，常备兵力稳定在 31 680 人，战时亦可增加，1877 年西南战争期间明治政府动员兵力甚至超过 6 万人，远高于废藩置县前政府可调集的兵力（吴廷璆，1994；詹森，2014）。

（3）叛乱数量。民众反抗的多寡从侧面反映出一个国家引导国民价值认同和控制社会的能力。社会规管与国民的统合在于塑造国民认同和维持社会基本秩序，人民认同政府的统治便服从现有的秩序，反之，则会反抗、冲击现有的秩序。废藩后，汲取成本降低，整合成本和议价与决策成本也相对降低，政府在汲取民力的同时也在寻求统合国民。在废藩置县前的 1868 年至 1871 年废藩置县完成后，农民抗议的活动有 343 起，其中 1869 年就发生了 110 起，但是废藩转年后的 1872 年，农民抗议事件数目迅速下降至 30 起（詹森，2014）。可以说废藩后的政府实现了对农民的引导和控制，国家整合成本和议价与决策成本下降。但是社会改革后的新体制导致国家对武士阶层的整合成本和议价与决策成本上升，反抗的主体从农民变为武士，从平民变为精英。自 1874 年起，特权被逐步剥夺的武士阶层多次冲击现存的政治秩序，影响较大的有 6 次（詹森，2014），其中不乏江藤新平、西乡隆盛这样的政治精英。维新过程中对武士的挤压最终造成了政府内部保守勋贵与维新官僚及其各自代表的社会集团的分裂（坂野潤治，2008），且几乎造成过国家分裂。由此可见废藩后的社会规管和国民价值认同的塑造仍有巨大阙漏。

（4）制度有效供给的数量。在制度供给上，废藩前的有效制度供给仅限于版籍奉还和藩政改革中的部分内容。废藩置县后，中央政府扫除了在全国范围内推进制度变迁的体制性障碍，其他政治行为主体既缺少与中央谈判的筹码，也无力干预制度创设的过程。议价与决策成本与执行成本下降，制度有效供给的数量明显上升。地税改革等重要改革措施皆于废藩后启动。即使是在同样的时间跨度内，废藩后的制度供给也明显多于废藩前。

（5）公共服务供给数量。由于戊辰战后至废藩置县的时间较短，故政府在公共服务供给上并无太大影响。废藩置县确立的中央集权制度削减汲取成本和执行成本后则促进了公共服务供给。实现中央集权后，中央政府得以汲取更多财税资源从而为政府大办企业提供了必要基础。且政治过程中再无其他势力对中央决策进行干扰。1873 年设置的内务省，由维新领袖大久保利通全面负责殖产兴业政策，一改此前无效率、无统一规划的发展局面。因而政府得以在此后以官办形式承办诸多企业，不仅推动了纺织业、农牧业等传统产业，也促进了军工、采矿等新兴产业较大的发展（汤重南和王仲涛，2013）。

（6）对外争取国家利益。自戊辰战后明治天皇亲政至废藩置县以前的数年间，明治政府前期的高执行成本导致政府主动对外争取国权的举措多处于被动地位且多以失败告终，如与俄国争夺库页岛主权的失败，荷兰在戊辰战争期间抢占北海道，等等。不仅如此，新政府还背负了幕府时期大量的外交负担，如小笠原群岛事件、日美安政条约以及与英俄诸国签订的危害国内发展的开放条约等。废藩后，明治政府主动“耀皇威于海外”的外交意向得以毫无阻碍地贯彻，因而一变原先的被动局面，其先后在对琉球、对清廷和对朝鲜的外交中攫取巨大利益，如并吞琉球、与清廷订立《中日修好条规》诸约、同朝鲜签订《日朝修好条规》及其一系列附属条约（吴廷璆，1994）。

3. 对当前环境的适应性

时间上的相对收益和绩效上的绝对收益证明了废藩置县后的各具体国家能力相比之前有所提升，而要判断国家能力的强弱需要考察当前制度的效率是否满足明治政府改革的政治需求。从《废藩置县诏书》中可以发现明治政府厉行变革的主要目标。一是中央集权，务求“除冗去简，去有名无实之弊，无政令多歧之忧”；二是寻求国家的发展与秩序，即实现“保安亿兆”；三是寻求国际地位，即“与各国对峙”（歴史学研究会，1997）。故中央集权、国家秩序与发展、国际地位三者就是衡量权力运使对当前政体适应性的标准。

考察权力运转的周期和绝对收益。首先，高适应性体现在中央集权和国际地位的需求上。新政体的确立使得国家财政收入水平、制度有效供给数量、公共服务供给数量明显增长。国家常备军事力量显著增强，并缩短了社会规管和新制度供给所需的周期。为中央集权提供了必要的物质基础、暴力基础以及维系集权体制保障。在外争国权上，常备军事力量增强、对外争取国家利益所需的周期缩短且外交日趋主动。更强的军事力量和主动的外交姿态争取到了诸多海外利益，进而为日本争取到了自黑船事件以来从未有过的国际地位。

其次，低适应性体现在国家秩序与发展的需求上。废藩后明治政府为了尽快实现强国目标，以牺牲国内安定换取转型速度。其主要体现在武士阶层对现存秩序的挑战。明治政府在寻求社会规管和国民统合的进程中，更侧重对四民中的一般平民即武士阶层的挤压。其试图在废藩前后的数年间将存在了数百年的武士特权阶层“贬低”为现代国民的举措忽视了社会现实。自 1871 年废藩后至 1874 年间，开放就业限制、处理秩禄、废刀令、征兵制等等对武士而言具有颠覆性的变革集中在这数年间，体现了维新官僚在这些方面的急切。在实现征兵制前，武士仍是国家军事力量的最主要构成部分，更是维新藩阀维护其政治影响力的后盾。武士阶层绝不会将其仅存的政治资源轻易拱手相让。1874 年后，西乡隆盛、板垣退助等士族派和大久保利通等维新派决裂，最终导致了两大政治势力背后的社会群体走向对立。自 1873 年后，武士阶层的叛乱愈演愈烈，最终酿成内战，极大地冲击了废藩后的国内秩序，国家发展的走向显然与“保安亿兆”的目标相悖。明治国家的构建最终是以一场伤亡惨重的战争告成，因此很难说废藩置县的制度变迁带来的社会规管和国民统合是成功的。

六、结　论

以“制度变迁-交易成本-国家能力”的框架对日本废藩置县的过程和影响的考察基本上可以实现逻辑自恰。尝试以交易成本作为制度变迁与国家能力之间的一个因果传递机制，可以帮助我们更好地理解制度形式与国家能力之间的关系。同时，也为日本外的其他国家的制度变迁及国家能力研究提供一种可能适用的分析框架。

废藩置县最终实现的国家结构形式、政府组织形式、社会关系结构上的变迁，改变了明治国家对于社会的交易成本。其具体表现在有效削减了明治政府的汲取成本和执行成本，在面向大部分国民的规制与统合上，削减了整合成本和议价与决策成本，在面向核心阶层，即武士阶层方面，整合成本和议价与决策成本又明显上升。出现变化的交易成本进而影响了各项国家具体能力。在明治国家的七项具体能力中，对内的资源汲取能力、制度供给能力、暴力强制能力、公共服务能力以及对外的安全能力、竞合能力显著增强。社会规管能力、价值引导能力则未能达到实现有效社会规制和国民统合的理想状态（表 1）。相较于废藩置县以前，日本的国家能力建设仍然是比较成功的。虽然仍有社会规制和国民统合上的缺陷，但是基础性的能力，如资源汲取能力或暴力强制能力，得到了切实的加强。因而也使得明治国家在面临武士叛乱的局面下没有崩溃或退化为废藩之前的旧制度。日本依然初步实现了内部政体的变革和对外的崛起，实现了初步的国家转型，可以说废藩置县整体上增强了明治初期日本的国家能力。

表 1　废藩置县后日本国家能力变化结果

能力	权力运转的周期	权力运转的绝对收益	对当前环境的适应性
资源汲取能力		+	+
社会规管能力	+	+–	–
制度供给能力	+	+	+
价值引导能力		+–	–
公共服务能力		+	+
暴力强制能力	+	+	+
安全能力	+	+	+
竞合能力	+	+	+

本文虽然论证了日本明治维新初期建立的中央集权体制整体上实现了国家能力提升，但是，这却与当代经典研究成果和一般性的认知相反。无论是阿西莫格鲁和罗宾逊（2015）有关汲取性制度和包容性制度作用于经济增长的经典研究成果，还是 Besley 和

Persson（2011）有关掠夺性国家的国家能力的论述，都对某一政治行为主体独享权力的集权制度持一种消极态度。需要指出的是，首先，在政治发展的语境中，对所有国家，尤其是对那些处于转型进程中的国家而言，只有先保证国家的存在，方可言及进一步的发展和改革。各国家无论制度变迁的走向如何，首先要避免沦为一个失败国家或弱国家。集权化的制度设计正是在转型来临之际守住秩序底线并实现稳步发展的必然选择。其次，某一政治行为主体独享权力的集权制度在一定的时期也可以实现国家能力的增长。以国家主导经济发展为特征的“统制型模式”往往是 19 世纪以来，后发国家追赶发达国家的首要选择。再次，废藩置县的集权化改革不过是特定历史阶段的制度变迁的剖面，其本身并非制度变迁的中止。既然制度始终处于演化与变迁之中，特定时期的制度功能就是相对的，在向现代国家转型之际，集权化的制度可能有助于国家能力的提升，而在转型后的发展阶段，集权化的制度可能就会阻碍国家能力的提升。类似的案例如 1649~1688 年的英国、1862~1871 年的德国、戴高乐时期的法国等，都是在国家转型完成后顺应了新一轮的制度变迁趋势，从而保持着较高水平的国家能力。没有顺应新潮流的国家，如纳赛尔改革时期的埃及，将不可避免地沦为弱国家。事实上，明治政府也在集权化改革的第十个年头开启了向包容性制度转变的宪制改革。

参 考 文 献

阿尔蒙德 G，鲍威尔 B. 1987. 比较政治学：体系、过程与政策. 曹沛霖，郑世平，公婷，等译. 上海：上海译文出版社：24.

阿西莫格鲁 D，罗宾逊 J A. 2015. 国家为什么会失败. 李增刚译. 长沙：湖南科学技术出版社：51-61.

坂野潤治. 2008. 近代日本政治史. 锺淑敏译. 台北：五南圖書出版股份有限公司：12-13.

房宁，等. 2011. 自由、威权、多元：东亚政治发展研究报告. 北京：社会科学文献出版社：27.

弗鲁博顿 E，芮切特 R. 2015. 新制度经济学：一个交易费用的分析范式. 姜建强，罗长远译. 上海：格致出版社：36，33-37.

福山 F. 2007. 国家建构：21 世纪的国家治理与世界秩序. 黄胜强，许铭元译. 北京：中国社会科学出版社：7-9.

戈登 A. 2008. 日本的起起落落：从德川幕府到现代. 李朝津译. 桂林：广西师范大学出版社：78-79.

海贝勒 T. 2004. 转型国家的战略集团和国家能力. 刘合光，冯贞柏译. 经济社会体制比较，（1）：31-49.

黄宝玖. 2004. 国家能力：涵义、特征和结构分析. 政治学研究，（4）：68-77.

黄清吉. 2013. 论国家能力. 北京：中央编译出版社：21-25.

李普塞特 S M. 2011. 政治人：政治的社会基础. 张绍宗译. 上海：上海人民出版社：47.

梅村又次，山本有造. 1997. 日本经济史：开港与维新. 李星，杨耀录译. 北京：生活·读书·新知三联书店：152.

汤重南，王仲涛. 2013. 日本近现代史（近代卷）. 北京：现代出版社：106，110，111，108-126，131-132.

王绍光，胡鞍钢. 1993. 中国国家能力报告. 沈阳：辽宁人民出版社：2，6.

王仲伟，胡伟. 2014. 国家能力体系的理论建构. 国家行政学院学报，（1）：18-22.

吴廷璆. 1994. 日本史. 天津：南开大学出版社：411，407-410，414，383，412-414.

杨栋梁. 2019. 权威重构与明治维新. 世界历史，（2）：1-16.

詹森 M B. 2014. 剑桥日本史（第五卷）. 王翔译. 杭州：浙江大学出版社：584，585，520，372，

344，357-374.
湛贵成. 2017. 明治维新期财政研究. 北京：北京大学出版社：7，76，115，103-105.
竹内理三，等. 1988. 日本历史辞典. 沈仁安，马斌，李玉，等译. 天津：天津人民出版社：207，208，219-220.
奥田晴樹. 2018. 明治維新と府県制度の成立. 東京：KADOKAWA：162-163.
大藏省. 1932. 明治前期財政経済史料集成（第四巻）. 東京：改造社：132.
谷山正道. 1992. 廃藩置県と民衆——西日本における旧藩主引留め「一揆」をめぐって. 人文學報，（71）.
吉岡健次. 1981. 日本地方財政史. 東京：東京大学出版会：5.
歴史学研究会. 1997. 日本史史料. 東京：岩波書店：90-91.
千田稔. 1973. 廃藩置県の必然性—廃藩置県以前の财政窮迫. 一橋論叢，69（3）.
勝田政治. 2000. 廃藩置県. 東京：講談社：195，207-208.
石井孝. 1969. 廃藩の過程における政局の動向. 東北大学文学部研究年報，（19）.
松尾正人. 1986. 廃藩置県：近代统一国家への苦悶. 東京：中央公論社：50，191-192，205-206.
松尾正人. 2001. 廃藩置県の研究. 京都：吉川弘文馆：386.
原口清. 1980. 廃藩置県政治過程の一考察. 名城商学，29（别册）.
遠山茂树. 1988. 天皇と華族. 東京：岩波書店：321.
佐藤誠朗. 1987. 近代天皇制形成期の研究：ひとつの廃藩置県論. 東京：三一書店：89-99.
Ádám Z. 2019. Explaining orbán：a political transaction cost theory of authoritarian populism. Problems of Post-Communism，66（6）：385-401.
Arrow K J. 1969. The organization of economic activity：issues pertinent to the choice of market vrsus non-market allocation. The Analysis and Evaluation of Public Expenditures，Joint Economic Committee of Congress：1-16.
Beasley W G. 1972. The Meiji Restoration. Redwood：Stanford University Press：335-349.
Besley T，Persson T. 2011. Pillars of Prosperity：The Political Economics of Development Clusters. Princeton：Princeton University Press：304-307.
Coase R H. 1937. The nature of the firm. Economica，New Series，4（16）：386-405.
Dixit A K. 1996. The Making of Economic Policy：A Transaction-cost Politics Perspective Munich Lectures in Economics. Cambridge：MIT Press：37-61.
Evans P B，Rueschemeyer D，Skocpol T. 1985. Bringing the State Back In. New York：Cambridge University Press：9，16.
Finel B I，Lord K M. 1999. The surprising logic of transparency. International Studies Quarterly，43（2）：315-339.
Mann M. 1984. The autonomous power of the state：its origins，mechanisms and results. European Journal of Sociology，25（2）：185-213.
Migdal J S. 1988. Strong Societies and Weak States：State-Society Relations and State Capability in the Third World. Princeton：Princeton University Press：xiii，4，32-33.
North D C. 1990. A transaction cost theory of politics. Journal of Theoretical Politics，2（4）：355-367.
Robinson M. 2008. Hybrid states：globalisation and the politics of state capacity. Political Studies，56（10）：566-583.
Williamson O E. 1985. The Economic Institution of Capitalism. New York：Free Press：18-19，20-21，52-53，42，47.

开放式创新研究述评：理论框架、研究方向与中国情境

钱菱潇　陈　劲

摘要：现阶段，中国经济转向高质量发展阶段，中国企业面临着特殊、复杂的创新环境，迫切需要构建具有中国特色的创新理论。开放式创新从封闭式创新模式发展而来，强调企业打开组织边界，同时利用内外部资源进行创新，其本质是降低成本和降低风险。在数字时代，科技创新需要跨学科、跨知识体系的融合协作，进一步研究中国情境下开放式创新理论及实际问题能够为中国经济高质量发展注入更多动能，具有重大意义。本文在回顾国内外研究成果的基础上，构建了基于"影响因素—影响效应—边界条件"的开放式创新整合框架。基于当前研究空白，本文根据中国情境的特殊性，总结了七点未来研究方向，进而服务国家创新系统建设。

关键词：开放式创新　创新研究　中国情境　制度　动态能力

中图分类号：F124.3　F091

一、引　言

从环境论（Ansoff，1965），到竞争论（Porter，1980），再到资源观（Wernerfelt，1984）及动态能力观（Teece et al.，1997），战略管理的理论方向和视角从外部到内部、从静态到动态变化。数字经济时代，企业面临的竞争环境是异变、不确定而复杂的。

全球化和互联网的兴起使得企业间的合作比以往更加方便，合作的交易成本明显降低，技术复杂性的提高使得企业很难独立完成创意从产生到制造、市场化的全过程，越发需要整合不同主体的互补性知识来进行创新。基于此背景，Chesbrough（2003）、Chesbrough 和 Crowther（2006）提出开放式创新战略，强调企业打开组织边界，注重内部与外部知识的交互与结合。目前，开放式创新已成为创新研究中的热门领域。

本文对开放式创新的概念内涵、维度划分进行了总结梳理，并分别总结了三种界定与划分视角，在此基础上构建了基于"影响因素—影响效应—边界条件"的开放式创新

作者简介：钱菱潇，清华大学经济管理学院博士研究生，研究方向为技术创新、创新政策。陈劲，通信作者，清华大学经济管理学院教授，博士生导师，清华大学技术创新研究中心主任，研究方向为创新管理、技术创新。

整合研究框架，从组织层面（企业规模、吸收能力、动态能力）、行业层面（技术动态性、技术密集度、全球化、商业联盟）和环境层面（数字化情境、制度环境）研究开放式创新的影响因素；从组织层面（内部研发能力、动态能力）、环境层面（环境动态性、制度环境）研究开放式创新的边界条件；从正面影响（创新网络）和负面影响（泄露风险、搜寻成本和协调成本）两方面来研究开放式创新对创新绩效的作用机制。

本文最后一部分是中国情境下的开放式创新研究。党的十九大提出要加强国家创新体系建设，强化战略科技力量，而当前中国加快解决卡脖子问题的需求紧迫，面临的国际形势错综复杂。当前我国正在构建有中国特色的国家创新系统（陈劲和尹西明，2018），进而加快推进国家战略科技力量建设（陈劲和朱子钦，2021）。中国企业一方面需要打开组织边界，利用开放式创新来整合、利用外部资源；另一方面要通过自主创新不断增强自身的核心竞争力，两方面的矛盾和平衡值得深入研究。因此，构建具有中国特色的开放式创新理论，进而服务国家创新系统建设具有重要意义。

基于当前研究空白，本文总结了七点未来研究方向：一是研究开放式创新对企业绿色转型的促进作用；二是研究正式制度对开放式创新的影响；三是研究非正式制度对开放式创新的影响；四是开展不同类型企业开放式创新的差异研究；五是研究企业数字化转型对开放式创新的影响；六是研究开放式创新重塑企业动态能力的作用机制；七是研究企业如何管理开放式创新行为。本文认为，开放式创新在中国情境的特殊之处主要在于创新主体所处的环境，包括制度环境和技术环境，因此第一、二、三、四点中讨论的是各类制度安排，第五点中关注数字化情境，以期为政府和社会促进开放式创新提供建议，为构建国家创新系统、构建具有中国特色的开放式创新理论贡献思路。企业是创新的主体，本文也将企业作为分析中国情境的出发点，聚焦于企业在开放式创新中的动态能力和管理模式，为企业构建与开放式创新模式相适应的组织模式提供建议。

二、理论基础

（一）开放式创新的概念与内涵

传统封闭式创新的特点是依靠高投入在企业内部形成一个技术和智力基本集中的研发闭环，由企业自己完成创新思想的产生、选择和市场化过程。当技术创新的复杂程度适中时，封闭式创新可以依托其投入与资源形成壁垒，获得可观的技术产出，随着全球化和互联网时代的到来，企业技术创新环境复杂度的提高，单个企业很难满足创新的资金与技术要求，企业需要打开组织边界，利用外部资源进行创新。因此，创新合作的边界进一步扩大，包含用户、科研机构和相关企业，出现了由企业创新活动引发的创新网络（Freeman，1991）。全球化和互联网的兴起也使得企业间的合作比以往更加便捷，企业间合作的交易成本大幅减少，企业潜在的合作伙伴群和市场范围显著增加。因此，现有企业创新模式已经转变为打开组织边界，与拥有技术优势的企业、大学、研究机构等进行合作的开放式创新模式。

基于此背景，Chesbrough（2003）首次提出开放式创新的概念，其强调企业打开组织边界，将获取知识和输出知识有机结合起来，将内部和外部知识结合到平台、架构和系统中。之后 Chesbrough 和 Crowther（2006）将其定义为有目的地利用知识流入和流出，加速企业内部创新并扩大创新的外部市场。对于外部知识流入，有模仿、建立联盟、利用网络等手段。基于商业模式的概念，Chesbrough 和 Bogers（2014）将开放式创新进一步定义为一种分布式创新过程，使用符合商业模式的机制管理跨组织边界的知识流动。在开放式创新模式下，企业可以强化创新社区、生态系统、网络等对竞争优势的影响。开放式创新具有“非竞争性”和“非排他性”（Chesbrough，2007）。开放式创新模式下，真正发生的是商业模式的转变，因为产品业务正在变成服务业务（Chesbrough，2017），开放式创新的本质是降低成本和降低风险。当前，开放式创新理论已成为创新管理领域的热门研究方向之一，正在向创新生态系统、平台创新等方向延伸（Gawer and Cusumano，2014；Jacobides et al，2018；梅亮等，2014）。

（二）开放式创新的维度划分

本文将开放式创新的维度划分总结为三个视角：流程视角、策略视角与特点视角。

流程视角以 Gassmann 和 Enkel（2004）、Chesbrough 和 Crowther（2006）、Huizingh（2011）为代表。Gassmann 和 Enkel（2004）将开放式创新分为由外向内、由内向外和耦合流程三类；Chesbrough 和 Crowther（2006）将开放式创新划分为内向型和外向型，分别对应知识的输入和输出；Huizingh（2011）按照过程和结果是否开放将开放式创新分为三类。

策略视角以 West 和 Gallagher（2006）为代表，他们提出了四种普遍的开放式创新策略。Dahlander 和 Gann（2010）将开放式创新基于知识流动方向和交易类别，划分为 2×2 矩阵，并总结出不同策略。表 1 总结了基于知识流动和交易类别的开放式创新分类（Dahlander and Gann，2010）。

表 1　基于知识流动和交易类别的开放式创新分类

类别	入式创新（内向）	出式创新（外向）
金钱相关	购买型：通过非正式和正式关系获取创新和创新过程的投入	售出型：在市场授权或销售产品
非金钱相关	获取型：从供应商、客户、竞争对手、顾问、大学或公共研究结构等方面获取外部想法和知识	释放型：释放内部资源到外部环境中

特点视角以 Laursen 和 Salter（2006）为代表。Chesbrough 和 Crowther（2006）指出，开放式创新是管理知识进出的一种创新模式。开放式创新和知识开放度有着紧密的关联，知识搜索是组织解决问题的活动，包括技术思想的创造和重新组合（Laursen and Salter，2006）。Laursen 和 Salter（2006）提出了开放式创新广度和开放式创新深度的概念，用以概括在创新过程中企业进行知识搜索的模式和程度。Keupp 和 Gassmann（2009）将企业在创新过程中广度和深度的差异定义了四种开放式创新模式。表 2 对开放式创新概念维度划分的流程视角、策略视角和特点视角进行了总结。

表 2 开放式创新概念维度划分总结

视角	代表学者	维度划分
流程视角	Gassmann 和 Enkel（2004）	由外向内流程、由内向外流程、耦合流程
	Chesbrough 和 Crowther（2006）	内向型开放式创新：企业整合利用外部知识进行创新； 外向型开放式创新：企业成为其他组织的知识源，将内部知识输出到外部
	Huizingh（2011）	开源创新（过程和结果均开放） 公共创新（过程封闭结果开放） 私有开放式创新（过程开放结果封闭）
策略视角	West 和 Gallagher（2006）	捐赠互补资源、汇集研发、出售互补资源、剥离
	Dahlander 和 Gann（2010）	两类内向型开放式创新（购买型和获取型） 两类外向型开放式创新（售出型和释放型）
特点视角	Laursen 和 Salter（2006）	开放式创新的广度和深度
	Keupp 和 Gassmann（2009）	基于不同类型开放式创新广度和深度组合，定义了四种开放式创新类型

三、开放式创新研究现状

开放式创新理论提出近二十年来，有学者尝试建立整合框架，但是这些研究都主要聚焦于开放式创新的过程，而缺乏对开放式创新前因、机制、边界条件等的整合分析。高良谋和马文甲（2014）做出了有益尝试，将开放式创新原因、过程、结果之间的关系归纳为六种研究主题。本文将开放式创新的研究框架进一步拓展，将不同层面的影响因素、边界条件及作用机制整合在一个统一的研究框架内，构建了基于“影响因素—影响效应—边界条件”的开放式创新整合框架，如图 1 所示。本文将从影响因素、调节变量、作用机制分别对该框架进行分析阐述。

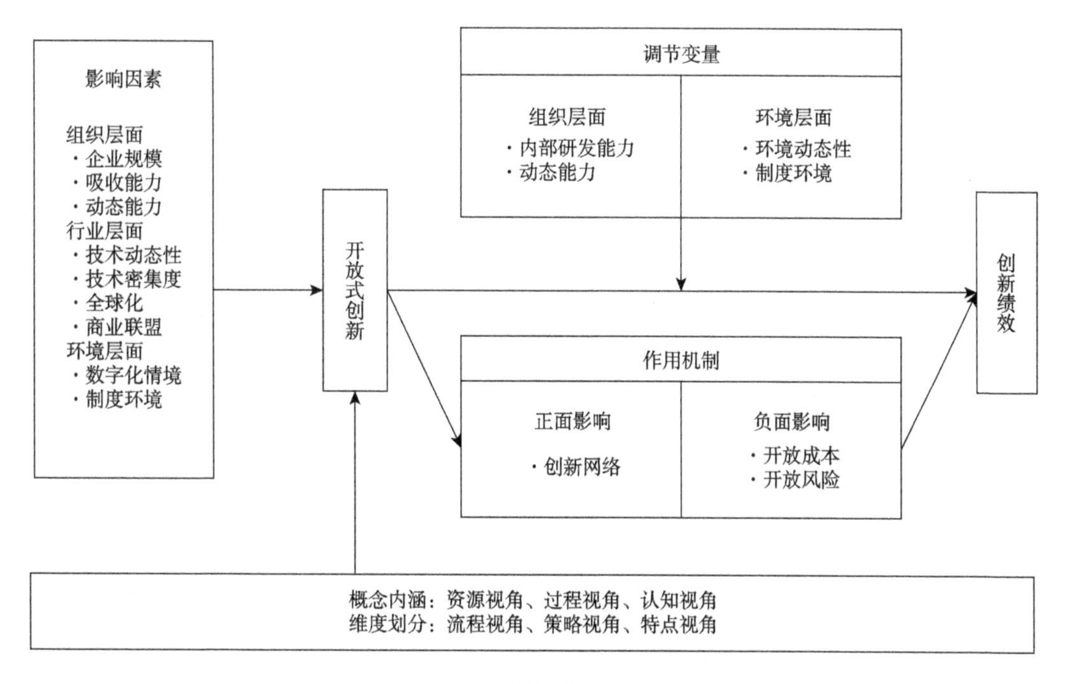

图 1 开放式创新整合研究框架

（一）影响因素

本文从组织层面、行业层面和环境层面来研究开放式创新的影响因素。组织层面包括了企业规模、吸收能力等；行业层面包括了技术动态性、技术密集性、其他行业属性等；环境层面包括了数字化情境、制度环境等。

1. 组织层面

（1）企业规模与开放式创新。企业规模会影响企业的开放式创新意愿。相比于大型企业，中小企业的技术、知识、资金、人力等资源较少，更需要打开组织边界获取外部资源（Lee et al.，2010）。关于大企业的开放式创新意愿，不同学者有不同的观点，Gambardella 等（2007）指出由于大企业掌握更多关键资源，其进行开放式创新的意愿较小；Enkel 和 Gassmann（2008）指出公司规模和对外开放度正相关；Christensen 等（2005）指出大型企业的开放度随着技术生命周期动态变化。

企业规模也会影响开放式创新的类型。大型企业由于其丰富、多样的资源，更倾向于采用外向型开放式创新模式，对外输出自身的技术和创意；而小企业由于其有限的资源和相对单一的知识储备，更多采用协同创新的模式，在具体的创新环节中开展合作。

（2）吸收能力与开放式创新。吸收能力强的企业在和其他组织共享、交换创意和知识的过程中能够更好地利用外部知识并将其内化，可能带来更高的开放式创新绩效，一定吸收能力的储备也是企业进行开放式创新的重要前提（Cohen and Levinthal，1990）。大多数的组织创新来自对他人创意的借鉴而不是自我创造，因此企业需要知道如何将外部知识和内部知识结合起来并应用到企业生产。钱锡红等（2010）的研究指出，企业间吸收能力的差异是导致创新绩效差异的重要原因；Knudsen（2006）指出，企业吸收能力显著影响企业的开放度。在吸收能力的作用下，企业对外部多元信息、知识的适应性和利用效率增强，能提升企业的开放度（Laursen and Salter，2006）。

（3）动态能力与开放式创新。动态能力理论和开放式创新模式在利用内外部资源等方面有着密切的联系。陈劲和焦豪（2021）指出，动态能力是开放式创新的重要前因，动态能力所强调的协调、学习、重构资源的能力对开放式创新模式下企业利用外部资源至关重要。由于外部环境相较于内部而言更加多变，企业需要主动或被动地对现有资源组合进行调整，这是企业动态能力的重要体现。

2. 行业层面

（1）技术动态性、技术密集度与开放式创新。随着互联网、大数据、云计算等数字科技的发展，市场的技术密集度提升迅速，单个公司的能力不足以带来成功的全过程创新行为，高新技术行业愈发需要跨学科、跨背景的技术知识来开展创新活动，对开放式创新有较大需求。Enkel 和 Gassmann（2008）指出，行业的技术动态性与行业的开放度正相关，高新技术中进行合作研发的比例显著高于印刷、钢铁等传统行业。Sandulli 等（2012）指出，技术密集型的行业开放度更高，高科技公司（如半导体）表现出更高的合作倾向，广泛使用外部资源来支持产品研发（Miotti and Sachwald，2003）。

（2）企业国际化与开放式创新。企业国际化是地域多元化战略中的一种，国际化的原因包括范围经济、交易成本等，需要不同资源的共享和统一管理。Gassmann（2006）指出，产业的全球化程度越高，越倾向于开放式创新模式，因为它们比传统的封闭模式能够更快地实现范围经济，促进更强大的标准和主导设计（Anderson and Tushman，1990）。

（3）产业联盟与开放式创新。产业联盟是一种在契约关系和兼并关系间的组织形式，一方面能使得企业更高效地从外部获取资源和技术，降低企业自身研发所带来的风险与成本，另一方面也使企业保持了一定的独立性。由于产业联盟能帮助企业更高效地获取外部资源技术，降低企业自身研发创新的风险，其建立有助于企业打开组织边界，进行开放式创新（Gassmann，2006）。当前，由于技术环境复杂性的增大，企业技术创新对高校、科研机构等单位的依赖程度逐渐提高（Kapoor and Klueter，2015），企业加入战略联盟是获得联盟内其他组织的互补资源，从而减少对联盟外部环境依赖的重要方式。

3. 环境层面

（1）数字化情境与开放式创新。近年来，数字科技的迅猛发展为企业的创新模式带来了巨大变化。数字化环境具有不可预测性、互联性、更新变化速度快等特点。数字化情境下，企业与外部环境沟通的方式也发生了变化，突破以往的时间和空间限制，与外部主体进行实时的、双向的信息互动，从而增加知识搜索的广度（Laursen and Salter，2006；郭海和韩佳平，2019）。在环境的不确定性下，企业迫切需要与其他组织进行合作，来共同应对变革、把握市场变化，进而弥补自身技术和资源的不足。因此，数字化情境对开放式创新具有显著的促进作用。

（2）制度环境与开放式创新。中国情境下，企业的行为受到制度的约束和影响。从正式制度的视角出发，政府制定相关法律规范处罚违规行为、建立利益协调与分配机制保障创新过程及利益分配公平、建立知识产权保护制度和研发补贴等机制减少开放式创新成本和自我保护倾向，提升创新绩效（Xie et al.，2015；Shu et al.，2016；Li et al.，2010；Gao et al.，2015）。Laursen 和 Salter（2006）发现，知识产权保护程度正向促进了行业的开放度。在非正式制度的作用下，如企业与政府的联系、开放创新的产学研联盟文化、高质量人才梯队等，也会促进开放式创新。

（二）边界条件

本文从组织层面和环境层面研究开放式创新的边界条件。组织层面包括了内部研发能力、动态能力等；环境层面包括了环境动态性、制度环境等。

1. 组织层面

（1）内部研发能力的负向调节作用。当企业自身能力和资源缺乏，迫切需要外部资源来进行创新时，通常采用内向型开放式创新战略。内部研发能力较强的企业对开放式创新的需求较低，并且在打开组织边界进行创新的过程中，知识泄露的风险增大，创新增量较小。Laursen 和 Salter（2006）、De Clercq 和 Dimov（2008）指出，企业内部研发能力负向调节了开放式创新广度、深度与创新绩效的关系。

（2）动态能力的正向调节作用。动态能力解释了企业如何提高自身与外部环境的动态匹配能力，强调通过对自身资源的更新、配置来应对外部环境的快速变化。具备较强动态能力的企业在开放式创新的过程中能够更有效地利用外部主体的创新资源，并及时将外部资源转化为自身的知识和能力。因此，具有更高动态能力的企业在开放式创新中有更好的绩效表现（马文甲和高良谋，2016）。

2. 环境层面

（1）环境动态性的正向调节作用。环境动态性包括市场竞争强度、技术变革程度、顾客偏好的变化程度、市场动荡程度等，并且这种动态性无法预测（Miller，1983）。在环境动态性较高时，企业需要更快地了解技术市场和用户需求的变化，打开组织边界的开放式创新模式对企业有更显著的作用。Zahra（1996）指出，在环境动态性较强的环境中，企业需要快速学习、使用新技术，从而在市场上取得优势地位。Lichtenthaler（2009）、阳银娟和陈劲（2015）均指出，环境动态性正向调节了开放式创新与企业创新绩效的关系。

（2）制度环境的调节作用。制度理论指出，组织内嵌于社会与政治环境中，被环境所渗透和建构，组织的结构和实践受到社会系统的规则、管理和理念的深刻的影响（DiMaggio and Powell，1983；Scott，1995）。在正式制度较强的环境中，如完善的知识产权保护制度、相关法律规范等，企业开放式创新过程中的不确定性风险降低，各主体应得的创新收益得到保障；在非正式制度的作用下，企业在开放式创新过程中能够与其他主体频繁互动，进而企业获得多样化的知识来源，为其提供了创新的基础，进而提升新产品的开发速度。因此，正式制度与非正式制度正向调节了开放式创新与创新绩效的关系（杨震宁和赵红，2020）。

（三）作用机制与创新绩效

1. 正面影响机制：企业创新网络

为了满足用户需求多样化、个性化的趋势，企业采用用户创新策略，让用户成为产品的共同创造者，出现了由企业创新活动引发的创新网络（Freeman，1991），创新合作的边界进一步扩大。在开放式创新模式下，企业的组织网络包括竞争企业、科研单位、政府、用户等，企业利用组织网络可以与组织中的不同主体进行交流合作，获取外部资源，从而提升企业的创新绩效（Foss et al.，2013；Lei and Huang，2014；Graciela et al.，2016）。组织网络中的不同单元有着不同的策略，其中企业通过与竞争性企业的合作来获取互补资源，以共同研发的方式降低风险（Köhler et al.，2012）；高校与研究机构作为技术创造源头，有利于企业技术水平的发展（Chen et al.，2011）；技术中介组织在创新发展中扮演挑梁纽带作用（Leiponen and Helfat，2011）。

2. 负面影响机制：泄露风险、搜寻成本和协调成本

开放式创新对企业创新绩效也存在潜在负面影响。一是风险成本，企业在利用外部资源进行创新的过程中，其核心技术会共享给外部主体，因此企业知识泄露的可能性会增加；二是搜寻成本，开放式创新模式下，企业会接触到更多的外部知识，由于企业自身处理和转化知识的能力有限，外部知识的复杂性和多元性超过临界值后会出现成本大于收益的情况，搜寻中的试错过程反而可能导致创新绩效降低（Laursen and Salter，2006）；三是协调成本，企业在开放式创新过程中需要协调不同主体间关系和其资源、文化、价值观上的差异，增加了协调成本（Bahemia and Squire，2010）。

3. 开放式创新与创新绩效

Keupp 和 Gassmann（2009）、Leiponen 和 Helfat（2011）及 Lee（2010）等学者的研究表明，企业开放度对创新绩效有正向促进作用，企业参与开放式创新将对其财务绩效和市场价值有积极影响（Stam，2009；Waguespack and Fleming，2009）。

并且，由于开放式创新过程中知识泄露风险、搜寻成本和协调成本的存在，若企业的开放度较高，到一定程度后可能出现风险大于成本的情形。因此，部分研究指出企业创新过程中的开放度需要适度，否则创新资源会过于分散，反而可能使得绩效降低。表 3 总结了以往对开放度过高可能带来负面影响的研究。

表 3　开放式创新的潜在负面影响研究

作者	结论
Sapienza 等（2004）	分散企业注意力，影响外部知识吸收，可能形成技术依赖
Henkel（2006）	使竞争者获益，自身竞争优势削弱
Laursen 和 Salter（2006）	企业开放式创新的广度和深度与创新绩效均呈倒 U 形关系，广度与深度过高会降低创新绩效
Huang 和 Rice（2009）	外部技术依赖可能造成企业创新能力下降
Dittrich 和 Duysters（2007）	企业开放带来了泄露风险、搜寻成本和协调成本

四、中国情境下的开放式创新

开放式创新的实践在特定的制度环境下进行，由于中国情境的复杂性和特殊性，研究中国情境下的开放式创新行为、模式与战略具有重要意义，有以下几点原因。一是中国企业的创新模式相对单一，正处于从依赖外部技术向进行“卡脖子”核心技术攻关转变的阶段，需要从模仿外部技术转变为开放式创新模式下的共同研发；二是中国企业的技术成果转化率较低，需要通过开放式创新模式来获取市场信息，增加产品的商业化程度；三是随着生态文明建设的愈发受到重视和我国“双碳”战略的提出，开放式创新过程要考虑经济价值、社会价值和生态价值的统一；四是我国部分企业可能较为注重“关系”，以社会网络为代表的非正式制度对企业开放式创新过程的影响值得研究；五是我国的知识产权制度等正式制度还不够完善，开放式创新过程中由于知识泄露风险的存

在，产权纠纷、侵权的现象时有发生。

当前国内的开放式创新研究正在逐步关注中国国情，陈劲等（2013）研究了中国高技术产业的产业集聚与创新绩效的关系，高良谋和马文甲（2014）初步指出了五个中国开放式创新的未来研究议题，杨震宁和赵红（2020）分析了在“竞合”关系下中国企业的开放式创新。但是目前关于中国情境下开放式创新的研究还有以下几点不足：一是没有从整体研究框架的视角来研究中国情境的特殊性，没有将具体的情境特点纳入“影响因素—作用机制—边界调节”的整合框架内；二是缺乏对中国情境下不同开放式创新模式，如产学研联盟、科技园区、用户创新、数字经济下的开放式创新等创新模式的对比研究，未能总结不同开放式创新模式的共性和差异；三是制度环境对开放式创新的影响研究有所欠缺，对政府行为、社会网络等在不同模式下中对创新绩效的作用机制研究不足。四是缺乏生态观和可持续发展思想的引入，中国的产业绿色转型模式尚未和开放式创新理论较好结合。

因此，本文根据当前中国情境下开放式制度对开放式创新的影响，总结了第一部分即引言中归纳的七点研究方向。本文认为，开放式创新在中国情境的特殊之处主要在于创新主体所处的环境，包括制度环境和技术环境，因此将在前四点中讨论各类制度安排，在第五点中关注数字化情境。本文将阐明正式制度、非正式制度、企业类型、数字化转型等环境因素对开放式创新可能的影响机制，关注环境如何影响创新主体的动机和能力，以期为政府和社会促进开放式创新提供建议，为构建国家创新系统贡献思考。企业是创新的主体，本文也将企业作为分析中国情境的出发点，聚焦于企业在开放式创新中的动态能力和管理模式，为企业搭建与开放式创新相适应的生产、组织模式提供建议。接下来本文将分别阐述其特殊背景、研究不足及未来研究方向。

（一）研究开放式创新对企业绿色转型的促进作用

实现碳达峰碳中和，是中国向世界做出的庄严承诺，是推动高质量发展的内在要求。2021年10月，国务院印发《2030年前碳达峰行动方案》，对推进碳达峰工作作出总体部署。“双碳”政策对企业平衡经济效益和生态效益提出了更高要求，企业也迎来了低碳转型与零碳转型的战略机遇期。如何更好地响应政策号召，利用先进技术并抓住风口和机遇，更快更好实现企业绿色转型，已经成为企业运营中的一个重要课题。

积极开展绿色技术创新，是产业绿色转型的关键环节。相比于其他技术创新，绿色技术创新具有高成本、低利润和长期投资回报的特点，有较高的投入风险和较大的效益不确定性（Fernando and Wah，2017）。从资源基础观的视角出发，绿色技术研发需要大量资源引入（Kahle et al，2020），企业仅凭自身资源较难有效开展绿色技术创新活动。因此，企业需要开放式创新战略来获取外部和绿色创新相关资源和能力，协调绿色创新过程中的人力资本、技术资本和金融资本，并帮助组织获取绿色创新所需要的一系列资源（Kahle et al，2020）。

目前，关于开放式创新对企业绿色转型促进作用的研究仍是空白领域，深入研究开放式创新模式对企业绿色转型的作用机制、边界条件具有重要理论和现实意义，能够为其他企业进行绿色转型起到启示作用。具体而言，该领域未来研究方向包括开放式创新模式促进企业绿色技术专利产出的定量研究；不同类型开放式创新模式如产学研、园区、区域创新体系等对企业绿色创新促进异同；“开放式创新—企业绿色创新—企业绿色转型”的作用机制等。

（二）研究正式制度对开放式创新的作用机制

在中国，政府发布的政策是企业创新的重要导向和助推剂（张赤东，2013）。制度理论指出，组织内嵌于社会与政治环境中，被环境所渗透和建构，组织的结构和实践受到社会系统的规则、管理和理念的深刻的影响（DiMaggio and Powell，1983；Scott，1995）。

政府等行政机构为企业提供的各种条理化的支持（Xin and Pearce，1996）是正式制度的重要组成部分。在正式制度的作用下，政府可以通过搭建如产学研联盟等开放式创新平台，对其进行资金支持进而提高创新主体的积极性。Laursen 和 Salter（2006）指出，行业的知识产权保护正向促进开放度。开放式创新模式下，企业打开组织边界与外部主体互动，难免带来知识泄露风险。因此，政府可以通过制定相关法律规范处罚违规行为，建立利益协调与分配机制保障创新结果分配公平，建立知识产权保护与研发补贴等机制减少成本，这些制度举措可以降低创新风险，减少开放式创新过程投机行为（Xie et al.，2015；Shu et al.，2016；Li et al.，2010；Gao et al.，2015）。美国、日本和欧洲部分国家的政府也采用了立法和计划支持等举措，如国家科技计划、先进技术计划等支持，创建了一批产学研联盟，通过开放式创新模式提升国家的产业技术竞争力。

因此，正式制度对开放式创新起到了重要的激励和保障作用，体现在以下两个方面。第一，持续而大量的资金投入是创新成功的重要保证。政府通过向企业提供补贴和税收优惠等稳定的支持，降低企业的创新成本，并且可以通过政府采购降低收益回报期限，通过研发工程减少技术投入风险。因此，正式制度支持能够有效增加研发投入，激励原始性创新。第二，公平的利益协调机制和有效监管是开放式创新成功的关键条件。政府通过制定法律法规，如建立知识产权保护等制度，能够有效协调和规范行为，保障各主体应得的创新收益，减少创新成本和创新风险。

本文认为，关于正式制度对开放式创新的研究存在一定空白，目前一些学者研究了政府行为对企业创新绩效的影响（安同良等，2009），但是并没有识别政府行为对不同创新模式的影响差异，未能深入讨论政府行为在不同创新模式下的作用机制。在各种开放式模式下，如用户创新、产学研协同创新、区域创新系统、产业园区创新、数字化情境下的开放式创新等，政府采取的行为不同，影响机制也不同。关于这一议题，未来有以下主要研究方向。一是研究在各类开放式创新模式中政府行为的异同，识别同一政府行为对不同创新模式的影响差异，为政府针对不同开放式创新模式制定个性化政策提供建议；二是深入探索政府行为在各类创新模式中对创新绩效的作用机制，总结产业政策、资金补贴、科技园区建设等政策措施在不同开放式创新模式中的有效性和适用性，尤其是要从企业、研发机构等创新主体的角度出发，思考政府的不同政策如何影响创新主体的行为，为政府决策提供参考。

（三）研究非正式制度对开放式创新的作用机制

创新的产生嵌入在一定社会关系中（Granovetter，1985），表现于社会网络的重要性上。从知识视角出发，创新的本质是知识的重组，其基础在于获得多种知识，知识的应用与创新根源于人与人、组织与组织间的交流互动过程（Perry-Smith and Shalley，2003；Perry-Smith，2006）。社会网络是各创新主体获取多样化知识的重要来源（Borgatti and Cross，2003），主体之间的联系是资源流通的“管道”（Podolny，2001）。作为非正式制度发挥作用的一种典型形式，社会网络为个体提供了创新的基础，即多样的知识。从人际互动的角度出发，社会网络是人们交流互动、“合并”想法与概念，进而产生创造力的重要场域（Amabile et al.，1996）。因此，社会网络能够让企业获得更加多样、全面的知识，进而促进创意的整合，提升创新水平。

与此同时，企业与政府人员的社会联系将使得企业获得社会资本，帮助企业更及时有效地捕捉市场动态变化和行业发展前景，识别政府制定的发展规划中的潜在机会（Khwaja and Mian，2005），降低创新成本和创新风险，进行更符合市场需要、更具备应用价值的创新。

关于中国情境下社会网络对开放式创新作用的未来研究方向，一是通过经验证据识别社会网络对开放式创新的作用，从社会网络的理论，如强关系与弱关系、互动模式等出发，进一步探索社会网络对开放式创新的作用机制；二是结合中国特色的创新模式，如产学研协同创新等，探索在不同创新模式中社会网络的作用是否存在差异；三是深化研究以社会网络为代表的非正式制度对开放式创新绩效的具体作用机制，从而促进非正式制度更好地在创新行为中发挥作用。

（四）开展不同类型企业开放式创新的差异研究

在我国经济中，国有企业占据主导地位，其优势在于丰富的社会资源，这对于开放式创新过程中搜寻、识别外部资源有明显促进作用，更易于寻找到拥有互补性资源且优质的合作伙伴，降低开放式创新成本；而国有企业的劣势在于缺乏对管理层和员工的产权激励，其不会将利润最大化作为自己工作的唯一目标，委托代理问题的存在使得国有企业没有充分的内在激励去一味寻求更高的创新绩效。林毅夫和李周（1997）、林毅夫和李志赟（2004）指出，由于国有企业背负的政治经济双重逻辑，其在市场竞争中会处于不对等地位，这种不对等地位会带来国有企业经营效率的损失。私营企业优势在于其创新动力较强，灵活性较大，没有国有企业在国家所有制下的委托代理问题。

本文认为，国有企业与私营企业在开放式创新的参与动机和方式上具有不同特点，这实际上也是因为两者内嵌于不同的制度环境和激励机制。国有企业出于响应政府政策的动机，有更强的意愿参与到产学研联盟、科技园区等政府的计划中，提供更充足的创新资源；而私有企业更看重实际的经济激励，如税收优惠、研发补贴等激励政策，可能因为抗风险能力较弱、创新资源不足等自身劣势而利用外部资源进行创新。在创新过程中，国有企业具备更强的创新资源，而私有企业具备更高的灵活性和对市场的敏锐度。

因此，国有企业和私有企业在开放式创新框架下，会有不同的创新模式和创新表现，在未来进一步研究并比较其不同的创新模式和不同模式下的创新路径与创新绩效具有重要意义，可以为政府融合国有企业与私营企业优势，促进创新型国家建设提供参考。

（五）研究开放式创新重塑企业动态能力的作用机制

企业在开放式创新过程中，需要整合内外部资源，动态能力能为其整合资源提供保障，创新过程也可能推动企业动态能力的演化，开放式创新和动态能力的关系值得研究。以往研究重点聚焦于动态能力对开放式创新的影响：马文甲和高良谋（2016）指出，动态能力正向调节了开放度和创新绩效的关系；郑刚等（2016）指出在创新过程中企业的动态能力可以不断提升；陈劲和焦豪（2021）认为，动态能力是开放式创新的重要前因，动态能力所强调的协调、学习、重构对开放式创新中企业利用外部资源至关重要。

但是，以往研究对于开放式创新如何重塑企业的动态能力研究较少，没有识别和阐述开放式创新与动态能力双向促进的关系，在中国情境下，对动态能力在开放式创新、国家创新系统中扮演的角色，以及不同创新模式和动态能力的共演机制研究不足。本文认为，开放式创新和动态能力具有双向促进的关系。

已有研究指出，动态能力在组织层面的前因变量包括组织资源（Helfat and Peteraf，2003）、组织文化（Majumdar，2000）、组织结构（Zollo and Winter，2002）、信息技术（Lim et al.，2011；Schilke et al.，2018）等。在开放式创新的过程中，企业打开组织边界，与外部主体充分沟通，企业内部创新资源得到丰富、组织文化变得多元、自身技术水平得到提高。具体而言，一是企业的组织资源越丰富，其进行战略变革的能力越强，从而具有更强的动态能力（Helfat and Peteral，2003）。开放式创新过程中，企业可以通过模仿、建立联盟等手段丰富组织资源以提升企业的动态能力。二是随着企业开放式创新的实施，企业将会接触到新的外部文化，在利用外部资源技术提升创新水平的过程中，外部文化会引入企业内部并塑造企业内部的创新行为。三是高新技术产业为开放式创新研究的起点和重点，开放式创新模式下信息技术的内部使用有助于组织更好地识别和感知市场机会，促进企业在市场上实现差异化战略，提升自身动态能力。

因此，本文认为开放式创新会通过丰富组织资源、多元化组织文化、提升信息技术水平的方式提升自身的动态能力，其机制需要继续探索，未来可以进一步研究不同创新模式构建动态能力的机制，以及动态能力在不同创新模式下的作用。

（六）研究企业数字化转型对开放式创新的影响

以人工智能、区块链、云计算、大数据为代表的数字科技的不断发展，让科技创新更加需要开放与协作。党的十九届五中全会将建设“数字中国”摆在重要战略位置，明确提出要加快数字化发展。发展数字科技是坚持创新驱动发展，建设数字中国的重要保障。

本文认为，中国企业的数字化转型将对其创新模式产生重要影响。第一，数字化具有无边界性、技术更迭周期短、速度快等特点，这使得企业面临的环境不确定性增强，和外部环境互联性提升，需要利用开放式创新模式来了解市场需求及变化，减少内部研发的成本与风险（郭海和韩佳平，2019）。第二，数字化情境下企业和创新网络中各主体的联系更加实时快捷，企业面临更加动态和开放的环境，这为企业的开放式创新奠定了技术基础和文化基础，会催生新的商业模式的产生。第三，在数字时代，创新不再是一个“线性”过程，而是一个以用户和服务为中心，生产者根据用户需求开展创新活动的过程，中国企业的数字化转型意味着需要和用户等外部环境更紧密的连接，进而了解需求、创造需求、更新需求。

当前，对中国情境下数字经济发展和企业数字化转型对其创新模式影响的研究还不深入。关于未来研究方向，一是研究推动数字经济发展的过程中，开放式创新模式如产学研联盟等扮演的角色和作用；二是研究企业的数字化转型对开放式创新过程及绩效的影响机制，从而为企业在数字化转型过程中采用的创新战略以及政府的相关配套创新政策提供建议。

（七）研究企业如何管理开放式创新行为

开放式创新对经典理论提出了挑战，资源基础观指出，企业的核心竞争力来自自身稀缺的、有价值的、不可替代且不可模仿的资源（Barney，1991），而开放式创新理论则强调企业要同时利用内部和外部资源来提升自身核心竞争力。关于企业的内部资源更重要，还是利用内外部资源的能力更重要，两者之间存在矛盾，这也为开放式创新管理带来了挑战。开放式创新的规划和实践过程中，企业管理人员需要平衡内部资源和外部资源的关系，平衡创新过程中哪些资源共享给外部主体，而哪些资源保留在企业内部，进而保证企业在利用打开组织边界的同时能够保持自身核心竞争力。

当前，中国面临的国际形势错综复杂，逆全球化浪潮下各国贸易保护主义不断抬头，中国企业跨国开放式创新的过程中风险增加。部分研究指出了开放式创新过程中金钱激励等激励方式对不同主体的影响（Alexy and Leitner，2011），但是与当前中国企业面临的国际环境结合不足，对中国情境下开放式创新管理模式的研究还较为欠缺。因此，关于未来研究方向，研究在复杂国际环境下中国企业如何平衡开放式创新的收益和潜在风险、管理好开放式创新行为，具有重要的现实意义。

五、研究结论和展望

当前中国经济由高速增长阶段转向高质量发展阶段，加快解决“卡脖子”问题的需求紧迫，面临的国际形势错综复杂。中国企业一方面需要打开组织边界利用开放式创新来整合、利用外部资源；另一方面要通过自主创新不断增强自身的核心竞争力，构建具有中国特色的开放式创新理论，服务国家创新系统建设。本文基于国内外开放式创新的研究成果与中国情境的复杂性、特殊性，得出以下三点结论。

第一，本文从基于流程、基于策略、基于特点三个视角划分开放式创新的维度，总结出以 Gassmann 和 Enkel（2004）、Chesbrough 和 Crowther（2006）为代表的流程视角，以 West 和 Gallagher（2006）为代表的策略视角和以 Laursen 和 Salter（2006）为代表的特点视角。

第二，本文构建了基于“影响因素—影响效应—边界条件”的开放式创新整合研究框架，从组织层面（企业规模、吸收能力、动态能力）、行业层面（技术动态性、技术密集度、全球化、商业联盟）和环境层面（数字化情境、制度环境）等方面来研究开放式创新的影响因素；从组织层面（内部研发能力、动态能力）、环境层面（环境动态性、制度环境）等方面来研究开放式创新的边界条件；从正面影响（创新网络）和负面影响（泄露风险、搜寻成本和协调成本）研究开放式创新对创新绩效的作用机制。

第三，本文基于中国情境的特殊性和复杂性，总结了七点未来研究方向，以期为政府和社会促进开放式创新提供建议，为构建国家创新系统、构建具有中国特色的开放式创新理论贡献思考：一是开放式创新对企业绿色转型的促进作用；二是正式制度对开放式创新的影响；三是非正式制度对开放式创新的影响；四是不同类型企业开放式创新的差异研究；五是企业数字化转型对开放式创新的影响；六是开放式创新重塑企业动态能力的作用机制；七是企业如何管理开放式创新行为。

参 考 文 献

安同良，周绍东，皮建才. 2009. R&D 补贴对中国企业自主创新的激励效应. 经济研究，10（87）：8.

白俊红，卞元超. 2015. 政府支持是否促进了产学研协同创新. 统计研究，32（11）：43-50.

曹霞，于娟，张路蓬. 2016. 不同联盟规模下产学研联盟稳定性影响因素及演化研究. 管理评论，28（2）：3-14.

陈怀超，张晶，费玉婷. 2020. 制度支持是否促进了产学研协同创新?——企业吸收能力的调节作用和产学研合作紧密度的中介作用. 科研管理，41（3）：1-11.

陈劲，蒋子军，陈钰芬. 2011. 开放式创新视角下企业知识吸收能力影响因素研究. 浙江大学学报（人文社会科学版），（5）：1-12.

陈劲，焦豪. 2021. 战略管理：打造组织动态能力. 北京：北京大学出版社.

陈劲，梁靓，吴航. 2013. 开放式创新背景下产业集聚与创新绩效关系研究——以中国高技术产业为例. 科学学研究，31（4）：623-629，577.

陈劲，尹西明. 2018. 建设新型国家创新生态系统加速国企创新发展. 科学学与科学技术管理，39（11）：19-30.

陈劲，朱子钦. 2021. 加快推进国家战略科技力量建设. 创新科技，21（1）：1-8.

高良谋，马文甲. 2014. 开放式创新：内涵、框架与中国情境. 管理世界，（6）：157-169.

郭海，韩佳平. 2019. 数字化情境下开放式创新对新创企业成长的影响：商业模式创新的中介作用. 管理评论，31（6）：186.

林毅夫，李志赟. 2004. 政策性负担、道德风险与预算软约束. 经济研究，（2）：17-27.

林毅夫，李周. 1997. 现代企业制度的内涵与国有企业改革方向. 经济研究，3（3）：10.
马文甲，高良谋. 2016. 开放度与创新绩效的关系研究——动态能力的调节作用. 科研管理，37（2）：47-54.
梅亮，陈劲，刘洋. 2014. 创新生态系统：源起、知识演进和理论框架. 科学学研究，32（12）：1771-1780.
钱锡红，杨永福，徐万里. 2010. 企业网络位置、吸收能力与创新绩效——一个交互效应模型. 管理世界，（5）：118-129.
阳银娟，陈劲. 2015. 开放式创新中市场导向对创新绩效的影响研究. 科研管理，36（3）：103-110.
杨震宁，赵红. 2020. 中国企业的开放式创新：制度环境、“竞合”关系与创新绩效. 管理世界，36（2）：139-160.
张赤东. 2013. 中国企业技术创新现状调查：特征、倾向与对策. 科研管理，34（2）：10-18.
张学文. 2013. 开放科学视角下的产学研协同创新——制度逻辑、契约治理与社会福利. 科学学研究，31（4）：617-622.
张义芳，翟立新. 2008. 产学研研发联盟：国际经验及我国对策. 科研管理，（5）：42-48.
郑刚，郭艳婷，罗光雄，等. 2016. 新型技术追赶、动态能力与创新能力演化——中集罐箱案例研究. 科研管理，37（3）：31-41.
朱朝晖，陈劲. 2008. 探索性学习和挖掘性学习的协同与动态：实证研究. 科研管理，29（6）：1-9.
Alexy O，Dahlander L. 2014. Managing open innovation. The Oxford Handbook of Innovation Management，（2）：442-461.
Alexy O，Leitner M. 2011. A fistful of dollars：are financial rewards a suitable management practice for distributed models of innovation? European Management Review，8（3）：165-185.
Amabile T M，Conti R，Coon H，et al. 1996. Assessing the work environment for creativity. Academy of Management Journal，39（5）：1154-1184.
Anderson P，Tushman M L. 1990. Technological discontinuities and dominant designs：a cyclical model of technological change. Administrative Science Quarterly，35（4）：604-633.
Ansoff H I. 1965. Corporate Strategy. New York：McGraw-Hill.
Arora A，Fosfuri A，Gambardella A. 2001. Markets for technology and their implications for corporate strategy. Industrial and Corporate Change，10（2）：419-451.
Bahemia H，Squire B. 2010. A contingent perspective of open innovation in new product development projects. International Journal of Innovation Management，14（4）：603-627.
Barney J. 1991. Firm resources and sustained competitive advantage. Journal of Management，17（1）：99-120.
Borgatti S P，Cross R. 2003. A relational view of information seeking and learning in social networks. Management Science，49（4）：432-445.
Boudreau K，Lakhani K. 2009. How to manage outside innovation. MIT Sloan Management Review，50（4）：69-76.
Cappelli P，Keller J R. 2014. Talent management：conceptual approaches and practical challenges. Annual Review of Organizational Psychology & Organizational Behavior，1（1）：305-331.
Chakrabarty S，Wang L. 2012. The long-term sustenance of sustainability practices in MNCs：a dynamic capabilities perspective of the role of R&D and internationalization. Journal of Business Ethics，110（2）：205-217.
Chen J，Chen Y，Vanhaverbeke W. 2011. The influence of scope，depth and orientation of external technology sources on the innovative performance of Chinese firms. Technovation，31（8）：362-373.
Chesbrough H. 2003. Open Innovation：The New Imperative for Creating and Profiting from Technology. Cambridge：Harvard Business Press.
Chesbrough H. 2007. Business model innovation：it's not just about technology anymore. Strategy & Leadership，35（6）：12-17.
Chesbrough H. 2017. The future of open innovation：the future of open innovation is more extensive，more collaborative，and more engaged with a wider variety of participants. Research-Technology Management，60（1）：35-38.

Chesbrough H，Bogers M. 2014. Explicating open innovation：clarifying an emerging paradigm for understanding innovation//Chesbrough H，Vanhaverbeke W，West J. New Frontiers in Open Innovation. Oxford：Oxford University Press：3-28.
Chesbrough H，Crowther A K. 2006. Beyond high tech：early adopters of open innovation in other industries. R&D Management，36（3）：229-236.
Christensen J，Olesen M，Kjær J. 2005. The industrial dynamics of open innovation-evidence from the transformation of consumer electronics. Research Policy，34（10）：1533-1549.
Cohen W M，Levinthal D A. 1990. Absorptive capacity：a new perspective on learning and innovation. Administrative Science Quarterly，25：128-152.
Dahlander L，Gann D M. 2010. How open is innovation? Research Policy，39（6）：699-709.
De Clercq D，Dimov D. 2008. Internal knowledge development and external knowledge access in venture capital investment performance. Journal of Management Studies，45（3）：585-612.
DiMaggio P J，Powell W W. 1983. The iron cage revisited：institutional isomorphism and collective rationality in organizational fields. American Sociological Review，48：147-160.
Dittrich K，Duysters G. 2007. Networking as a means to strategy change：the case of open innovation in mobile telephony. Journal of Product Innovation Management，24（6）：510-521.
Emerson R M. 1962. Power-Dependence Relations. Power in Modern Societies. London：Routledge：48-58.
Enkel E，Gassmann O. 2008. Driving open innovation in the frond end. The IBM case. St. Gallen & Friedrichshafen.
Etzkowitz H，Leydesdorff L. 2000. The dynamics of innovation：from National Systems and "Mode 2" to a Triple Helix of university-industry-government relations. Research Policy，29（2）：109-123.
Fernando Y，Wah W X. 2017. The impact of eco-innovation drivers on environmental performance：empirical results from the green technology sector in Malaysia. Sustainable Production and Consumption，12：27-43.
Foss N J，Lyngsie J，Zahra S A. 2013. The role of external knowledge sources and organizational design in the process of opportunity exploitation. Strategic Management Journal，34（12）：1453-1471.
Freeman C. 1991. Networks of innovators：a synthesis of research issues. Research Policy，20（5）：499-514.
Gambardella A，Giuri P，Luzzi A. 2007. The market for patents in Europe. Research Policy，36（8）：1163-1183.
Gao Y，Gao S，Zhou Y，et al. 2015. Picturing firms' institutional capital-based radical innovation under China's institutional voids. Journal of Business Research，68（6）：1166-1175.
Gassmann O. 2006. Opening up the innovation process：towards an agenda. R&D Management，36（3）：223-228.
Gassmann O，Enkel E. 2004. Towards a theory of open innovation：three core process archetypes[J]. Proceedings of the R&D Management Conference（RADMA）.
Gawer A，Cusumano M A. 2014. Industry platforms and ecosystem innovation. Journal of Product Innovation Management，31（3）：417-433.
Graciela C D，Jones J，Statsenko L. 2016. Managing innovation networks for knowledge mobility and appropriability：a complexity perspective. Entrepreneurship Research Journal，6（1）：75-109.
Granovetter M. 1985. Economic action and social structure：the problem of embeddedness. American Journal of Sociology，91（3）：481-510.
Helfat C E. 1997. Know how and asset complementarity and dynamic capability accumulation：the case of R&D. Strategic Management Journal，18（5）：339-360.
Helfat C E，Peteraf M A. 2003. The dynamic resource based view：capability lifecycles. Strategic Management Journal，24（10）：997-1010.
Henkel J. 2006. Selective revealing in open innovation processes：the case of embedded Linux. Research Policy，35（7）：953-969.
Huang F，Rice J. 2009. The role of absorptive capacity in facilitating "open innovation" outcomes：a study of Australian SMEs in the manufacturing sector. International Journal of Innovation Management，13

（2）：201-220.

Huizingh E K. 2011. Open innovation：state of the art and future perspectives. Technovation，31（1）：2-9.

Jacobides M G，Cennamo C，Gawer A. 2018. Towards a theory of ecosystems. Strategic Management Journal，39（8）：2255-2276.

Kafouros M，Wang C，Piperopoulos P. 2015. Academic collaborations and firm innovation performance in China：the role of region-specific institutions. Research Policy，44（3）：803-817.

Kahle J H，Marcon É，Ghezzi A，et al. 2020. Smart products value creation in SMEs innovation ecosystems. Technological Forecasting and Social Change，156：120024.

Kapoor R，Klueter T. 2015. Decoding the adaptability-rigidity puzzle：evidence from pharmaceutical incumbents' pursuit of gene therapy and monoclonal antibodies. Academy of Management Journal，58（4）：1180-1207.

Keupp M，Gassmann O. 2009. Determinants and archetype users of open innovation. R&D Management，39（4）：331-341.

Khwaja A I，Mian A. 2005. Do lenders favor politically connected firms? Rent provision in an emerging financial market. The Quarterly Journal of Economics，120（4）：1371-1411.

Knudsen L G. 2006. Determinants of 'openness' in R&D collaboration-the roles of absorptive capacity and appropriability.

Köhler C，Sofka W，Grimpe C. 2012. Selective search，sectoral patterns，and the impact on product innovation performance. Research Policy，41（8）：1344-1356.

Laursen K，Salter A. 2006. Open for innovation：the role of openness in explaining innovation performance among UK manufacturing firms. Strategic Management Journal，27（2）：131-150.

Lazzarotti V，Manzini R. 2009. Different modes of open innovation：a theoretical framework and an empirical study. International Journal of Innovation Management，13（4）：615-636.

Lee S，Park G，Yoon B，et al. 2010. Open innovation in SMEs—an intermediated network model. Research Policy，39（2）：290-300.

Lei H S，Huang C H. 2014. Geographic clustering，network relationships and competitive advantage. Management Decision，52（5）：852-871.

Leiponen A，Helfat C E. 2011. Location，decentralization，and knowledge sources for innovation. Organization Science，22（3）：641-658.

Li J J，Poppo L，Zhou K Z. 2010. Relational mechanisms，formal contracts，and local knowledge acquisition by international subsidiaries. Strategic Management Journal，31（4）：349-370.

Lichtenthaler U. 2009. Absorptive capacity，environmental turbulence，and the complementarity of organizational learning processes. Academy of Management Journal，52（4）：822-846.

Lim J H，Stratopoulos T C，Wirjanto T S. 2011. Path dependence of dynamic information technology capability：an empirical investigation. Journal of Management Information Systems，28（3）：45-84.

Majumdar S K. 2000. Sluggish giants，sticky cultures，and dynamic capability transformation. Journal of Business Venturing，15（1）：59-78.

Maksimov V，Wang S L，Yan S. 2019. Global connectedness and dynamic green capabilities in MNEs. Journal of International Business Studies，53：723-740.

March J G，Simon H A. 1958. Organizations. Hoboken：Wiley.

Meyer J W，Rowan B. 1977. Institutionalized organizations：formal structure as myth and ceremony. American Journal of Sociology，83（2）：340-363.

Miller D. 1983. The correlates of entrepreneurship in three types of firms. Management Science，29（7）：770-791.

Miotti L，Sachwald F. 2003. Co-operative R&D：why and with whom? An integrated framework of analysis. Research Policy，32（8）：1481-1499.

Park S H，Luo Y. 2001. Guanxi and organizational dynamics：organizational networking in Chinese firms. Strategic Management Journal，22（5）：455-477.

Perry-Smith J E. 2006. Social yet creative：the role of social relationships in facilitating individual creativity. Academy of Management Journal，49（1）：85-101.

Perry-Smith J E, Shalley C E. 2003. The social side of creativity: a static and dynamic social network perspective. Academy of Management Review, 28（1）: 89-106.

Pfeffer J, Gerald S. 1978. The external control of organizations: a resource dependence perspective. Harper & Row. Chs., （3/4）: 39-91.

Podolny J M. 2001. Networks as the pipes and prisms of the market. American Journal of Sociology, 107（1）: 33-60.

Porter M E. 1980. Competitive Strategy. New York: The Free Press.

Raynard M, Lu F, Jing R. 2020. Reinventing the state-owned enterprise? Negotiating change during profound environmental upheaval. Academy of Management Journal, in press.

Sandulli F D, Fernandez M J, Rodriguez D A, et al. 2012. Testing the Schumpeterian hypotheses on an open innovation framework. Management Decision.

Santamaría L, Nieto M J, Barge-Gil A. 2009. Beyond formal R&D: taking advantage of other sources of innovation in low-and medium-technology industries. Research Policy, 38（3）: 507-517.

Sapienza H, Parhankangas A, Autio E. 2004. Knowledge relatedness and post spin-off growth. Journal of Business Ven Turing, 19（6）: 809-829.

Schilke O, Hu S, Helfat C E. 2018. Quo vadis, dynamic capabilities? A content-analytic review of the current state of knowledge and recommendations for future research. Academy of Management Annals, 12（1）: 390-439.

Scott W R. 1995. Institutions and Organizations. Thousand Oaks: Sage.

Shu C, Zhou K Z, Xiao Y, et al. 2016. How green management influences product innovation in China: the role of institutional benefits. Journal of Business Ethics, 133（3）: 471-485.

Stam W. 2009. When does community participation enhance the performance of open source software companies? Research Policy, 38（8）: 1288-1299.

Teece D J, Pisano G, Shuen A. 1997. Dynamic capabilities and strategic management. Strategic Management Journal, 18（7）: 509-533.

von Hippel E. 1989. New product ideas from ‘lead users’. Research-Technology Management, 32（3）: 24-27.

Waguespack D M, Fleming L. 2009. Scanning the commons? Evidence on the benefits to startups participating in open standards development. Management Science, 55（2）: 210-223.

Walder A G. 1995. Local governments as industrial firms: an organizational analysis of China's transitional economy. American Journal of Sociology, 101（2）: 263-301.

Webb J W, Tihanyi L, Ireland R D, et al. 2009. You say illegal, I say legitimate: entrepreneurship in the informal economy. Academy of Management Review, 34（3）: 492-510.

Wernerfelt B. 1984. A resource-based view of the firm. Strategic Management Journal, 5（2）: 171-180.

West J, Gallagher S. 2006. Challenges of open innovation: the paradox of firm investment in open source software. R&D Management, 36（3）: 319-331.

Widén-Wulff G, Ginman M. 2004. Explaining knowledge sharing in organizations through the dimensions of social capital. Journal of Information Science, 30（5）: 448-458.

Wynarczyk P, Piperopoulos P, McAdam M. 2013. Open innovation in small and medium-sized enterprises: an overview. International Small Business Journal, 31（3）: 240-255.

Xie Y, Gao S, Jiang X, et al. 2015. Social ties and indigenous innovation in China's transition economy: the moderating effects of learning intent. Industry and Innovation, 22（2）: 79-101.

Xin K K, Pearce J L. 1996. Guanxi: connections as substitutes for formal institutional support. Academy of Management Journal, 39（6）: 1641-1658.

Zahra S A. 1996. Technology strategy and financial performance: examining the moderating role of the firm's competitive environment. Journal of Business Venturing, 11（3）: 189-219.

Zollo M, Winter S G. 2002. Deliberate learning and the evolution of dynamic capabilities. Organization Science, 13（3）: 339-351.

大学科研能力与区域创新能力的关系：创新环境的调节作用*

段兴鹏　李　飞

摘要：大学作为创新公地，其科研能力与区域创新能力之间存在何种关系？本文基于2016年我国289个地级及以上城市样本数据，通过分层回归等方法，实证分析了微观（城市）层面大学科研能力与区域创新能力之间的关系，并探讨了创新环境（政府环境、基础设施环境）在其中的调节作用。研究表明：①大学科研能力与区域创新能力有着显著的相关性，这一相关性随着区域创新能力的提升而减小；②创新环境对二者之间的关系发挥了负调节作用，即在政府支持创新力度大或基础设施条件优良的区域，大学科研能力与区域创新能力的相关性反而减小。依据研究结论，本文为充分发挥大学创新公地作用，构建高质量区域创新体系，从而促进区域经济高质量发展提出建议。

关键词：大学科研能力　区域创新能力　创新环境

中图分类号：F124.3　F062.4　F091

一、引　言

大学是区域科技创新的重要支撑，在区域创新体系建设中有着重要的地位（张德祥，2006；Youtie and Shapira，2008）。自现代大学制度建立以来，美国硅谷、英国剑桥科技园、韩国大德科技园、北京中关村等实例证明了大学对区域创新能力的积极影响。大学作为创新公地，其自身科研能力与区域创新能力之间的关系却较少在微观（城市）层面得到呈现。因此，深入探究大学科研能力与区域创新能力之间的关系及其影响因素，对于充分发挥大学在区域创新体系中的引领作用，从而提升区域（城市）创新能力具有重要意义。

在有关大学科研与区域创新能力关系的研究中，学者的研究得出了不完全一致的结论。Fritsch和Slavtchev（2007）有关大学和区域创新之间关系的研究发现，大学的学术

---

* 基金项目：浙江省软科学研究计划重点项目“基于创业导向的产学研深度融合技术创新系统研究”（2020C25028）；浙江省哲学社会科学规划项目“知识网络视角下‘医院+’应急科学防控能力研究”（21NDJC032YB）。

作者简介：段兴鹏，男，汉族，浙江大学公共管理学院硕士生，研究方向为产学研合作、区域创新；邮箱：22022106@zju.edu.cn。李飞，通信作者，男，汉族，管理学博士，浙江大学科教发展战略研究中心副研究员，硕士生导师，研究方向为科技创新、产学合作、创新政策。邮箱：lifei@zju.edu.cn。

研究质量和集中度是影响区域创新能力的重要因素；也有学者通过研究得出以下结论，高校对区域创新能力存在正向影响（高月姣和吴和成，2015）；官学合作、产学合作对区域创新能力起着显著的正面效应（庄亚明等，2010）。但也有学者得出相反的结论。例如，吴玉鸣（2006，2007）研究指出，大学研发对区域创新能力没有明显的贡献，大学研发与企业研发的结合也没有对区域创新表现出显著的作用；张家峰和赵顺龙（2009）等运用知识生产函数对江浙沪地区技术创新能力的影响因素进行了研究，发现高等院校对区域创新产出贡献不明显。结论的不一致一方面是由于研究对象范围、时期抑或研究角度的不同，另一方面也说明当前我国的大学未能充分发挥其科技创新活动的对外扩散作用，作为区域知识创新的源头与企业结合不够，没有建立起有效的联动机制（吴玉鸣，2006）。但相关研究均认同大学研发在区域创新体系建设中的重要地位。

事实上，高校作为区域创新系统中的创新主体，其科研活动对区域创新能力的作用也会受到多方面因素的影响（刘晔等，2019）。创新环境是支撑创新活动的重要条件，高校科技创新活动及其对区域创新能力的作用都会受到区域创新环境的影响，政策环境、基础设施是反映区域创新环境的重要方面（赵彦飞等，2020）。政府支持能够为区域创新提供良好的政策和制度条件（姜军等，2004）；基础设施完善的地区有更多企业进入（蔡晓慧和茹玉骢，2016），进而促进区域产学合作。但目前较多研究从创新环境对大学科研的影响（吴玉鸣，2010；齐亚伟，2015）、创新环境对区域创新能力的影响（Furman et al.，2002；党文娟等，2008；侯鹏等，2014）的角度进行了探讨，而鲜有文献探究创新环境对大学科研能力与区域创新能力的关系有着何种影响。

综上所述，现有文献对高校在区域创新体系中的作用及其对区域创新能力影响机制的研究已经较为成熟，但鲜有文献对大学科研与区域创新能力二者关系展开定量研究，且未能探析创新环境对大学科研与区域创新能力关系的影响，同时大多仅停留在理论定性分析层面。此外，相关研究结论缺少城市层面数据的支撑，不利于呈现大学科研与区域创新能力建设的真实情况。因此，本文基于大学科研是大学参与区域创新体系建设的重要体现这一出发点，利用地级及以上城市层面样本数据，运用分层回归模型方法，对大学科研与区域创新能力之间的相关性进行实证研究，并将创新环境（政府环境、基础设施）作为调节变量纳入分析框架中，以期考察我国各微观区域大学科研与区域创新能力的关系及其影响因素，从而为各区域充分发挥大学科研的作用、提高区域创新能力，进而赋能区域经济高质量发展提供建议。

二、研究设计

（一）模型设定

1. 大学科研能力与区域创新能力

已有文献基于区域创新体系建设的背景，从官产学三螺旋理论（Etzkowita，

2008；马永斌和王孙禺，2008；陈红喜，2009）、产学（研）合作理论（Lee，1996；陈劲，2009；何郁冰，2012）等视角，系统分析了大学在区域创新系统中的地位、作用，以及高校与区域企业、政府、科研机构等创新主体之间的交互作用机制。这为解释大学科研对区域创新能力的影响作用机制提供了坚实的理论基础。

大学自身作为创新主体之一，一方面，其科学研究活动能够直接影响区域创新能力。大学技术转移在促进区域创新体系的形成中做出突出贡献（许长青，2017）。大学尤其是研究型大学始终作为公共知识的主要来源、基础研究的主要基地、产学研结合的重要节点及区域创新的带动和辐射源，对区域创新和经济的持续增长具有不可忽视的促进作用（何建坤等，2008）。另一方面，大学能够与区域内外的企业、科研机构等联结成产学研创新网络，通过引发工业研发支出对当地创新产生间接影响（Jaffe，1989），从而共同推动区域创新能力提升。基于以上分析，本文提出以下假设：

H_1：大学科研能力与区域创新能力具有显著的正相关关系。

2. 政府环境、基础设施的调节作用

区域创新系统的生产率或者效率，取决于创新活动中创新环境要素在创新投入要素的转化过程中起到的调节效应（是促进还是阻碍）（陈凯华等，2013）。创新环境对整个创新系统的良性运转起到支撑作用，是提升创新能力的关键（赵彦飞等，2019）。良好的创新环境能够保证相对较多的创新资源及政策支持，完备的基础设施能够为技术交流提供便利，提高技术转移效率（彭峰和周淑贞，2017）。学者们对区域创新环境的定义不尽相同，赵彦飞等（2019）认为，创新环境包含制度环境、基础设施、政策法规等要素条件，总体上可以分为软性环境和硬性环境 2 类；杨明海等（2018）从基础设施、经济环境、投融资环境及政府环境等方面构建评价指标体系对我国区域创新环境进行评价。尽管学者对区域创新环境的定义不完全相同，但政府环境和基础设施均是体现区域创新环境的重要维度。因此，本文拟将政府环境和基础设施作为区域创新环境的两个维度，分析其对大学科研能力与区域创新能力之间关系的调节作用。

政府的干预职能有助于自主创新能力和原创性科技能力的提高（Jaffe，1989）。因此，政府在区域创新体系中的作用不言而喻。大学科研赋能区域创新能力主要依托于高校与企业、科研机构等其他创新主体之间的深度融合。政府作为区域创新合作的发起者，可以凭借其监管权直接有效地控制创新活动，同时通过构建良好的创新氛围，保障区域创新能力和效率的提升（齐亚伟，2015）。政府对创新合作模式中分配原则的确定、各种直接或间接措施的制定，能使得企业与高校之间的沟通变得更加便捷与规范（原长弘等，2012）。若政府充分支持科技创新，将会通过建立健全创新合作体制机制，营造出良好的科学技术创新环境，这不仅会激发各大创新主体的科技创新活力，还能够促进高校科技创新更好地发挥对企业的溢出效应，提高跨区域的产学研深度融合度，最终实现区域创新能力的提升，并且在这种情况下，本区域内的大学科研与区域创新能力之间的相关性随之减小。反之，当区域政府环境（支持创新力度）不佳时，区域内的创新主体无法在技术交流上得到更多关注和支持，大学的科技创新难以发挥溢出作用，将不利于区域创新能力建设，与此同时，区域内部的大学科研与区域创新能力之间的相关性较高。综上所述，本文提出如下假设：

H_2：在政府环境较好的城市，大学科研能力与区域创新能力的相关性更小。

作为创新活动和知识流动的重要载体，创新基础设施为创新活动的展开提供良好平台，对区域创新能力的提升有积极作用（侯鹏等，2014）。交通基础设施建设能够降低运输成本，为区域间的创新活动提供便利支持（马明等，2018），信息基础建设是创新的重要基础（孙早和徐远华，2018）。马明（2013）的研究发现，区域交通基础设施和电信基础设施对区域创新能力的集聚发展均有了重要影响。区域内基础设施的条件好，信息交流顺畅、交通便利大大降低了信息和物质的交易成本，提高创新要素的流动效率（章立军，2006），有助于区域创新能力建设。此外，这也使得地区间的地域阻隔得以贯通，提升了城市对区域外部创新知识的吸收能力，有利于区域外的高校研发对本区域的创新扩散。基于此，创新基础设施良好但高校科技创新能力较弱的地区同样能够具备较强的创新能力，进而降低本地大学科研与区域创新能力之间的相关性。基于以上分析，本文提出以下假设：

H_3：在基础设施较好的城市，大学科研能力与区域创新能力的相关性更小。

（二）计量模型

1. 模型设定

本文采用分层回归模型检验大学科研能力与区域创新能力之间的关系，以及创新环境（政府财政支持、基础设施）对这一主要关系的调节作用。其中，主要关系的回归模型表述如下：

$$\text{Cinov} = \alpha + \beta_1 \text{Uinov} + \varphi \sum \text{Control} + \varepsilon \tag{1}$$

构建的两个调节变量的回归模型如下：

$$\begin{aligned} \text{Cinov} = \alpha + \beta_1 \text{Uinov} + \beta_2 \text{Gov} + \beta_3 \text{Uinov} * \text{Gov} + \beta_4 \text{Infra} \\ + \beta_5 \text{Uinov} * \text{Infra} + \varphi \sum \text{Control} + \varepsilon \end{aligned} \tag{2}$$

本文依照 Baron 和 Kenny（1986）的方法来检验创新环境（政策财政支持和基础设施）对大学科研能力与区域创新能力关系的调节作用。在分析调节作用的模型中，大学科研能力（Uinov）、政府环境（Gov）和基础设施（Infra）在形成交叉项之前都进行了中心化处理，即分别减去各自均值之后相乘。此外，我们还对所有模型的变异性膨胀系数（VIF）进行了估计，其结果是所有模型的VIF值均小于10（最大值为6.560）。因此，避免了多重共线性问题（Ryan，1997）。

2. 数据来源与变量说明

本文选择中国2016年289个主要地级及以上城市层面数据作为研究样本。数据的主要来源：①教育部发布的《高等学校科技统计资料汇编 2017》；②发布的《中国城市科技创新发展报告 2020》；③2017 年《中国城市统计年鉴》中的“地级及以上城市统计资料”；④部分地级市的统计年鉴。

1）被解释变量

区域创新能力（Cinov）采用《中国城市科技创新发展报告 2020》中对我国各地级

及以上城市创新能力的评价指数。本文考虑到高校研发创新的知识溢出效应往往需要一定的时间，高校科技创新作用于区域创新能力的提升存在时滞。因此，本文综合参考王立平（2005）、高月姣和吴和成（2015）、李燕（2020）等学者的相关研究，认为高校科技创新知识溢出具有两年的固定时滞。因此，被解释变量选取延后两期的《中国城市科技创新发展报告 2020》区域创新能力评价指数（该指数是基于 2018 年的数据计算得出的）。《中国城市科技创新发展报告 2020》从创新资源、创新环境、创新服务和创新绩效四个一级指标对城市科技创新指数进行评估，是对区域（城市）创新能力的综合性评价（首都科技发展战略研究院，2020）。

2）解释变量

本文所统计的解释变量的数据来源于《高等学校科技统计资料汇编 2017》，所统计的高校为设有理、工、农、医类教学专业的本科高等学校及其附属医院，而不包括专科类院校。大学科研能力主要体现在科研投入和科研产出。按照学界的普遍做法，科研投入采用 R&D 人员全时当量和科技经费衡量；科研产出体现在学术成果的数量与质量，所选取的指标为学术论文（篇）、成果授奖（项）。将这四个指标进行直线型无量纲化（阈值法）处理并等权重赋值，得到城市层面大学科研能力综合指数。

3）调节变量

我们认为，政府科学技术财政支出占比能充分反映政府对地区科学技术事业发展的支持力度，对于建立健全区域知识、技术转移体制机制起到重要作用，是反映创新环境中政府环境维度的重要指标。因此，参考原长弘等（2012）的相关研究，本文将政府财政支出中科学技术支出占比作为政府环境的代理变量。

基础设施所涵盖的指标包括全市互联网宽带接入用户数、市辖区道路面积占比。这二者分别作为区域信息流通和物质交换的重要载体，能够较为准确地反映区域基础设施水平。因此，本文运用综合指标法对基础设施进行度量，在将两个指标进行直线型无量纲化（阈值法）的基础上进行等权重赋值，评价得出反映基础设施环境水平的指数。

4）控制变量

参考上官绪明和葛斌华（2020）、韩璐等（2021）学者的研究，从城市特征和经济发展状况方面考虑控制变量：①城市经济发展水平（Pergdp），用人均GDP表示；②产业结构（Instr），用第二产业增加值占 GDP 比重度量；③城市行政级别（Clev），考虑到我国城市在行政等级体系上的差异，为此设置虚拟变量以控制城市的异质性，即把城市分为省会与副省级及以上城市、其他地级城市，前者赋值为 1，后者赋值为 0。

三、实 证 分 析

（一）描述性统计

本文中所涉及的变量、指标含义以及变量的描述性统计结果见表 1。由表 1 变量的标准差与平均值可知，大学科研的变异系数达到 9.896 8，由此推断我国不同城市的大学科研差异较大，反映出我国不同城市高等院校资源分布极其不均。从其他变量指标的最大值和最小值来看，各城市之间的差异同样较大。

表 1 变量描述性统计

变量	指标含义	平均值	标准差	最小值	最大值
Cinov	区域创新能力	0.332 5	0.122 6	0.162 1	0.874 1
Uinov	大学科研能力	3.172 1	9.896 8	0.000 0	100.000 0
Gov	政府环境	0.016 3	0.019 1	0.000 7	0.016 5
Infra	基础设施	13.261 8	12.288 6	0.391 1	77.686 7
Pergdp	人均地区生产总值	5.370 4	3.100 4	1.189 2	21.548 8
Instr	产业结构	44.905 5	9.463 2	14.950 0	70.500 0
Clev	城市行政级别	—	—	0	1

（二）相关性分析

表 2 为 Person 和 Spearman 相关性分析结果。从此结果可以初步判断，大学科研能力与区域创新能力之间存在显著的正相关关系，支持假设 H_1。此外，政府环境和基础设施与区域创新能力之间均有显著正相关关系。但简单的两两之间的相关性不具有说服力，因此将进一步运用分层回归模型检验大学科研对区域创新能力的主效应以及政府环境和基础设施的调节效应。

表 2 变量相关性分析

变量	Cinov	Uinov	Gov	Infra	Pergdp	Instr	Clev
Cinov	1.000	0.715***	0.756***	0.732***	0.733***	0.127*	0.507***
Uinov	0.664***	1.000	0.427***	0.618***	0.435***	−0.073	0.540***
Gov	0.616***	0.292***	1.000	0.525***	0.612***	0.212***	0.319***
Infra	0.731***	0.486***	0.439***	1.000	0.472***	0.120*	0.400***
Pergdp	0.741***	0.405***	0.483***	0.474***	1.000	0.337***	0.422***
Instr	0.020	−0.225***	0.093	0.062	0.239***	1.000	−0.218***
Clev	0.646***	0.668***	0.270***	0.483***	0.408***	−0.198**	1.000

***、**、*分别表示 $p<0.001$、$p<0.01$、$p<0.05$

注：样本量为 289，左下为 Person 相关性分析结果，右上为 Spearman 相关性分析结果

（三）实证结果

表 3 中列出进行研究假设检验的 6 个模型的回归结果，其中模型 6 是全变量的回归模型。模型 1 是对大学科研能力与区域创新能力的回归验证，结果显示二者的回归系数为 0.295，且在 0.1%水平上显著，说明大学科研与区域创新能力之间存在显著相关性，

验证了 H_1。模型 2 和模型 3 是检验政府环境对大学科研能力与区域创新能力关系的调节效应，结果显示，政府环境与大学科研能力的交互项（Uinov*Gov）系数为−0.174，且在 1%水平上显著，验证了 H_2。模型 4 和模型 5 是检验基础设施对大学科研能力与区域创新能力关系的调节效应，其结果显示，基础设施与大学科研的交互项（Uinov*Infra）系数为−0.215，且在 0.1%水平上显著，验证了 H_3。上述结论在模型 6 中也基本得到验证。为直观展现这两个调节变量的调节效应，本文分别绘制了二者的调节效应图（图 1 和图 2）。

表 3　分层回归模型回归分析结果

变量	模型 1	模型 2	模型 3	模型 4	模型 5	模型 6
Pergdp	0.523*** (0.000)	0.404*** (0.000)	0.398*** (0.000)	0.434*** (0.000)	0.425*** (0.000)	0.343*** (0.000)
Instr	0.008 (0.809)	0.002 (0.943)	−0.001 (0.0978)	−0.028 (0.325)	−0.028 (0.312)	−0.029 (0.245)
Clev	0.238*** (0.000)	0.229*** (0.000)	0.187*** (0.000)	−0.156*** (0.000)	0.120** (0.001)	0.107** (0.002)
Uinov	0.295*** (0.000)	0.266*** (0.000)	0.441*** (0.000)	0.207*** (0.000)	0.415*** (0.000)	0.481*** (0.000)
Gov		0.282*** (0.000)	0.287*** (0.000)			0.225*** (0.000)
Uinov*Gov			−0.174** (0.001)			−0.102 (0.051)
Infra				0.351*** (0.000)	0.366*** (0.000)	0.307*** (0.000)
Uinov*Infra					−0.215*** (0.000)	−0.185** (0.001)
R^2	0.737	0.798	0.805	0.816	0.826	0.864
调整后 R^2	0.734	0.794	0.801	0.813	0.822	0.860
N	289	289	289	289	289	289

***、**分别表示 $p<0.001$、$p<0.01$

注：括号内为 p 值，其中 0.000 代表 $p<0.001$。考虑到不同指标之间的数值大小的含义不尽相同，此处列出标准化回归系数

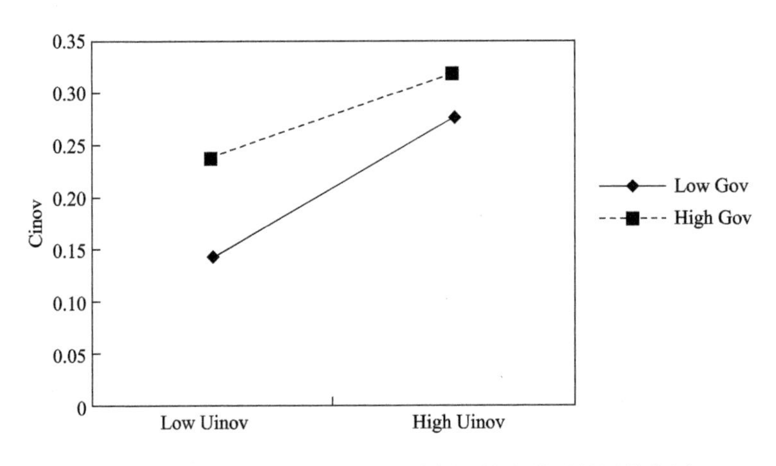

图 1　政府环境对大学科研与区域创新能力关系的调节作用

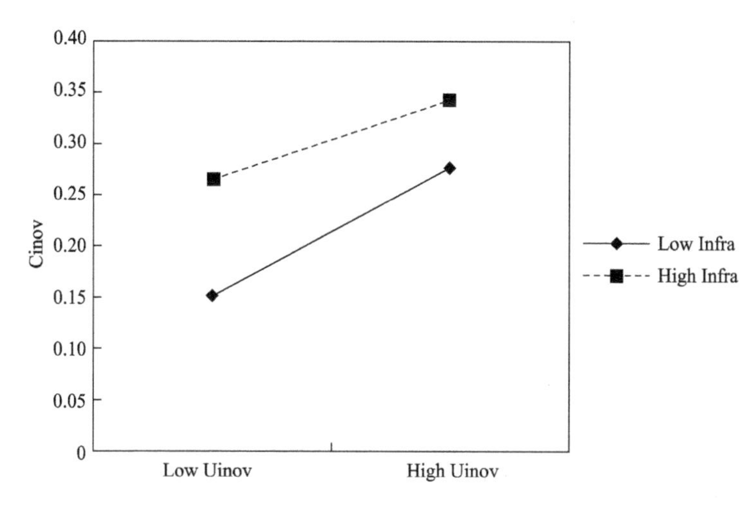

图 2 基础设施对大学科研与区域创新能力关系的调节作用

从图 1 和图 2 可以看出，创新环境中的政府环境和基础设施对大学科研与区域创新能力之间关系的调节效应基本相同。一方面，在创新环境更优的城市，大学科研能力与区域创新能力之间相关性（图中直线的斜率）更小；另一方面，在同等大学科研能力的情况下，创新环境更优的城市有更强的区域创新能力。

（四）稳健性检验

1. 剔除特殊城市样本

在本文的研究设计下，存在 54 个城市的大学科研能力的指标数值为 0。因此考虑剔除这部分样本，从而提高结果的稳健性。表 4 汇报了剔除这 54 个特殊城市样本后的回归结果。由表 4 可知，剔除特殊样本数据之后的回归结果并未发生显著变化（系数方向和显著性），在一定程度上提高了前文结果的稳健性。

表 4 剔除特殊样本的检验结果

变量	模型 1	模型 2	模型 3	模型 4	模型 5	模型 6
Pergdp	0.547*** （0.000）	0.366*** （0.000）	0.342*** （0.000）	0.460*** （0.000）	0.450*** （0.000）	0.312*** （0.000）
Instr	0.018 （0.622）	−0.004 （0.877）	−0.012 （0.657）	−0.015 （0.630）	−0.014 （0.643）	−0.029 （0.223）
Clev	0.221*** （0.000）	0.212*** （0.000）	0.147*** （0.000）	0.152*** （0.000）	0.121** （0.002）	0.094** （0.003）
Uinov	0.301*** （0.000）	0.259*** （0.000）	0.531*** （0.000）	0.221*** （0.000）	0.408*** （0.000）	0.534*** （0.000）
Gov		0.359*** （0.000）	0.398*** （0.000）			0.325*** （0.000）
Uinov*Gov			−0.274*** （0.000）			−0.218*** （0.000）
Infra				0.319*** （0.000）	0.338*** （0.000）	0.239*** （0.000）

续表

变量	模型 1	模型 2	模型 3	模型 4	模型 5	模型 6
Uinov*Infra					−0.195** （0.001）	−0.112* （0.044）
R^2	0.763	0.848	0.865	0.829	0.837	0.898
调整后 R^2	0.759	0.845	0.862	0.825	0.833	0.894
N	235	235	235	235	235	235

***、**、*分别表示 $p<0.001$、$p<0.01$、$p<0.05$

注：括号内数值为 p 值，其中 0.000 代表 $p<0.001$

2. 更换被解释变量

为进一步检验研究结论的稳健性，参照韩璐等（2021）、王春杨等（2020）的研究，采用《中国城市和产业创新力报告 2017》中的城市创新指数（取其自然对数）衡量区域创新能力，重复上述假设检验过程。所得回归结果与前文一致，囿于篇幅，本文不再汇报其回归结果。

（五）区域创新能力的差异

考虑到分位数回归可以排除极端值干扰、更加全面地反映出条件分布全貌等优点（卢进勇等，2014），本文对样本数据的分位数回归进一步探讨：当城市创新能力不同时，大学科研与其关系是否存在差异。鉴于研究的合理性，本文选取极具代表性的五个对应不同区域创新能力的分位点（10%、25%、50%、75%、90%）。回归结果见表 5。

表 5　分位数回归模型的检验结果

变量	10%	25%	50%	75%	90%
常数	0.158 5*** （0.018 2）	0.184 6*** （0.019 2）	0.191 4*** （0.015 1）	0.190 7*** （0.014 5）	0.207 6*** （0.017 5）
Uinov	0.003 5*** （0.000 5）	0.002 4*** （0.000 5）	0.002 8*** （0.000 4）	0.002 3*** （0.000 4）	0.002 2*** （0.000 5）
Gov	0.786 7*** （0.222 7）	1.902 4*** （0.234 5）	2.323 2*** （0.184 6）	2.296 5*** （0.177 2）	2.382 2*** （0.213 7）
Infra	0.002 4*** （0.000 4）	0.002 1*** （0.000 4）	0.002 7*** （0.000 3）	0.003 5*** （0.000 3）	0.004 0*** （0.000 4）
Pergdp	0.010 0*** （0.001 5）	0.010 8*** （0.001 6）	0.013 6*** （0.001 3）	0.014 3*** （0.001 2）	0.012 9*** （0.001 5）
Instr	0.000 1 （0.000 4）	0.000 3 （0.000 4）	0.000 3 （0.000 4）	0.000 0 （0.000 3）	0.000 0 （0.000 4）
Clev	0.082 0*** （0.015 4）	0.090 1*** （0.016 2）	0.050 9*** （0.012 7）	0.064 3*** （0.012 2）	0.056 7*** （0.014 7）
N	289	289	289	289	289
R^2	0.419	0.492	0.610	0.704	0.739

***表示 $p<0.001$

注：0.000 0 代表取值小于 0.000 05；括号内数值为标准误差

由表 5 可知，本分位数回归通过了显著性检验。其中，大学科研的回归系数依次为

0.003 5、0.002 4、0.002 8、0.002 3、0.002 2。这说明在不同分位数区间，大学科研与区域创新能力之间的正向相关性大小有所差异。总体来看，区域创新能力越高，其与大学科研之间的相关性越小。该结论的解释是：我国存在大量区域创新能力和大学科研能力均较弱的城市，使得二者的相关性较高；但同样存在较多区域创新能力强、大学科研能力较弱的城市，因而使得区域创新能力与大学科研能力的相关性降低。这也说明我国存在一些创新能力较强的城市尚缺乏高水平大学的支撑。

四、主要研究结论

（一）研究结论

本文基于2016年我国289个地级及以上城市的样本数据，提出研究假设并构建回归模型，实证分析了大学科研能力与区域创新能力之间的关系，以及创新环境（政府环境、基础设施）对这一关系的调节作用，得到以下主要结论。

大学科研对区域创新能力有显著正向影响，这一结论在剔除特殊样本、更换解释变量等稳健性检验后依然成立。此外，在不同分位数区间，大学科研能力与区域创新能力之间正向相关性的大小有所差异，总体趋势是，随着区域创新能力提升，其与大学科研能力的相关性减小。

创新环境（政府环境、基础设施）对大学科研能力与区域创新能力之间的关系具有显著的负向调节作用，即在创新环境更优的城市，其大学科研能力与区域创新能力的相关性更低。此外，在大学科研能力相同的情况下，创新环境更优的城市有着更高的创新能力。

（二）政策启示

为充分发挥大学科研对区域创新能力建设的促进作用，基于研究结论提出以下建议。

首先，对于大学尤其是研究型大学而言，不仅要加强自身科学研究能力的建设，还应注重与区域内外其他创新主体之间的协同创新，加强科技成果的转移转化，进而服务于地方科技创新和经济高质量发展。其次，尽管研究结论得出创新能力强的城市其区域创新能力与大学科研能力的相关性反而较低，但不可否认的是，这类城市的大学科研活动能够对城市科技创新发展产生更加高效且直接的赋能作用，因而应当注重大学在科技创新方面的重要作用，建设和培育服务于当地经济创新发展的高水平研究型大学，使之成为城市科技创新的核心驱动力。最后，为提升区域创新发展水平，不仅要加强科技创新事业发展的财政投入力度，注重基础设施建设，营造良好的区域创新环境，同时还应增强城市间科技创新的合作与交流，充分发挥区域外部大学科研对区域创新能力的溢出作用。

（三）研究局限

本文存在一定的局限性，有待在今后的研究中进一步深入和完善。首先，本文仅使用单一年度的截面数据进行分析，研究结论有待扩充时间序列样本进一步证实；其次，大学作为区域创新体系的重要主体，其科研能力本身在一定程度上包含于区域创新能力，因而存在一定的内生性问题；最后，本文在分析创新环境的调节效应时，仅考虑了政府环境与基础设施，但创新环境的可衡量维度较多，因此具有一定的局限性。

参考文献

蔡晓慧，茹玉骢. 2016. 地方政府基础设施投资会抑制企业技术创新吗?——基于中国制造业企业数据的经验研究. 管理世界，（11）：32-52.

陈红喜. 2009. 基于三螺旋理论的政产学研合作模式与机制研究. 科技进步与对策，26（24）：6-8.

陈劲. 2009. 新形势下产学研战略联盟创新与发展研究. 北京：中国人民大学出版社.

陈凯华，寇明婷，官建成. 2013. 中国区域创新系统的功能状态检验——基于省域 2007-2011 年的面板数据. 中国软科学，（4）：79-98.

党文娟，张宗益，康继军. 2008. 创新环境对促进我国区域创新能力的影响. 中国软科学，（3）：52-57.

高月姣，吴和成. 2015. 创新主体及其交互作用对区域创新能力的影响研究. 科研管理，36（10）：51-57.

韩璐，陈松，梁玲玲. 2021. 数字经济、创新环境与城市创新能力. 科研管理，42（4）：35-45.

何建坤，李应博，周立，等. 2008. 研究型大学与首都区域创新体系协同演进研究. 清华大学教育研究，（4）：5-11.

何郁冰. 2012. 产学研协同创新的理论模式. 科学学研究，30（2）：165-174.

侯鹏，刘思明，建兰宁. 2014. 创新环境对中国区域创新能力的影响及地区差异研究. 经济问题探索，（11）：73-80.

姜军，武兰芬，李必强，等. 2004. 发达国家政府在创新体系中的作用方式及启示. 科学学研究，（4）：442-447.

李燕. 2020. 高校科技创新与城市经济高质量发展——基于 19 个副省级及以上城市的实证检验. 科技管理研究，40（13）：1-7.

刘晔，曾经元，王若宇，等. 2019. 科研人才集聚对中国区域创新产出的影响. 经济地理，39（7）：139-147.

卢进勇，杨杰，邵海燕. 2014. 外商直接投资、人力资本与中国环境污染——基于 249 个城市数据的分位数回归分析. 国际贸易问题，（4）：118-125.

马明. 2013. 网络基础设施与区域创新能力差异研究. 南开大学硕士学位论文.

马明，薛晓达，赵国浩. 2018. 交通基础设施、人力资本对区域创新能力影响的实证研究. 北京理工大学学报（社会科学版），20（1）：95-101.

马永斌，王孙禺. 2008. 大学、政府和企业三重螺旋模型探析. 高等工程教育研究，（5）：29-34.

彭峰，周淑贞. 2017. 环境规制下本土技术转移与我国高技术产业创新效率. 科技进步与对策，34（22）：115-119.

齐亚伟. 2015. 区域创新环境对三大创新主体创新效率的影响比较研究. 科技进步与对策，32（14）：41-46.

上官绪明，葛斌华. 2020. 科技创新、环境规制与经济高质量发展——来自中国 278 个地级及以上城市的经验证据. 中国人口·资源与环境，30（6）：95-104.

首都科技发展战略研究院. 2020. 中国城市科技创新发展报告 2020. 北京：科学技术文献出版社.

孙早，徐远华. 2018. 信息基础设施建设能提高中国高技术产业的创新效率吗?——基于 2002—2013 年高技术 17 个细分行业面板数据的经验分析. 南开经济研究，（2）：72-92.
王春杨，孟卫东，凌星元. 2020. 高铁能否提升沿线城市的创新能力?——基于地级城市专利数据的分析. 研究与发展管理，32（3）：50-60.
王立平. 2005. 我国高校 R&D 知识溢出的实证研究——以高技术产业为例. 中国软科学，（12）：54-59.
吴玉鸣. 2006. 大学、企业研发与首都区域创新的局域空间计量分析. 科学学研究，24（3）：398-404.
吴玉鸣. 2007. 大学、企业研发与区域创新的空间统计与计量分析. 数理统计与管理，27（2）：318-324.
吴玉鸣. 2010. 大学知识创新与区域创新环境的空间变系数计量分析. 科研管理，31（5）：116-123.
许长青. 2017. 美国大学与区域创新互动发展研究. 中国高校科技，（11）：40-43.
杨明海，张丹丹，苏志文. 2018. 我国区域创新环境评价的实证研究——基于省级面板数据. 山东财经大学学报，30（1）：74-84.
原长弘，赵文红，周林海. 2012. 政府支持、市场不确定性对校企知识转移效率的影响. 科研管理，33（10）：106-113.
张德祥. 2006. 面向经济建设主战场着力提升区域内高校创新能力. 中国高教研究，（11）：4-8.
张家峰，赵顺龙. 2009. 区域技术创新能力的影响因素分析——以江浙沪两省一市为例. 国际贸易问题，（7）：56-60.
章立军. 2006. 区域创新环境与创新能力的系统性研究——基于省际数据的经验证据. 财贸研究，（5）：1-9.
赵彦飞，陈凯华，李雨晨. 2019. 创新环境评估研究综述：概念、指标与方法. 科学学与科学技术管理，40（1）：89-99.
赵彦飞，李雨晨，陈凯华. 2020. 国家创新环境评价指标体系研究：创新系统视角. 科研管理，41（11）：66-74.
庄亚明，穆荣平，尤海燕. 2010. FDI、官产学合作对区域创新能力的影响. 科技与经济，23（3）：11-14.
Baron R M，Kenny D A. 1986. The moderator-mediator variable distinction in social psychological research：conceptual，strategic，and statistical considerations. Journal of Personality and Social Psychology，51：1173-1182.
Etzkowita H. 2008. The Triple Helix：University-Industry-Government Innovation in Action. London and New York：Routledge.
Fritsch M，Slavtchev V. 2007. Universities and innovation in space. Industry and Innovation，14（2）：201-218.
Furman J L，Porter M E，Stern S. 2002. The determinants of national innovative capacity. Research Policy，31（6）：899-933.
Jaffe A B. 1989. Real effects of academic research. American Economic Review，79（5）：957-970.
Lee Y S. 1996. Technology transfer and the research university：a search for the boundaries of university-industry collaboration. Research Policy，25（6）：843-863.
Ryan T P. 1997. Modern Regression Methods. New York：John Wiley & Sons.
Youtie J，Shapira P. 2008. Building an innovation hub：a case study of the transformation of university roles in regional technological and economic development. Research Policy，37（8）：1188-1204.

以色列创新生态系统的特征及其启示*

陈海盛　沈满洪

摘要：作为创造经济奇迹国度，以色列政府专注源头创新，坚定地将创新作为准公共品对外提供。以色列创新生态系统包括制度体系完备、创新主体耦合交互及要素配置有效三个特征，其中设计巧妙连接机制是关键，阶梯性制度体系是基础，高水准要素配置是直接驱动力。建议平衡制度方向推进组织创新、提高创新政策跨部门及跨区域协作、强化数据要素优化配置等。

关键词：源头创新　准公共品　连接机制　组织创新　创新系统

中图分类号：F124.3　F062.4　F091

一、引　　言

号称“中东硅谷”“袖珍型超级大国”的以色列，是全球创新驱动发展的典范，诞生了12位诺贝尔奖得主，分布在全球的以色列人共获得162项诺贝尔奖，占诺贝尔奖总数的 20%。根据《2019 年全球竞争力报告》，以色列在人均创业指标上排名全球第一，纳斯达克上市企业数仅次于美国和加拿大。以色列创新优势正好对应中国发展弱势环节，事实上，在中美贸易战引发的科技战之后，学习世界上一系列优秀创新经验并为我所用，对提高我国发展质量至关重要。

中国对标对表以色列创新发展具有切实可行性。从发展阶段看，目前中国经济发展已进入减速换挡、结构调整与动力重塑的新阶段，高新科技成为区域发展的主导力量。从人均 GDP（gross domestic product，国内生产总值）绝对数据横向比较，基本对应于以色列 1987~1988 年发展阶段，这一时期正是以色列创新政策、举措密集出台期。从创新主体看，以色列和中国政府在创新驱动经济发展中均发挥了重要推动作用。作为“双创”的主力军，以色列和中国的中小企业数量众多，占比分别为 98%和 97%，经济主体

---

* 基金项目：国家社会科学基金重点项目“推进区域生态创新的财税政策体系研究——以长三角地区为例”（编号：19AZD004，主持人：沈满洪）、2021 年度浙江省文化研究工程重大项目“共同富裕的探索与实践——浙江案例研究”（主持人：沈满洪）。

作者简介：陈海盛，男，浙江农林大学经济管理学院博士研究生，浙江省信用中心经济师，研究方向为绿色信用制度建设。沈满洪，通信作者，男，浙江农林大学党委书记、生态文明研究院院长、碳中和研究院院长，浙江省乡村振兴研究院研究员，经济学博士、教授、博士生导师，第十三届全国人民代表大会代表，研究方向为资源与环境经济学。邮箱：824269532@qq.com。

结构总体上较为接近。从制度环境看，以色列和中国政策稳定性均较高。中国坚持规划引领一张蓝图绘到底，本雅明·内塔尼亚胡在30年间四任以色列总理，在涉及创新的法律政策和机制设计上总体保持一致。从文化基因看，一是两地国际化传统相似。作为移民国家，以色列自建国以来在吸纳各地精华同时，亦重视对外连接输出国家优势。中国的发展史也是一部开放史。伴随1842年《南京条约》划定五个通商口岸，我国正式开启近代对外交往历史。二是犹太商人与中国商人都具备不怕苦不服输的精神特质，同时具有敏于先机、敢于冒险、坚毅忍耐、注重人际关系、重合同守信用等共同特征，如我国以客家人、温州人和闽南人为代表的商帮，因受制于资源约束而大胆走向全世界寻找发展空间。

以色列被称为“创造了经济奇迹的国度”。自建国以来，以色列长期保持高速经济增长态势（图1）。从绝对数值看，2020年以色列土地面积和人口大约为2.57万平方千米和929.1万人，可利用水资源仅为18亿立方米，人口密度达到362人/千米^2，人口主要集中在城市地区，城镇化率稳定在92%以上。从相对数值看，以色列人均GDP和单位面积GDP分别为4.30万美元和1 376.26万美元，以占中国不足10%的人均可利用水资源、50%以下的人均耕地面积实现了中国4倍以上的人均生产总值和10倍左右的单位面积生产总值（表1）。

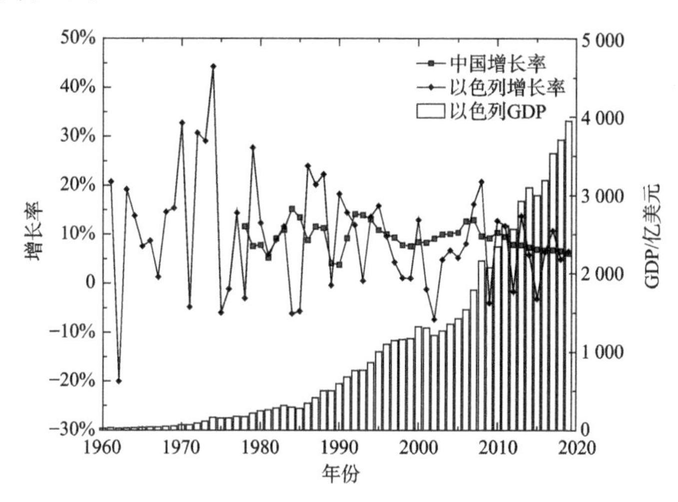

图1 以色列经济增长趋势与中国比较

表1 中以基础条件对比

指标名称	2018年		2019年		2020年	
	以色列	中国	以色列	中国	以色列	中国
人口密度/（人/千米^2）	346	145	352	146	362	147
人均耕地面积/亩	0.69	1.45	0.68	1.445	0.66	1.43
人均可利用水资源/立方米	202.63	1 971.8	198.83	2 077.7	193.74	1 983.3
GDP/亿美元	3 705.88	138 948.18	3 946.52	142 799.37	3 537	147 250
人均GDP/万美元	4.17	0.996	4.36	1.02	4.30	1.04
单位面积GDP/（万美元/千米^2）	1 441.98	144.74	1 535.61	148.75	1 376.26	153.39
城镇化率	92.42%	59.58%	92.50%	60.60%	92.60%	63.89%

资料来源：综合历年《国际统计年鉴》《“一带一路”国家统计年鉴》《中国统计年鉴》

创新是以色列经济发展的主要驱动力。2020 年创新对以色列经济贡献率达到 90%，是中国对应数据的 1.5 倍。以色列彭博创新指数在 2018~2020 年世界排名分别为第 10、第 5 和第 6 位，研发强度、研究人员集中度及高科技密度等子指标则长期居世界前列，如研发强度和研究人员集中度连续三年排名世界首位和前两位（图 2）。从创新投入数值看，2017~2019 年以色列高新技术产品出口比重分别为 47%、46%和 45.6%，2019 年高技术领域从业人员比重、研发人员比重以及研发支出占 GDP 比重分别为 6.09%、3.51%和 4.5%，研发支出占 GDP 比重是中国的两倍以上。

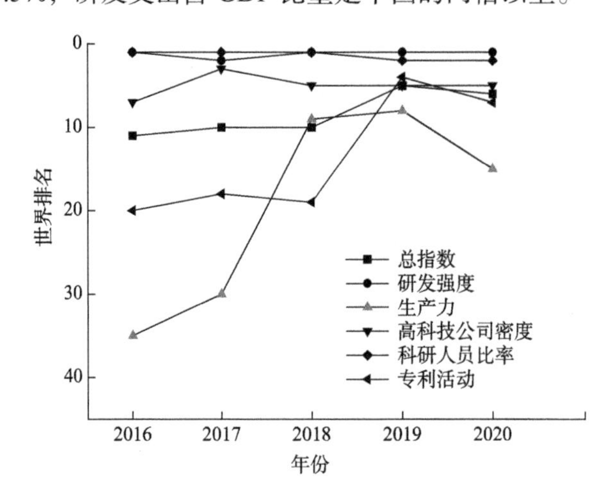

图 2　以色列彭博创新指数排名变化

以色列的创新是基于高新技术产业基础、聚焦科技创新的源头创新。以色列创新发展与其产业基础和结构紧密相关。以色列以半导体、芯片等高精尖产业为主，注重“从 0 到 1”的知识创造和源头创新，在全球创新链条中处于要素整合、研发创造的前端。由于地缘政治，以色列 90%以上创新项目通过并购退出，在全球其他地区进行产业化。中国传统产业发展模式更注重模仿创新，在全球创新链条中处于商品化、效用化后端。但以中美贸易摩擦引发的科技战为转折点，中国在全球创新链条中的位置逐渐由后端向前端转移，为深化中以合作创造更大空间。

二、以色列创新生态系统主要模式特征

以色列发展主要模式是构建形成成熟的创新生态系统，包括制度体系完备、创新主体耦合交互和要素配置有力等三个主要特征，三者既互为条件依托，又保持运转相对独立性。

（一）阶梯性制度体系为创新历久弥新奠定关键基础

构建涵盖法律、法规和政策的制度支撑体系是创新工作的前提，其中法律明晰各

方权责和利益安排，法规对法律做出进一步解释，政策则对法律和法规进行细化及弹性解读。

一是织密以激励创新为导向的法规体系。《投资鼓励法》《工业研究与发展促进法》《投资促进法》《以色列税收改革法》《天使法》等法律为创新创业奠定法理基础。具体来看，1984 年通过的《工业研究与发展促进法》明确了政府负担被批准研发项目 30%~66%资金支持比例。2000 年颁布的《公司法》推动以色列一跃成为全球建立企业最快捷的国家之一。2002 年实施的《以色列税收改革法》将证券交易、风险投资和直接投资等涉及创新主动性资本收益税由 36%~50%不等统一降为 25%。基于《产权法》《版权法》等法规强化对创新成果保护。

二是营造适合创新创业的制度环境。漫长的大流散经历造就了犹太人对新事物的敏锐判断与接受能力。犹太传统文化中固有的标新立异与刻意求新的精神也潜移默化地塑造了犹太人的精神品质。以色列建国以来，随着社会治理体系日益完善，注重平等和独立个人的交往原则，以及团结和包容的社会关系。以色列扁平化社会交往模式为摆脱交往障碍促进创新思维快速交互创造了人际条件。鼓励尝试和对失败包容已经成为以色列社会的普遍共识，这为企业和个人大胆将创新思想落到实践奠定了重要的社会基础。

（二）设计巧妙连接机制是以色列创新最重要的特征

以色列政府充分发挥“后台服务器”作用，形成一整套的政府创新扶持系统，以政府有为带动市场有效。支持企业在创新生态系统中的主体地位，使企业与政府、科研院所（高校）形成设计巧妙并严谨高效的三条连接通道。

一是以首席科学家办公室（office of the chief scientist，OCS）、国家技术与创新总局（National Science and Technology Innovation，NATI）为代表的政府与企业连接通道。基于市场自发供给存在短缺，以色列政府坚定地将创新作为准公共品对外提供，而首席科学家制度设计就是最主要的实现机制。1969 年以色列 13 个内阁建立负责科研的 OCS，根据市场需求变动适时出台创新政策、合理分配科研经费并协调国际科技合作，如经济部 OCS 的技术孵化器计划、工贸部 OCS 的磁石计划等，OCS 的前瞻性统筹是以色列 20 世纪 70 年代初创企业兴起的关键因素。自 2016 年 1 月开始经济部 OCS 职能 NATI 代替，下辖以色列产业研发中心（Matimop）及若干研发委员会对各类别创新项目从时效性和适当弹性角度开展规划。

二是以技术转移中心（technology transfer center，TTC）为代表的科研院所（高校）与企业连接通道。以色列政府先后在 7 所公立大学和研究机构建立 TTC，作为科研院所（高校）与企业的连接枢纽，TTC 负责创新成果的商业化应用，为加强技术研发与产业化对接以及实现实验室成果和社会产品有效转换承担重要角色（表 2）。TTC 作为高校全权代表与企业开展技术创新的产业化协商，高校则获得与研发成果相匹配的一定程度市场收益，具体比例一般为研发人员和高校各占 40%，研发实验室占 20%，上述利益共享机制为科研院所与技术转移公司有效合作奠定了基础，也为创新成果快速市场转化畅通了途径。

表 2　以色列 TTC 特征及运营模式

特征	技术转换方式	研发经费渠道	典型代表
独立法人； 营利机构； 自主权； 使用权	大学与企业合作开发； 授予企业专利技术使用权； TTC 和企业共同投资； 直接出资成立科技公司； 国际合作	政府资助 直接投资 基金资助 国际合作	耶达研发公司（YEDA）

三是以中小企业局（Israel small and medium enterprises administration，ISMEA）、小企业发展中心（SBDCs）和出口与国际合作协会（IEICI）为代表的企业之间连接通道。ISMEA 和 SBDCs 是以色列针对中小初创企业发展特征，从信息、融资、培训和商业联络等领域输出公共服务的重要组织，有利于活跃企业经济活动和撮合企业间的经济联系，为企业家之间的交流和企业之间的合作提供契机，促进区域创新网络耦合交互。IEICI 承担对外展示创新企业门户角色，通过实时收集具备出口能力创新企业信息，有效对接国内创新与国际市场，为创新国际化赋能提供支持。

（三）高水准要素配置是推动创新最直接的驱动力

持续创新动能不仅得益于制度环境、主体连接机制，而且受制于资金、人才为代表的要素禀赋。以色列具有适合国情的独特人才和资金要素支持方案。

一是注重人才集聚培养。一方面，聚焦创新-创业型人才，重视对智力资源的吸纳与利用。1950 年颁布的《回归法》为犹太科技人才回归奠定坚实依据，如苏联解体前后，82 000 余名俄裔高素质创新人才入籍以色列。自 20 世纪 90 年代开始，以色列将引智计划提升为国家战略，从岗位、项目、经费、生活配套等对人才进行全面保障，包括外国专家引入计划、国家人才流入计划、外国企业家创新签证在以色列延长居住期、跨国公司在以色列研发中心吸纳高端人才税收优惠政策、解决移民科学家住房、子女教育等政策，为创新人才集聚创造条件。据统计，以色列每万人中科学家和工程师占比位居全球首位。另一方面，以色列高校强调对学生创新思维的培养。以以色列理工学院为例，25%的大学课程为研究方法学习，75%的课程为与企业合作为主体的创新项目讲解，让学生尽快掌握创新创业的整个路径。政府统筹规划下，以色列高校均建立校企互动紧密的创新园区，为创新成果快速产业转化和创新动能持续提供重要载体。

二是加大研发投入。20 世纪 60 年代末起，以色列政府就高度重视技术研发，投入巨额的扶植资金。自 1968 年开始出现产业研发政策以来，以色列研发支出占 GDP 比重长期居于全球首位。近 20 年，以色列研发占 GDP 比重维持在 4%以上，且呈现不断增长态势，是推动创新持续变革的有力杠杆，包括对网络安全、现代农业、医学制药、水处理等创新领域的常规性支持，以及网络安全产业升级基金、空间技术研发基金、生命科学基金、人类特殊性需求技术研发基金等专项补助计划。

三是创新资本参与渠道。以色列建有国内和国外两种激励资本快速参与创新的渠道。国内渠道是以 YOZMA 计划为代表的风险投资（图 3）。YOZMA（1993 年）作为股权联合投资计划，基于 1 亿美元政府初始资本，撬动外部创新投资，发挥了巨大的杠杆效应。政府以“共担风险，但不共享收益”方式支持创新，仅在企业的早期阶段和国际化发展等高风险阶段给予企业政策性财政融资扶持，出资与企业共担失败风险，以达到帮助企业降低风险、提高其存活率的效果。在资助项目成功后，政府不占有项目股权，仅回收投资本金及合理补偿利息，有效规避政府对微观经济活动的直接干预。国际渠道是指银行“走出去”与投行“引进来”的并行政策，锚定欧美发达国家，建立银行间接融资的双向通道，支持优势创新企业赴美国纳斯达克、英国创业板等国际证券市场上市。

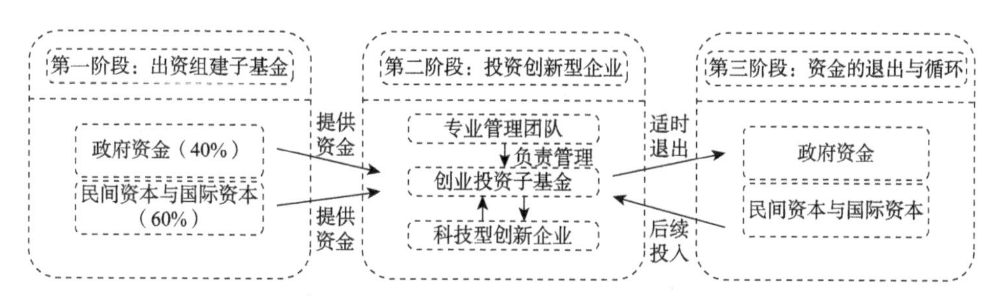

图 3　YOZMA 计划运作模式

四是注重国际研发合作。自 20 世纪 90 年代起，以色列先后与加拿大（1994 年）、新加坡（1997 年）、韩国（2001 年）等国筹建了双边研发基金会，以加快双边企业的联合研发；与美国、德国、法国、印度等 40 多个国家签订了双边科技合作协定，合作领域涉及基础研究、能源、农业、电子通信、软件等；以色列还作为第一个非欧洲国家参与了欧盟研发框架计划，得以利用欧洲的先进技术、研发平台与研发资金为本国高科技企业创造进军全球市场的机遇。与欧盟、美国、日本、联合国教科文组织等国家或国际组织签订科技合作协议，吸引 250 家以上大型跨国公司在以色列设立研发中心。走国际化路线不仅为以色列集聚高质量创新要素，而且为创新成果高效率转化找到了途径。

三、中国创新生态效能跃升的突破方案

对标对表以色列创新经验，立足数字化改革生动实践，锚定现代化创新体系，直面我国创新痛难点，以打造热带雨林型世界一流创新生态系统为突破口，力促经济发展质量变革、效率变革和动力变革，推动我国创新发展战略走实走深。

（一）加强与以色列创新链合作

把以色列作为中国与欧美合作的切入点。一是立足创新互补区，争取在“卡脖子”技术上获得突破。借鉴中以常州创新园模式，加强与以色列在芯片、网络安全等关乎国运关键技术领域创新合作，力争在美欧严密技术封锁下做出边际突破。二是将以色列作为桥梁引进研发中心入驻中国。鉴于创新环境日益趋近，从政府和市场两端双向发力，

建立两国创新交流常态机制，推动以色列具有国际转移需求的跨国企业研发中心入驻中国或建立分中心；探索与以色列高校建立跨境联合实验室，深化科研合作，共同探索前沿性、原创性科学问题。三是建立以色列-中国创新中心。借助“中以创新汇”等平台，与以色列相关企业、科研院所、投资机构、孵化载体展开密切沟通交流，全方位整合以色列各类资源，围绕国内技术、产业、项目、创新等合作需求开展全方位对接，建立合作快捷通道、培养常态化合作机制。四是深化对以科技创新合作联盟工作。学习借鉴上海、青岛、大连等国内对以合作主要城市合作经验，立足中国创新基本盘，促进以色列创新资源融入我国产业发展体系。

（二）实施以激励为导向的创新制度体系

一是平衡制度方向，推进组织创新。针对创新制度缺失环节，从地方性法规及配套政策两方面进行补齐，从制度优化重塑上释放组织创新的活力，如在密切科研院所（高校）与企业联系、降低企业交易成本等方面出台针对性文件。二是提高创新政策的跨部门协作能力。制度要有效发挥效能，必然有赖于科技、发改、经信、财政、住建、税务等部门合力，以整体智治政府为抓手着力提升各部门技术连接能力，以地方性法规、部门规章、跨部门合作备忘录等形式强化创新政策联动。三是强化跨区域创新制度有效协同。以“创新合作示范区”建设为载体，总结提炼长三角一体化发展示范区、G60 科创走廊、浙赣边际合作“衢饶”示范区等经验，针对行政边界制度“断头路”症结，破除各省、省辖市及县（区、市）邻接地区创新制度壁垒。四是有效降低创新活动的显性和隐性成本。从降低显性成本看，建设跨区域立体化交通、使用高性能通信等，有助于提高通勤距离，减少创新集群的拥挤成本，为减少交易费用、提高交易效率创造外部条件。从降低隐性成本看，以法规和社会信用体系建设为重点，在法律框架下强化信用正反约束，以政府良治创建能带来可信承诺的创新环境，促进制度对创新激励由“弱刺激”向“强刺激”转变。例如，加强对初创企业创新成果保护；完善海外知识产权的维权救济机制，援助中国创新企业积极应对国际专利诉讼事件。五是探索建立科技创新容错纠错机制。针对中长期基础类、前沿类、颠覆性技术创新项目，建立较高水平的创新失败容忍度指标；对于着眼近期和短期的成果转化类项目，项目立项和评审时突出市场导向和需求导向，相应建立较低水平的创新失败容忍度指标。

（三）强化创新主体耦合交互

（1）从政府与企业关系看。一是将能带来广泛创新变革的技术作为“准公共品”进行研发并对外提供。基于国家整体战略需求，以举国体制建立基础理论创新中心对关键技术和产品进行联合攻关。有效利用国家自然科学等基金的导向和支撑效能，在半导体芯片、数字经济、生命健康、新材料等涉及国家技术安全领域强化基础研究，发挥其在创新系统中的牵引性和赋能性作用。二是强化政府对重大创新项目布局的科学性。抓住国家新一轮科技基础设施布局机遇，积极对接国家战略需求，引进和布局一批科技创新的重大基础平台。围绕数字经济、生物经济、航空航天、新材料及优势特色传统产业领域开展国家级创新中心建设。

（2）从企业与企业关系看。一是以优势企业生态赋能中小企业发展。以成果评估为重点，简化财政支持创新手续，激励中小企业推行研发准备金机制，实现由劳动和资金要素驱动向技术驱动转变。以行业头部企业为中心，整合产业链技术力量，结合国家战略和市场需求为布局原则，与高校合作建立联合实验室和企业创新中心。以国企改革为突破口，选择有实力的国有企业带头开展前沿技术攻关，更好发挥主力军作用。二是借力平台赋能。健全“高新区+科技城+高新小镇+小微企业园”为基本格局的产业创新平台，以平台对高端要素集聚为抓手推行产业创新服务综合体建设，打造一批外溢性较强、国内外有效联动的创新联合体标杆。

（3）从科研院所与企业关系看。重点是建立差异化的技术转移机制。一是精准对接创新链和产业链。以检测、融资、劳动中介、产权保护等配套创新服务机构发展为前提，基于浙江经验向全国推广使用普惠性创新券，如率先在粤港澳大湾区、长三角三省一市区域之间开展流通互动，实现数据资源、实验平台等创新支撑要素的有序共享。二是推进创新资源市场化流动配置。改革现有科技管理体制，建立以市场为导向、以成果终端评估为主要方式的创新转化机制，对研发战略、实施路径、创新成本及资源配置进行制度重塑，以政府有为促进市场有效企业有利。

（四）多维度保障要素配置

（1）打造具备先发优势的数据链。以数字化改革为突破口，探索和推进数字科创平台、要素平台、交易平台等数字化平台建设，通过数据平台对外输出公共数据，遏制以占据数据资源为手段的数字资本主义扩张，以市场化方式推动数据要素的优化配置、创新业态融合共生并形成产业集聚和产业链，打造基于数据充分开发应用的“大众创业、万众创新”升级版。

（2）打造系统多维的资金链。一是注重财政杠杆效应。提高政策科研经费使用的科学性和有效性，对于基础性、对世界创新链分工格局具有重大影响的科研项目提供有针对性的重点支持，建立市场资金合作参与的通道，并同步设计创新成果合理共享使用的机制。二是强化创新投贷联动。深化信用体系对创新活动的支撑保障，促进知识产权质押融资等金融服务模式和产品创新。以健全政策性融资担保体系为抓手，试行以创新成果为主的抵押担保融资模式。三是提高风险资金参与度。积极引进海内外知名创业投资机构，将总部或核心管理团队迁入中国，以政府资金带动以天使投资为代表的风险资金匹配，促进创新资金集聚互动。

（3）打造兼具创新思维和能力的人才链。一是用活科教资源。整合高校、科研院所创新政策，通过流程创新和激励创新，提高存量科研人员创造性和活力，强化研究力量组团和研究机构结盟开展联合创新，并以双边和多边合作协议方式与以色列、新加坡等“一带一路”沿线先进国家创新人才进行跨国界全域合作。二是加快创新人才梯度化引育。实施靶向引才，聚焦科创高地建设，更大力度引进符合我国重大发展战略、保障产业链供应链安全的创新领军人才。健全柔性引智制度，完善专业人才柔性流动机制，深化推广人才“飞地”模式。三是激发科研人员创新力。学习以色列经验探索在国家发改委、科技部、农业农村部等部门建立首席科学家制度和首席专家负责制，分别负责科研政策制定和研究资源调配，借鉴国际创新成果收益共享案例，以激励性分配改革提高一线科研人员的自主性与能动性。

参考文献

范文仲，周特立. 2015. 以色列科技创新支持政策. 中国金融，（16）：66-68.
刘可然，何铮，杨雨曦，等. 2019. 中国-以色列高科技生态位耦合创新模式研究. 科技进步与对策，（22）：20-26.
权衡，孙亮，黎晓寅. 2010. 国家创新体系建设：经验与启示——印度、爱尔兰、芬兰、以色列比较研究. 学习与实践，（4）：15-23，142.
张倩红，刘洪洁. 2017. 国家创新体系：以色列经验及其对中国的启示. 西亚非洲，（3）：28-49.
张琼妮，张明龙. 2011. 以色列高效创新机制对我国的启示. 经济理论与经济管理，（2）：87-92.

中国生物医药行业创新网络动态演化的纵向研究*

赵 炎 栗 铮 韩 笑

摘要：为研究创新因素、地理因素、制度因素和组织因素对企业结盟概率的影响，以及如何推动创新网络动态演化，本文从百度新闻、新浪新闻、聚潮网、同花顺等网站和商业期刊中搜集了2006~2017年中国生物医药行业的联盟信息，并将联盟网络划分为强关系和弱关系创新网络。本文采用指数随机图模型（ERGM）作为研究方法对自变量进行参数估计。研究结果表明，企业创新因素是促进强关系创新网络演化的重要因素，但对弱关系创新网络演化没有显著影响；地理因素在两种创新网络演化的不同阶段起着不同的作用；制度因素和组织因素对两种创新网络的演化都有显著的促进作用。

关键词：创新网络 动态演化 ERGM 生物医药行业

中图分类号：F124.3 F062.4 F091

一、引 言

《2020-2025年中国生物医药行业市场前瞻与投资战略规划分析报告》指出，当下美国、欧盟、日本作为生物医药行业主导，持有94%以上的专利。尤其美国作为国际第一梯队，占有全球近6成的生物药专利。我国不仅专利占有率低，且仿制药占据约97%的市场份额，原研药不足3%。大量“救命药”由于技术壁垒和专利保护不得不依靠进口维系。如何提高我国生物医药企业的竞争力，是我国亟待解决的问题。

企业联盟为企业高效率低成本地获取外部知识和加速产品更迭提供了出路。联盟的形式分为合资形式、股权形式、合作研发、合作生产与合作营销（Colombo，2003）。企业为提高自身竞争力选取理想的联盟伙伴结成强关系与弱关系联盟，联盟的变动使联

---

* 基金项目：国家自然科学基金资助项目“基于自组织理论的联盟创新网络中‘派系——知识流动’耦合的中国实证研究”（71673179）；上海市哲学社会科学规划青年课题“复合系统视域下上海新一代信息技术产业升级机制研究”（2020ETQ004）。

作者简介：赵炎，男，重庆人，上海大学管理学院，教授、博士、博士生导师，研究方向为创新与创业管理、创新网络和企业联盟。邮箱：zhaoyan87@shu.edu.cn。栗铮，男，河南鹤壁人，上海大学管理学院，博士研究生，研究方向为知识管理与创新、创新网络。韩笑，女，河南商丘人，华北水利水电大学管理与经济学院，讲师，研究方向为创新与知识管理、战略联盟、联盟网络。

盟创新网络结构变得复杂并对行业发展产生了深远影响。根据网络成员间的联盟类型，创新网络又可分为强关系创新网络与弱关系创新网络两种（Rowley et al., 2000）。网络中的创新主体除了企业之外还包括高校、科研机构、中介机构及政府部门（盖文启，2000）。

在不同的创新阶段，创新所需的环境不同，联盟伙伴的选择也会发生改变（Rostow，1959；陈健等，2016）。探索两种创新网络中企业如何选择联盟伙伴便是探索创新网络的动态演化。就理论而言，有助于丰富创新网络动态演化研究的理论框架；就实践而言，有利于为我国生物医药企业选择联盟伙伴提供理论参考。

二、文献回顾与研究假设

（一）文献回顾

创新网络动态演化的研究由来已久，但并没有明确定义。当企业寻求新的联盟关系时，既定的创新网络开始逐步瓦解、重塑。如果把固化的网络合作关系视为一种规则的创新网络，那么瓦解与重塑中的网络便是一种随机创新网络，创新网络在规则网络与随机网络之间不断交替更迭。之后，有学者将两种网络更替过程中的状态命名为小世界网络。Amaral 和 Scala（2000）将小世界网络分为三种类型：自由规模网络、大规模网络和单一规模网络。Choi 等（2013）通过使用数值模拟方法研究发现，这三种网络内个体间重新选择联盟关系的概率由小到大依次增加。

此外，以往学者对创新网络演化动因的研究也做出了大量贡献。詹坤等（2016）以大唐移动企业的联盟组合为研究对象，将企业的联盟分为四个阶段——孕育、成长、成熟、更替进行研究。魏龙和党兴华（2017）通过常规复制和柔性复制进行仿真演化，并融合了耦合、熵等自组织理论。田钢和张永安（2010）利用动力模型仿真针对区域进行了仿真研究，通过 2 万个周期演化，选取一些中间点进行数据对比研究。除了上述案例与预测研究外，还有学者从连接机制、角色扮演、知识保护方面展开研究。余谦和刘嘉玲（2018）改进了网络的连接机制，构建了创新超网络演化模型。刘伟和夏立秋（2018）认为网络成员初始值不同，会导致其策略的演化博弈不具有稳定中心点，意味着谈判破裂。王松和杨根福（2018）提出网络和集群也许可以发挥互补作用或扮演相互替代角色，更好地作用于企业技术创新。杨若愚（2016）从知识产权保护角度，分析了网络中政府行为对区域创新绩效的影响。

由此，本文结合现有研究和理论基础将创新网络演化动因总结为以下几种：交易费用理论认为企业追求利益最大化是网络演化的根本动因；资源依赖理论认为企业通过跨组织联盟达到资源互补是网络演化的动因；社会资本理论认为社会资本的增加是网络演化的动因；博弈论认为联盟成员的策略是否具有稳定中心点是网络演化的动因。这些演化动因的梳理，可以为创新网络动态演化研究提供方向。结合生物医药行业的情况，对比 2006~2008 年与 2009~2011 年两个时间窗口，可以发现，网络规模从 34 增长至 64，网络边数由 56 增长到 74，而网络密度从 0.049 9 降低到了 0.018 4（见表 1）。随着时间的推移，创新网络中关系形成、解散、新建、删除的过程就是创新网络的动态演化，也是结盟与否的具体表现。因此，我们用网络中企业结盟概率来描述网络的动态演化。

综上所述，前人学者在创新网络的演化研究中做出了巨大贡献，主要围绕网络指标的变化来探索创新网络演化，但较多集中在对“未来”的预测或案例分析。所以不能较为全面地回答企业在不同时期依据什么因素来选择联盟伙伴这一问题。当下针对创新网络的结网过程进行动态演化机理研究的实证分析还相对较少，有待进一步补充。

（二）研究假设

创新网络的动态演化不仅反映了现实中企业联盟的生成、解散、新建、删除，还反映了企业与企业结成联盟的可能性，即结盟概率。企业以正式或非正式的联盟构成了当下的创新网络。本文旨在研究创新因素、地理因素、制度因素和组织因素四个方面共同作用下对企业结盟概率的影响，以期对企业结盟概率进行较为全面的实证分析。

首先，有学者认为企业中存在一种规划企业发展的能力，对企业创新网络的演化起着至关重要的作用，它直接影响着企业创新网络中网络关系成功构建的可能性（陈学光和徐金发，2007；Wadho and Chaudhry，2018）。企业在选取联盟伙伴的时候，会考虑到自身与联盟伙伴的创新能力问题。根据资源依赖理论，资源的稀缺以及外部环境的不确定超出单个企业的承受范围，企业为降低风险就会与外部环境或外部企业进行资源交换，并产生依赖（Pfeffer and Salancik，1978）。医药行业的创新成本极高，企业通常希望与创新能力较强的企业结成强关系联盟来规避风险，同时通过知识和技术的流动来提高创新成功的可能性；又或是与创新能力强的企业结成弱关系联盟，以此获得具有较强创新能力企业的生产授权与销售代理，来满足自己的短期绩效。由此可见，创新能力在一定程度上影响了企业的结盟概率。

其次，有学者认为地理距离近对联盟中企业之间的隐性知识传递有着正向影响，且有助于企业之间互动学习，这有利于提高企业的创新绩效（Presutti et al.，2019），但也会造成知识同质化（阮平南等，2018）。此外，地理距离近还有助于联盟成员对关系的管理，降低风险和交易费用。高昂的交易费用会使谈判破裂，而低廉的交易费用有助于抑制机会主义，并形成合约（张雨菲和茅宁莹，2020）。因此，企业是否愿意与地理距离相距较近的企业结成联盟关系，取决于企业所追求的联盟关系的紧密程度。根据社会资本理论，联盟关系的紧密程度往往影响着知识共享的程度，这个观点已被大多数学者所接受（张路蓬等，2019）。基于上述两种理论，企业在选取不同关系紧密程度的联盟伙伴时，对地理因素的考虑也不同。由此可见，地理因素在一定程度上影响了企业的结盟概率。

再次，相同制度背景的企业间拥有相近的价值观和行为规范，这可以降低联盟的不确定性，有助于联盟关系的形成（陈文婕和曾德明，2019）。相同制度的企业之间，拥有更多相似的模式、规范、法律、程序，通过相似的制度激励和协调惯例，有助于企业之间开展合作（党兴华和弓志刚，2013）。中国生物医药行业的发展相对于欧美国家存在着较大差距，这使得国内医药企业更希望与海外企业联盟，以此提高自身的创新能力。根据交易费用理论，不同制度背景下的企业虽然会带来较为新颖的知识，但这种关系容易产生较高的交易费用，不利于管理。由此可见，制度因素在一定程度上影响了企业的结盟概率。

最后，网络中主体的不同组织类型也对企业结盟的概率产生了影响。邓浩等（2016）认为网络内部、成员之间存在着某种衍生关系和“血缘”关系，这种“血统”上的关系紧密程度对创新网络的网络指标有直接影响。创新网络中的除了企业之外还包括部分高校、科研机构、中介机构及政府部门。不同组织类型的网络主体其所追求的最终目标也不尽相同。跨组织类型的交易满足的利益条件相较于同组织的更为复杂。例如，企业的根本目标是盈利；高校、科研机构最终目标是创造知识。根据交易费用理论，根本目标的多样性无形中增加了交易的费用（张运生等，2020）。联盟是否能满足自身的最终目标是其能否结成的重要因素。由此可见，组织因素在一定程度上影响了企业的结盟概率。

由此我们提出

H_1：网络成员的创新因素会促进企业的结盟概率。

H_2：网络成员的地理因素会促进企业的结盟概率。

H_3：网络成员的组织因素会促进企业的结盟概率。

H_4：网络成员的制度因素会促进企业的结盟概率。

很多学者从结构洞、网络规模、网络密度、中心性等网络指标入手研究创新网络演化。但这些网络指标与网络中的节点度（degree）和网络中的边数（edge）密不可分，基础网络指标的变化也直观反映了网络的演化。又因为本文着重于研究创新因素、地理因素、组织因素和制度因素四个演化动因，所以有必要选取网络中的基础指标作为研究的控制变量，以期能更好地控制内生性问题。

三、研究方法

（一）数据来源

本文从百度新闻、新浪新闻、巨潮网、同花顺等网站和商业期刊中搜集了 2006~2017 共计 12 年的中国生物医药行业企业联盟信息，涉及 345 个网络主体。在研究中国生物医药行业企业创新网络演化的过程中，本文依据两个标准：①每个联盟中至少有一个主体是本行业的成员；②联盟在本行业内运作。以上两个标准只要满足其一，就可以认为该联盟是生物医药行业的联盟。同时，只有当这个联盟中至少包含一个中国企业时，才认定是中国生物医药行业的联盟（赵炎和栗铮，2019）。此外，企业专利数据来源于 INNOJOY 专利检索网站（http://www.innojoy.com/search/home.html）获取；企业办公总部经纬度通过谷歌地图（http://maps.google.com）获取。

（二）强弱关系网络划分

我们将联盟关系类型分为弱关系和强关系两类。两类关系之间有一条明确的分界线，即强关系联盟中的成员需要“前期”资源投入和更频繁的互动，这意味着他们必须在实现任何利益之前对联盟进行投资，并保持定期互动；弱关系联盟中的成员间做出的资源承诺相对较少，而且这些关系在本质上更像是公平交易（Rowley，2000）。因此，股权形式、合资形式和合作研发联盟可被归类为强关系联盟；营销协议（合作营销）、许可和专利协议（多用于合作生产）被归为弱关系联盟（赵炎等，2016）。依据强弱关系联盟的分类，本文进一步构筑了强关系创新网络和弱关系创新网络。

（三）时间窗口划分

本文是网络随着时间动态演化的纵向研究，因此在划分时间窗口的过程中不必考虑行业发展史中的重大事件。参考Frenken和Fleming（2007）对于硅谷和波士顿地区发明家网络演化的研究方法，我们用均分的方法将数据的时间序列进行划分。创新网络是企业联盟在图论中的反映，企业联盟关系一般会维持1年以上，而解散日期很少报道，因此，我们需要估算联盟的持续时间长度。学者们常用1至5年作为时间窗口进行研究，所以我们沿用这种办法，并根据 Phelps（2010）的研究方法，假定企业联盟关系维持时间为3年。通过上面的方法，我们将3年作为一个时间窗口，划分为2006~2008年、2009~2011年、2012~2014年和2015~2017年共4个时间窗口，探究两种创新网络在4个时间窗口下的动态演化问题。

（四）变量设置

动态演化是一个动态的过程，关注的是不同时间网络的状态，而并非着眼于整个行业从兴起到当下的整体分析。为了进行对创新网络演化的多个维度研究，有必要将不同维度的指标整合起来，建立完整的分析框架。因此，本文将网络结构指标作为控制变量，对创新、地理、组织和制度四种因素做进一步量化处理。

1. 自变量

创新因素（Inno），本文用企业的创新能力表征。企业创新能力衡量的是企业具有创新发展的综合能力。Arundel和Kabla（1998）认为，专利是高科技行业最合适的创新绩效测量指标。在高科技行业中，企业对知识产权问题越来越重视，企业的专利授权数量能从本质上揭示该企业的创新能力。赵剑波等（2012）认为，由于专利包含着与创新意图和技术发展相关的规范化数据，因此专利可以成为衡量创新方向和创新焦点的工具。企业拥有的专利量越多，则表明其创新能力就越强。本文用网络中企业联盟行为发生前五年专利授权数量总和来表示该企业的创新能力。

地理因素（Geo），本文用地理邻近性表征。地理邻近性用来描述目标企业与网络中所有企业间的地理距离远近。目标企业的地理邻近性越大，表示它与网络中其他企业间的地理距离越近，反之越远。在得到企业的名称后，利用谷歌卫星地图查询该企业地址的经纬度（Boschma，2005）。利用 Whittington 等（2009）提出的地理邻近性测度方法，通过计算企业与企业之间的地理距离的倒数并进行归一化处理，得到两种网络 4 个不同时间窗口下的地理邻近性矩阵。计算公式如式（1）和式（2）所示：

$$D_{ij}=C\left\{\arccos\left[\sin(\text{lat}_i)\sin(\text{lat}_j)+\cos(\text{lat}_i)\cos(\text{lat}_j)\cos(|\text{long}_i-\text{long}_j|)\right]\right\} \tag{1}$$

$$\text{Geographic Proximity}_{ij}=\frac{1}{D_{ij}} \tag{2}$$

其中，D_{ij} 表示企业 i 和企业 j 之间的地理距离，long、lat 分别表示经度和纬度，C 表示英里与经纬度间的球面距离换算系数（C=3 437）。此外，如式（3）所示，本文对地理邻近性矩阵中的每一元素做了归一化处理。最终确定的地理邻近性为 0~1 的连续变量。地理邻近性越大，表明两个企业之间的距离越小。

$$\text{Geo}_{ij}=\frac{\text{Geographic Proximity}_{ij}}{\max \text{Geographic Proximity}_{ij}} \tag{3}$$

制度因素（Ins），本文用制度邻近性表征。制度邻近性是指在宏观框架下的国家或地区规章制度的相似性。联盟主体的制度相似，意味着其拥有更多的共同约束、共同文化。本文通过考察不同企业所属的制度框架，将联盟主体分为两类（Heanue and Jacobson，2001），中国大陆企业（Institution=1），非中国大陆企业（Institution=2）。并对中国大陆企业赋值为 1，非中国大陆企业赋值为 2，构建制度邻近性矩阵。计算方法如式（4）和式（5）所示：

$$\text{Ins}_{ij}=1,\ \text{Institution}_i=\text{Institution}_j \tag{4}$$

$$\text{Ins}_{ij}=0,\ \text{Institution}_i\neq\text{Institution}_j \tag{5}$$

组织因素（Org），本文用组织邻近性表征。组织邻近性目前的测度方法包括：①企业之间是否同属于一个母公司，受到组织结构和层级的约束情况；②企业之间是否具有类似的管理机制和激励机制（Lazzeretti et al.，2017），强调企业的不同性质（企业、大学或者科研机构）。样本搜集到的生物医药联盟中除了企业占据主体外，还有部分政府部门、高校、科研机构、医院和协会。本文沿用第二种测度方法将联盟成员分为两类：企业（Organization=1）和非企业（Organization=2）。构建组织邻近性矩阵。计算方法如式（6）和式（7）所示：

$$\text{Org}_{ij}=1,\ \text{Organization}_i=\text{Organization}_j \tag{6}$$

$$\text{Org}_{ij}=0,\ \text{Organization}_i\neq\text{Organization}_j \tag{7}$$

2. 控制变量

为了进一步还原现实网络演化环境，本文选取了网络基础结构指标作为控制变量来探究自变量对网络演化影响。

网络边数（Edge）：网络边数是指该时间窗口下创新网络中有多少两两相连的关系。

节点度（Degree）：节点度是指该时间窗口下创新网络中目标企业的联盟伙伴个数。

3. 因变量

企业结盟概率（alliance possibility）：创新网络中，不同的企业拥有其独立的性质，同时也被这些性质影响着下一步选取结盟伙伴的趋势，也就是影响着网络的演化方向。利用指数随机图模型对生物医药行业进行演化，可以研究出哪些指标对企业结盟概率产生了影响，在下文会进一步介绍。

（五）演化模型

本文选取指数随机图模型（exponential random graph models，ERGM），根据网络现状抓取网络结构与网络节点属性，综合网络演化的因素对网络中企业下一步结盟的概率进行参数估计（Barabási and Albert，1999）。以此来探究各个因素在强关系与弱关系创新网络演化过程中的作用机制。

ERGM 模型是一种使用蒙特卡罗最大似然（MCMC）方法的 Logit 模型，它的因变量是两个节点之间形成连接（tie-formation）的概率（Snijders et al.，2006，2010；Frank and Strauss，1986）。与传统的回归模型相比，指数随机图模型是一种更高级的方法，且不再限制指标之间的自相关关系。ERGM 的基础模型如式（8）所示：

$$P(Y=y|X)=\exp\left[\theta^{\mathrm{T}}g(n,M)\right]/k(\theta) \quad (8)$$

其中，Y表示网络中所有可能的连接关系；y表示网络节点间一种具体的连接关系；X表示网络现状。$g(n,M)$为网络的统计量，是一个向量，网络统计量包括两部分：n 为网络结构的统计量，Y 为网络节点属性的统计量。θ为网络统计量的系数，是一个向量。$1/k(\theta)$为归一化常数，它可以确保模型中节点形成链接的概率之和为 1。因此本文选取 $P(Y=y|X)$为企业结盟概率作为因变量。基于此，建立模型（9）如下：

$$P(Y|y=X)=1/k(\theta)\exp\begin{bmatrix}\theta_1^{\mathrm{T}}g(\mathrm{Edge})+\theta_2^{\mathrm{T}}g(\mathrm{Degree})+\theta_3^{\mathrm{T}}g(\mathrm{Inno})\\+\theta_4^{\mathrm{T}}g(\mathrm{Geo})+\theta_5^{\mathrm{T}}g(\mathrm{Org})+\theta_6^{\mathrm{T}}g(\mathrm{Ins})\end{bmatrix} \quad (9)$$

四、数据分析与结果讨论

（一）生物医药行业创新网络描述性统计与可视化

1. 强关系网络与弱关系网络描述性统计

根据样本数据做出我国生物医药行业联盟创新网络两种网络四个时间窗口的基本统计，见表 1、表 2。

表 1　强关系创新网络的基本统计

网络指标	2006~2008 年	2009~2011 年	2012~2014 年	2015~2017 年	总计
网络规模	34	64	87	131	316
网络密度	0.049 9	0.018 4	0.041 2	0.052 3	—
边数	56	74	308	890	1 328
平均路径长度	1.067	1.14	1.445	2.585	—
集聚系数	0.968	0.667	0.831	0.932	—
大陆网络主体/占比	32/94%	46/72%	70/80%	122/93%	270/86%
企业数量/占比	33/97%	61/95%	65/75%	112/85%	271/86%

表 2　弱关系创新网络的基本统计

网络指标	2006~2008 年	2009~2011 年	2012~2014 年	2015~2017 年	总计
网络规模	38	55	64	137	294
网络密度	0.066 9	0.021 4	0.034 7	0.051 3	—
边数	94	66	140	956	1 256
平均路径长度	1.078	1.154	1.014	2.777	—
集聚系数	0.833	0.667	0.963	0.92	—
大陆网络主体/占比	32/84%	38/69%	50/78%	126/92%	246/83%
企业数量/占比	37/97%	53/96%	40/63%	121/88%	251/85%

如表 1 所示，四个时间窗口中网络规模、边数、平均路径长度在不断增加，而网络密度和集聚系数有一定的波动。2006~2017 年共计 316 个网络主体参与构建强关系创新网络。其中企业有 271 家，占比为 86%；大陆网络主体有 270 家，占比 86%。

如表 2 所示，弱关系创新网络四个时间窗口中的网络规模、网络密度、边数、平均路径长度、集聚系数与强关系网络差异不大。2006~2017 年共计 294 家网络主体参与构建弱关系创新网络，其中企业有 251 家，占比 85%；大陆网络主体有 246 家，占比 83%，相较低于强关系创新网络。

2. 强关系网络与弱关系网络初始网络可视化

图 1 与图 2 是 4 个时间窗口的生物医药行业强关系创新网络与弱关系创新网络可视化图像，可以直观地看出网络随着时间的动态演化，节点数目不断增加，网络连接关系也变得增多。值得注意的是在时间窗口 1 下的弱关系创新网络中已经出现了较为复杂集群，其中也包含着派系（全连通子图），由此可见初期的弱关系创新网络的集聚系数要比强关系创新网络高。

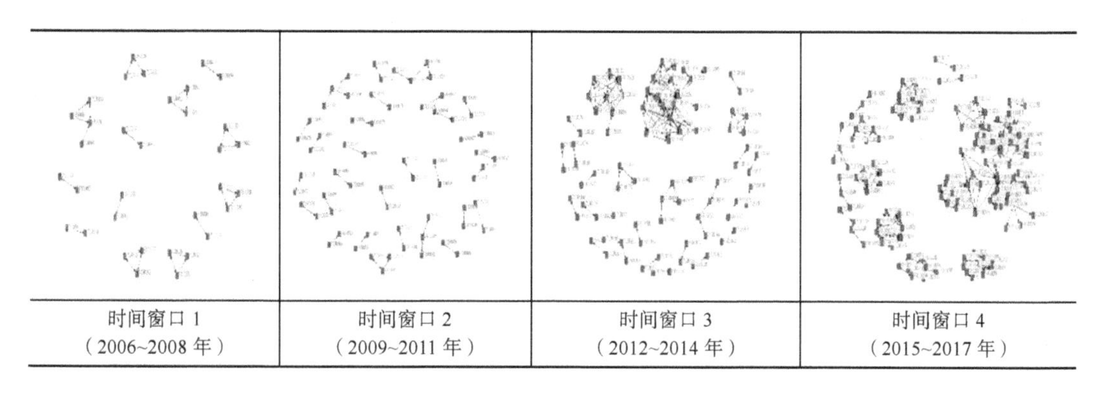

图 1　生物医药行业强关系创新网络可视化

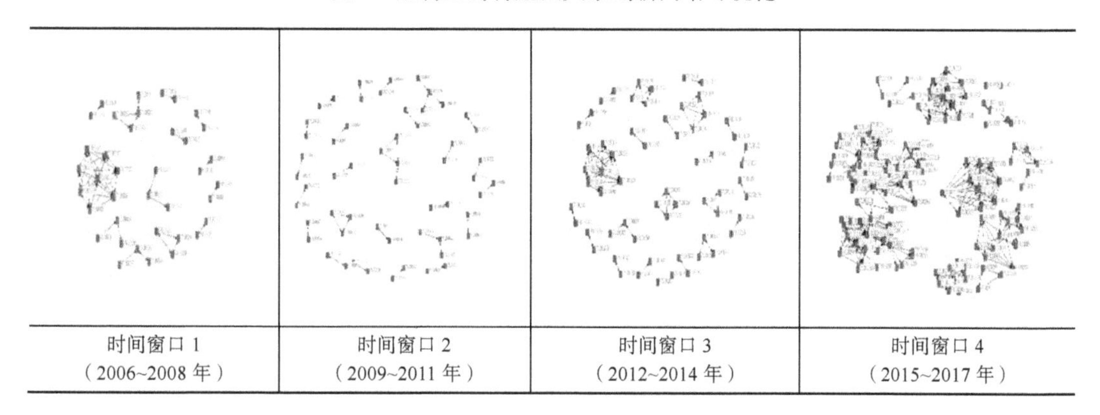

图 2　生物医药行业弱关系创新网络可视化

（二）ERGM 模型参数估计

利用 4 个时间窗口的 2 个控制变量和 4 个自变量，借助 R 软件 statnet，输出企业结盟概率的参数估计结果。

1. 强关系创新网络参数估计结果与讨论

如表 3 所示，在模型放入自变量后 AIC 和 BIC 值比放之前小，说明模型拟合程度更好。在强关系创新网络动态演化过程中，创新能力作为企业自身的性质，在时间窗口 4 中显著正向影响企业结盟概率。在强关系创新网络动态演化过程中，创新能力对时间窗口 4 中的企业联盟概率具有显著的正向影响（表 3）。究其原因，2005~2017 年的中国生物医药企业正在寻求深入的技术研发，并希望通过联盟支持这项创新的发展。企业自身的创新能力越高，与其他企业建立强关系的可能性就越大。

表 3　强关系创新网络 ERGM 模型结果输出

变量	时间窗口 1（2006~2008 年）		时间窗口 2（2009~2011 年）		时间窗口 3（2012~2014 年）		时间窗口 4（2015~2017 年）	
	Model1	Model2	Model3	Model4	Model5	Model6	Model7	Model8
Edges	-3.35^{***}	-3.85^{***}	-3.77^{***}	-3.60^{***}	-3.25^{***}	-4.61^{***}	-2.84^{***}	-5.25^{***}

续表

变量	时间窗口 1（2006~2008 年）		时间窗口 2（2009~2011 年）		时间窗口 3（2012~2014 年）		时间窗口 4（2015~2017 年）	
	Model1	Model2	Model3	Model4	Model5	Model6	Model7	Model8
Degree	1.51***	1.52***	−1.06**	−1.06*	−0.88**	−0.86*	1.14**	0.17
Inno		0.000 3		1.00		0.61		0.68***
Geo		−4.53***		−0.17		3.11**		10.22***
Ins		0.29**		0.14		1.19***		0.48**
Org		0.08		−0.67*		0.63***		1.87***
AIC	210	212	365.8	368.2	1 282	1 237	3 491	3 279
BIC	218.7	238	377	401.8	1 294	1 274	3 505	3 321

***、**、*分别表示 $p<0.001$、$p<0.01$、$p<0.05$

地理邻近性在时间窗口 1 中对企业结盟概率产生显著的负向影响，在时间窗口 3 和时间窗口 4 中则对企业结盟概率产生显著的正向影响（表 3）。这表明在 2006~2017 年中，我国生物医药企业在选择强关系联盟伙伴时在地理上是一个由远及近的过程。具体而言，中国生物医药企业在 2006~2008 年倾向于与国外（地理邻近性低）拥有先进技术的企业结成强关系型联盟，避免本地知识同质化，这在一定程度上支持了 Letaifa 和 Rabeau（2013）的研究。但是，在随着通信技术、交通运输业的发展，地理问题已经不再是企业选择联盟伙伴时考虑的主要问题。当企业希望建立强关系联盟时，地理上的接近更有利于合作伙伴之间加深了解与信任，促进知识的流动，降低创新的不确定性，从而促进企业结盟概率。

制度邻近性在时间窗口 1、3 和 4 中对企业结盟概率呈现显著的促进作用，在时间窗口 2 中对企业结盟概率也呈现出促进作用但不显著（表 3）。这表明在 2006~2017 年具有相同文化和制度背景的企业更容易结成联盟，相同的制度环境是企业开展联盟活动的重要因素。这一结论支持了 Giuliani（2013）的观点，制度邻近性在企业之间发挥着“黏合固定”作用，是企业间建立关系的基础因素。并且，它可以减少创新网络中企业进行合作中的不确定性和冲突。

组织邻近性在时间窗口 2 中对企业结盟概率产生抑制作用，在之后的时间窗口 3 和 4 中表现出对企业结盟概率的促进作用（表 3）。在样本数据中以企业为主，而非企业类型的组织（高校、科研院所、医院、政府部门）较少（表 1）。这表明强关系创新网络中的企业在 2009~2011 年中更倾向于成立产、学、研形式的联盟，而到了 2012~2017 年更倾向于成立企业与企业之间的联盟关系。

图 3 为强关系网络 ERGM 模型模拟分位数图，四个时间窗口的模拟分位数图纵坐标表示拟合区间；横坐标为 6 个变量，依次为 Edges、Degree、Inno、Geo、Ins 和 Org（2 个控制变量和 4 个自变量）。6 个变量均位于箱体的中位线附近，说明拟合度良好，从而支持了表 3 得到的数据结果。

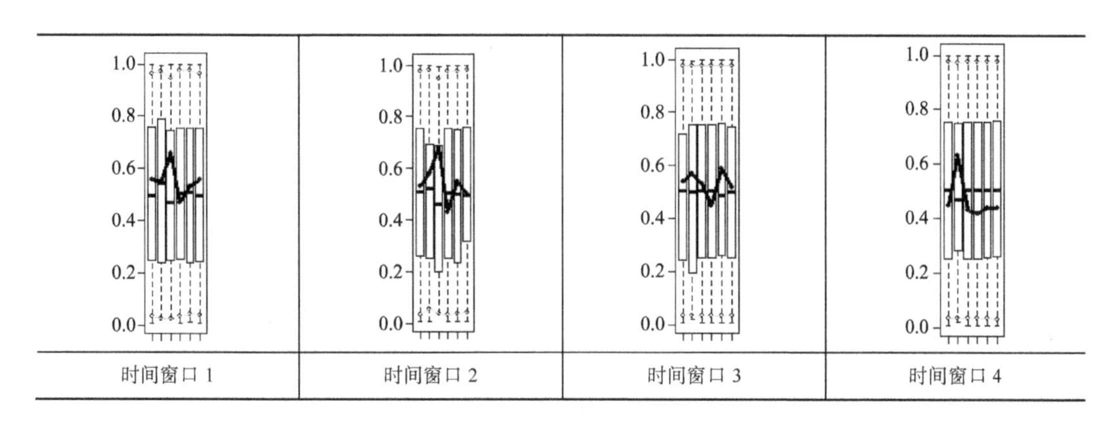

图 3 强关系网络 ERGM 模型模拟分位数图

2. 弱关系创新网络参数估计结果与讨论

在弱关系创新网络动态演化过程中，创新能力仅在时间窗口 1 和时间窗口 2 中对企业联盟概率有显著的正向影响（表 4）。这表明 2006~2011 年中，中国生物医药企业希望通过与高创新能力的企业结盟来提高其短期绩效。然而，2012 年后这种行为戛然而止。

表 4 弱关系创新网络 ERGM 模型结果输出

变量	时间窗口 1（2006~2008 年）		时间窗口 2（2009~2011 年）		时间窗口 3（2012~2014 年）		时间窗口 4（2015~2017 年）	
	Model9	Model10	Model11	Model12	Model13	Model14	Model15	Model16
Edges	-2.68^{***}	-3.78^{***}	-3.63^{***}	-3.35^{***}	-3.36^{***}	-4.86^{***}	-2.84^{***}	-5.11^{***}
Degree	−0.48	−0.44	-0.93^{*}	-0.93^{*}	-1.12^{**}	-0.99^{*}	1.30^{**}	0.29
Inno		3.27^{***}		1.26^{*}		−0.000 5		−0.000 1
Geo		1.73^{*}		−39.02		−0.06		1.15^{***}
Ins		−0.2		0.08		0.50^{*}		0.57^{**}
Org		1.14		0.69^{*}		1.61^{***}		1.95^{***}
AIC	347.7	332.4	317.8	319.1	601.7	580	3 795	3 664
BIC	356.8	359.9	328.4	351.2	612.9	613.9	3 810	3 707

***、**、*分别表示 $p<0.001$、$p<0.01$、$p<0.05$

地理邻近性这一因素在时间窗口 1 和时间窗口 4 中显著促进了企业结盟概率，其他窗口均不显著（表 4）。这表明中国生物医药企业早期阶段（2006~2008 年）在选取弱关系型联盟伙伴时倾向于与地理距离相对较近的企业展开合作。2009~2014 年曾尝试与地理距离相对较远的企业合作（地理邻近性不显著），寻求异质性的知识、技术。但随着互联网络的发展，过保护期的专利技术获取难度降低，2015~2017 年中国生物医药企业不再需要跨越地理距离去追求更深入更高质量的知识，转而将更多精力投入对现有产品和技术的改进和开发。

制度邻近性在时间窗口 1 和 2 中不显著，但是在后两个时间窗口中对企业结盟概率产生正向影响（表 4）。这与强关系创新网络演化过程相似，再次表明了当下相同的制度背景对企业结盟概率的重要促进作用。

组织邻近性在时间窗口 2、3 和 4 中均对企业结盟概率产生促进作用（表 4）。在弱关系创新网络中的企业，从 2009~2011 年起就从倾向于成立产、学、研型的联盟转变为倾向于成立企业与企业之间的联盟。这可以看出我国生物医药行业创新主体发生了转变，逐渐由大学、科研院所转变为企业。

图 4 为弱关系创新网络 ERGM 模型模拟分位数图，4 个时间窗口的模拟分位数图的横纵坐标与图 3 一致，表示拟合区间和 6 个变量。6 个变量（2 个控制变量和 4 个自变量）均位于箱体的中位线附近，说明拟合度良好（图 4），从而支持了表 4 得到的数据结果。

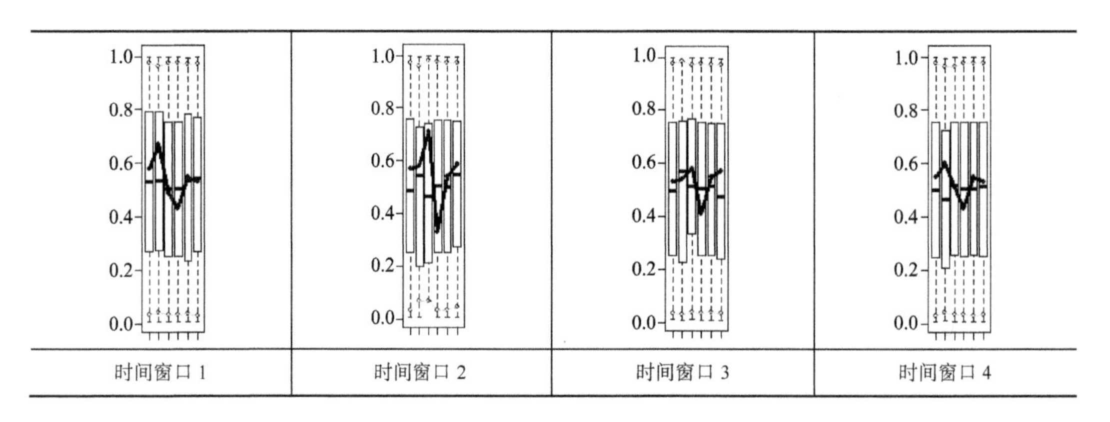

图 4　弱关系创新网络 ERGM 模型模拟分位数图

对比两种网络，我们发现制度邻近性在弱关系创新网络中的影响时间相对滞后于强关系创新网络。经分析，强关系联盟的合作紧密程度较深，合作产出也更为新颖，其成果往往以新药的形式呈现。弱关系联盟的合作紧密程度较为浅，合作产出也较为普通，其成果往往以仿制药的形式产生。在中国，新药相对于仿制药的审批过程更为严格，历时周期更长。追求弱关系联盟的企业在早期倾向于快速获取知识技术用于指导生产，以此快速增加短期绩效。但是，随着药品审批注册管理单位的更替，2013 年（时间窗口 3 内）药品注册监管部门由国家食品药品监督管理局变更为国家食品药品监督管理总局。提高了仿制药的等效试验方面的门槛，审批历时长度也随之增加。这在一定程度上抑制了追求弱关系型联盟的企业快速提高短期绩效的行为发生。因此，两种网络中的企业都开始倾向于发展相同制度下的联盟关系以减少不确定性和冲突，从而保证稳定发展。

此外，我们还发现组织邻近性在强关系创新网络中的影响时间滞后于弱关系创新网络。说明强关系创新网络中中国生物医药企业对于选择伙伴的改变（由大学、科研院所到企业）时间滞后于弱关系创新网络。这符合中国知识、技术的发展路线。相较于希望结成弱关系联盟的企业，希望结成强关系联盟的企业所追求的知识和技术往往更为先进和优质。早期我国生物医药知识技术多集中在高校和科研院所中。随着我国生物医药行业的发展，企业的创新能力逐步增强，拥有的知识、技术逐步提升，甚至优于高校和科研院所。这使得我国生物医药企业更倾向于企业（而非高校和科研院所）结成强关系联盟，以追求更为先进和优质的知识和技术。

五、结论、启示及局限性

（一）结论

本文以中国生物医药行业创新网络为例，搜集了该行业2006~2017年联盟信息，并根据联盟关系特征划分为强关系创新网络和弱关系创新网络。借助ERGM模型进行了相关性分析，探明了创新、地理、制度和组织四种因素对创新网络动态演化的影响机制。

在强关系创新网络动态演化过程中，企业寻求强关系联盟伙伴的取向表现为，创新能力由弱到强；地理距离由远到近；制度上保持相近的背景；组织类型由大学和科研院所转变为企业。

在弱关系创新网络动态演化过程中，企业寻求弱关系联盟伙伴的取向表现为，创新能力由强到弱；地理距离由近到远再到近；制度上保持相近的背景；组织类型由大学和科研院所转变为企业。

（二）启示

回顾研究结论，再次凸显创新网络动态演化研究的必要性。同一因素随着网络演化所起到的作用也会不同，动态地研究行业创新网络结网历史有助于更深入地梳理企业在选取理想联盟伙伴时的取向的动态变化。通过观察两种网络的时间窗口 4，可以得出：第一，当下中国生物医药企业更倾向于寻求创新能力强、地理距离近、组织类型相同、归属相同制度框架下的联盟伙伴结成强关系型联盟；第二，希望发展弱关系联盟的生物医药企业在选择联盟伙伴的时候更关注地理、组织、制度的相近，而对于创新能力不作为重点考虑因素。以期为企业选取联盟伙伴时提供理论参考。

（三）局限性

本文所选行业具有一定的独特性，所得结论是否适用于其他行业的创新网络演化规律有待进一步探讨。此外，本文着重分析了显著促进和抑制生物医药行业创新网络演化的因素，对于不显著因素的分析还不够完善。在梳理文献过程中，发现当下有关创新网络演化相关关系的实证研究还较少，影响网络演化的各种因素之间的关系尚缺乏深入的讨论，可作为未来的研究方向。

参 考 文 献

陈健，高太山，柳卸林，等. 2016. 创新生态系统：概念、理论基础与治理. 科技进步与对策，

（17）：153-160.
陈文婕，曾德明. 2019. 低碳技术合作创新网络中的多维邻近性演化. 科研管理，40（3）：30-40.
陈学光，徐金发. 2007. 基于企业网络能力的创新网络研究. 技术经济，26（3）：42-44.
党兴华，弓志刚. 2013. 多维邻近性对跨区域技术创新合作的影响——基于中国共同专利数据的实证分析. 科学学研究，31（10）：1590-1600.
邓浩，贺小刚，肖玮凡. 2016. 亲缘关系与家族企业的高管变更——有限利他主义的解释. 经济管理，38（10）：66-86.
盖文启. 2002. 创新网络：区域经济发展新思维. 北京：北京大学出版社.
刘伟，夏立秋. 2018. 网络借贷市场参与主体行为策略的演化博弈均衡分析——基于三方博弈的视角. 中国管理科学，26（5）：169-177.
阮平南，栾梦雪，刘晓燕. 2018. 多维邻近性对创新网络组织间知识转移影响研究——基于OLED产业专利数据. 科技管理研究，38（17）：157-166.
田钢，张永安. 2010. 集群创新网络演化的动力模型及其仿真研究. 科研管理，31（1）：104-115.
王松，杨根福. 2018. 网络与集群互补视角下企业技术创新影响机制研究. 科技进步与对策，35（9）：74-83.
魏龙，党兴华. 2017. 网络权力、网络搜寻与网络惯例——一个交互效应模型. 科学学与科学技术管理，（2）：138-149.
杨若愚. 2016. 市场竞争、政府行为与区域创新绩效——基于中国省级面板数据的实证研究. 科研管理，37（12）：73-81.
余谦，刘嘉玲. 2018. 技术邻近动态下创新超网络的演化机理研究. 科学学研究，36（5）：946-954.
詹坤，邵云飞，唐小我. 2016. 联盟组合构型网络动态演化研究. 科研管理，37（10）：93-101.
张路蓬，薛澜，周源，等. 2019. 社会资本引导下的新兴产业技术扩散网络形成机理与实证研究. 中国软科学，339（3）：39-50.
张雨菲，茅宁莹. 2020. 基于交易成本理论的高校医药科技成果转化困境成因分析. 科学管理研究，234（1）：32-38.
张运生，陈瑟，林宇璐. 2020. 高技术产业专利池技术扩散效应研究. 情报杂志，39（1）：170，198-204.
赵剑波，杨震宁，王以华. 2012. 政府的引导作用对于集群中企业创新绩效的影响：基于国内科技园区数据的实证研究. 科研管理，33（2）：11-17.
赵炎，栗铮. 2019. 适度站队：派系视角下创新网络中企业创新与结派行为研究. 研究与发展管理，31（2）：102-109.
赵炎，王琦，郑向杰. 2016. 网络邻近性、地理邻近性对知识转移绩效的影响. 科研管理，37（1）：128-136.
Amaral An L，Scala A. 2000. Classes of small-world networks. Proceedings of the National Academy of Sciences of the United States of America，97（21）：11149-11152.
Arundel A，Kabla I. 1998. What percentage of innovations are patented? Empirical estimates for European firms. Research Policy，27（2）：127-141.
Barabási A L，Albert R. 1999. Emergence of scaling in random networks. Science，286（5439）：509-512.
Boschma R. 2005. Rethinking regional innovation policy//Fuchs G. Rethinking Regional Innovation and Change. New York：Springer：249-271.
Choi J，Hyun A S，Cha M S. 2013. The effects of network characteristics on performance of innovation clusters. Expert Systems with Applications，40（11）：4511-4518.
Colombo M G. 2003. Alliance form：a test of the contractual and competence perspectives. Strategic Management Journal，24（12）：1209-1229.
Frank O，Strauss D. 1986. Markov graphs. Journal of the American Statistical Association，81（395）：832-842.
Frenken K，Fleming L. 2007. The evolution of inventor networks in the Silicon Valley and Boston regions. Advances in Complex Systems，10（1）：53-71.
Giuliani E. 2013. Network dynamics in regional clusters：evidence from Chile. Research Policy，42（8）：

1406-1419.

Heanue K, Jacobson D. 2001. Organizational proximity and institutional learning: the evolution of a spatially dispersed network in the Irish furniture industry. International Studies of Management, 31 (4): 56-72.

Hong W, Su Y S. 2013. The effect of institutional proximity in non-local university-industry collaborations: an analysis based on Chinese patent data. Research Policy, 42 (2): 454-464.

Lazzeretti L, Innocenti N, Capone F. 2017. The impact of related variety on the creative employment growth. The Annals of Regional Science, 58 (3): 491-512.

Letaifa S B, Rabeau Y. 2013. Too close to collaborate? How geographic proximity could impede entrepreneurship and innovation. Journal of Business Research, 66 (10): 2071-2078.

Pfeffer J, Salancik G R. 1978. The External Control of Organizations: A Resource Dependence Perspective. New York: Harper & Row.

Phelps C. 2010. A longitudinal study of the influence of alliance network structure and composition on firm exploratory innovation. Social Science Electronic Publishing, 53 (4): 890-913.

Presutti M, Boari C, Majocchi A, et al. 2019. Distance to customers, absorptive capacity, and innovation in high-tech firms: the dark face of geographical proximity. Journal of Small Business Management, 57 (2): 343-361.

Rostow W W. 1959. The stages of economic growth. Economic History Review, 12 (1): 1-16.

Rowley T, Behrens D, Krackhardt D. 2000. Redundant governance structures: an analysis of structural and relational embeddedness in the steel and semiconductor industries. Strategic Management Journal, 21 (3): 369-386.

Snijders T A, Bunt G, Steglich C. 2010. Introduction to stochastic actor-based models for network dynamics. Social Networks, 32 (1): 44-60.

Snijders T A, Pattison P E, Robins G L, et al. 2006. New specifications for exponential random graph models. Sociological Methodology, 36 (1): 99-153.

Wadho W, Chaudhry A. 2018. Innovation and firm performance in developing countries: the case of Pakistani textile and apparel manufacturers. Research Policy, 47 (7): 1283-1294.

Whittington K B, Owen-Smith J, Powell W W. 2009. Networks, propinquity, and innovation in knowledge-intensive industries. Administrative Science Quarterly, 54 (1): 90-122.

马斯克的创业叙事及其可能的创新管理启示*

王成军　徐雅琴　徐瑞贤　方　明

摘要：近些年来，马斯克及其创业案例话题颇多，渐随各种新闻报道、网络传播引发热议，从大学-产业-政府-公众四重螺旋伙伴关系创新模型的第四螺旋即民间抑或公众参与角度来看，形成了“马斯克现象”或“马斯克热潮”。那么，国内学术界应该如何回应或认真看待其中的奥秘、缘由以及可能性的管理解释、创新启示、价值借鉴、启迪意义抑或冷静思考？再有就是，其本身只是一个简单偶然的特例，还是具有一定的内在普遍性？为此，这里借助于创业叙事理论工具深入挖掘并剖析了太空探索公司的创始人马斯克早期的4次创业历程，即从以互联网为载体的网络信息公司到贝宝（Paypal），再跨界创业到太空探索和特斯拉这样的高科技公司。回顾马斯克的创业历程，不难发现其每一次创业都是一次跨越式的创新，都在引领着时代的潮流。通过对马斯克创业历程及其个人特质的叙事分析，我们给出了对中国创业者的五点创新管理启示：第一，要有宽广视野；第二，顺应时代潮流；第三，能够高效学习；第四，运用生态思维；第五，认知第一原理。

关键词：马斯克　创业历程　创业叙事　创新管理

中图分类号：F124.3　F091

一、问题的提出

中国以往的经济发展主要是依靠要素驱动，即依靠各种生产要素的投入（如土地、资源、劳动力等）获取动力动能来促进经济增长的发展方式。随着经济的纵深发展，这种模式出现了环境污染、资源短缺等诸多问题。中国政府提出要将经济的发展由要素驱动转换为创新驱动以提高经济发展质量，即主要依靠科学技术的创新带来的效益来实现集约的增长方式，用技术变革提高生产要素的产出率。2014 年李克强总理在夏季达沃

---

* 基金项目：安徽省哲学社会科学规划重点项目研究成果（AHSKZ2021D04）。

作者简介：王成军，男，安徽利辛人，安徽财经大学工商管理学院教授，管理学博士，硕士生导师，研究方向为创新创业管理、官产学三重螺旋、技术创新及管理、游乐园运营管理。邮箱：994627740@qq.com。徐雅琴，女，安徽马鞍山人，安徽财经大学工商管理学院硕士生，研究方向为创新创业管理、创新城市管理。方明，男，安徽安庆人，安徽财经大学工商管理学院硕士生，研究方向为创新绩效比较。徐瑞贤，男，学士，合肥沛顿存储科技有限公司，研究方向为技术创新及管理。

斯论坛上首次提出“大众创业、万众创新”。2015 年李克强总理在政府工作报告中正式提出“中国制造 2025”计划，通过努力实现中国制造向中国创造、中国速度向中国质量、中国产品向中国品牌三大转变。创新创业是很长一段时间实现伟大复兴中国梦的主基调和主赛道。

伴随着太空探索公司（Space X）通过猎鹰九号火箭将卫星成功送往近地轨道并成功实现火箭回收，继美国的阿波罗计划、航天飞机坠毁之后，马斯克创立的太空探索公司开启了美国载人航天的新时代。继而，马斯克提出“星链计划”和登陆火星的战略规划，其特斯拉公司海外工厂在中国上海设立并量产。这些引发了人们对在乔布斯去世多年之后的技术创新者马斯克本身及其持续创业实践话题的关注与前沿聚焦。据麦克斯发布的《2019 年中国大学生就业报告》，中国的大学生创业成功率只有 5%，95%的新创企业不到三年就会倒闭。但是，回顾马斯克的创业历程可以发现，他创立的企业基本上都能很好地存活下来或者以高价格被其他公司收购。这里通过对马斯克的创业历程进行分析，进而认识到创业过程中可能存在的问题，探究马斯克是如何采取措施让自己的公司一次又一次化险为夷的，让创业者从中得到启示启发，为其创业之路提供一定的借鉴诀窍。

中国想要成为世界强国也迫切需要如同马斯克一样的企业家通过高科技创新创业带动经济高质量的发展。现有学者对马斯克的研究主要集中在太空探索和特斯拉两家公司，但对马斯克前两次创业的关注相对不多。总体上来讲，前人对于马斯克这一独特的持续性创新创业现象的研究还显得不够。进一步，从创业叙事视角对马斯克创业行为的研究至今未见。为此，这里一方面借助于创业叙事尽可能揭示出马斯克的创业经历，另一方面也思考马斯克能够取得创业成功的原因，同时将中国的创业者与马斯克做相应对比，研究“马斯克之问”，以及如何能够培养出中国的马斯克展开讨论。相对于已有研究，该文的研究价值在于将马斯克创业过程进行系统梳理，并对每一次的创业进行适当分析和凝练思考，从微观（个人特质）和宏观（社会环境）两个层面深度剖析并尝试回答“马斯克之问”，进一步得出相应价值结论及其对中国创业者的管理启示。

二、概念界定及其相关理论

（一）创业叙事的概念界定

克兰迪宁（2012）将“叙事探究”作为一种独立的方法论加以确立。创业叙事，即创业过程中出现过的与文本内容、言语内容等一切和语言挂钩的所有因素的集合体。它不只是平时所了解到的商业计划书和新闻发布会上谈论的内容以及记录下来的视频与文字等，也包括资金筹措、技术模型塑造、客户关系维护等一系列与创业过程有关的语言、文本、视频这一切可记录创业过程的数据。创业者的创业意向会在自我行动展开中与各种文化社会环境交互结合，从而构成了创业叙事的核心聚焦。再者，创业者们总是通过叙事的方式给他者带来体验创业者创业时的情景。创业者人设的形成、创业过程中的协调与整合、创业方向凝练、创业愿景描绘都是以创业叙事为基础而得以体现的。为满足科研需求，以往的研究者们一般只关注特别的创业叙事，只聚焦在创业叙事对创业过程中绩效起到的作用。

（二）创业叙事的相关研究

1. 叙事与创业机会识别

董延芳和张则月（2019）发现专用人力资本、普通人力资本和社会资本高的人都更容易识别创业机会，普通人力资本还调节了专用人力资本与创业机会识别的作用关系。侯军利和王伟光（2019）研究发现创业者和创业团队所表现出的企业家精神对创业活动选择及创业过程行为决策至关重要。汪忠等（2019）实证研究结果表明：创业者经验对社会企业绩效有显著正向影响，机会识别起部分中介作用。

从某种角度上来说，我们可以把创业看作创业者识别和挖掘创业机会的过程。Garud 和 Giuliani（2013）以发现和创造（discovery and creation）为创业机会研究的基础，提出从叙事的角度出发去探索在创业者在创业过程中的机会问题。创业可以视为创业者识别、把握、挖掘并善于有效利用创业机会的过程。Gumpert 和 Stevenson（1985）发现视角和创造视角的注重点是不同的，前者认为洞察力强的创业者可以捕获外界的创业机会，它强调的是情景，而后者认为创业机会是通过创业者主观创造性想象出来的，它所强调的是潜文本的创业愿景。叙事视角通过研究创业者的实践活动，从中构建与创业相关的意义，创业者把过去、现在及未来的创业实践活动转换为可以理解的叙事，这便形成了创业机会。叙事把创业者的创业历程总结为富有深意的故事性文本，并不是肯定或是否定事实，而是把创业历程的真实事件赋予深意。

2. 叙事与创业资源获取

王玲玲和赵文红（2017）实证结果显示：新企业运营资源获取分别与适应能力和新企业绩效具有倒U形关系，适应能力在运营资源获取与新企业绩效的倒U形关系中起到了中介传导作用；而新企业知识资源获取分别与适应能力和新企业绩效具有U形关系，适应能力在知识资源获取与新企业绩效的 U 形关系中起到了中介传导作用。刘畅等（2016）研究结果表明，宽泛的创业者社会网络有利于企业获得多元化创业资源进而转化为农村微型企业创业绩效。创业者有关未来的创造性规划塑造其有关过去的选择性回顾。Garud 等（2010）认为：在识别创业机会和挖掘创业机会的过程中，资源是最重要的因素，获取资源的多少直接影响着创业活动的成败。我们从叙事的角度来看，文本和话语不仅可以作为获得创业资源的工具，而且还能够当成构建创业过程的关键性要素。

创业叙事的有效程度能够决定资源的来源、类型及多寡，对资源的获取过程起直接影响作用。Martens 等针对高新技术行业中第一次向公众招募股份的公司募集资金进行分析时发现：叙事的语言表达对创业资源获取有三个方面的推动作用（Pahnke et al., 2015）。其一，叙事的语言表达能够清晰、简洁地描述出企业的资产情况，进而对公司潜在投资人的投资意愿产生影响，帮助公司更好地获取资源。其二，好的叙事表达能够使潜在投资人更好地了解公司战略信息，帮助投资人发现隐藏的投资价值，进而影响公司的资源获取。其三，精彩的创业故事能够进一步对潜在投资人产生吸引，让潜在投资人充分了解公司项目的差异性，同时又不会令潜在投资人产生俗套的感受。这些针对初次向公众募集资金的高新企业的研究，很好地说明了创业叙事表达能够降低潜在投资人对公司风险的感知、发觉，对潜在投资人的投资行为起到激励作用。

3. 叙事与创业创新

成功的创业活动与创新密不可分，对于技术创业尤其如此。创新对于创业活动来说是至关重要的，尤其是对于一些技术性公司。创业叙事能够从多个不同的角度对创新创业的过程起到关键作用。例如，运用创业意义的启发推动我们形成创新想法、运用情景化的语言叙述来提高创新过程中的被认可度，以及通过人员对话交流来推动创新实践的演变。Crossan 等在 1999 年提出了 4I 学习框架，分别为直觉、阐释、整合及制度化（intuiting、interpreting、integrating、institutionalizing），这四点可以作为组织创新的基础。在创新过程中，这 4I 框架与创业叙事有着不可分割的关系（Pahnke et al., 2015）。首先，创业者的直觉来源于经验叙事，创业者的阐释需要创业者个人运用文字、语言等叙事元素对个人的想法进行介绍和叙述，整合则需要创业者对各个成员介绍自己的想法并且相互讨论达成共识，制度化是各成员在长期的互动交流中得到的结果。

4. 叙事与制度创业

张秀娥和孟乔（2018）分析 2012~2016 年中国创业制度环境，并同创新驱动经济体对比，研究发现：中国创业者的高地位及媒体对创业的高度关注表明社会公众对创新创业活动的高认可和高评价。包佳妮等（2017）通过江苏省 7 个城市的实证研究发现，非正式制度特别是社会网络对创业者的创业认知的安排脚本、意愿脚本和能力脚本有正向作用。在我国，非正式制度对创业者的影响更重要。在制度创业中，文本构成了制度化的基础，叙事则发挥了至关重要的作用。制度创业者需要利用叙事技巧和能力去说服在当下制度中的执行人做出改变，动员他们参与到制度的适度调整、更新与重构当中，在更变、废除现有制度的同时不能与其他人员有冲突，要与这些人和睦相处。要做到这一点，需要制度创业者运用话语及修辞策略去创建合理的新制度结构，这一点是极为重要的。制度创业者在让人们了解改变制度的必要性的同时，也要把创新点形容成人们比较常见的形式呈现。

三、马斯克的创业历程及其叙事剖析

（一）马斯克创业历程回顾

1. 马斯克的学生时代

作为一位极具冒险精神和热衷于尝试新事物的冒险家，马斯克的祖父曾自学如何驾驶飞机，并成为唯一驾驶单引擎飞机完成三万英里飞行的私人飞行员，和家族成员一起深入丛林寻找传说中的失落之城。马斯克从小就听祖母说及他祖父的各种九死一生奇特经历与英勇事迹，观看了他祖父积累下来的各种冒险资料。马斯克对祖父充满了崇拜，耳濡目染中继承了祖父的性格。在读小学时，马斯克就经常带着他表弟和同学去冒险。他们组成一个小团队，向邻居推销自己制作的复活节彩蛋。对于那些富裕的邻居，马斯克还能以高出市场价几倍的价格推销出自己的彩蛋。他甚至还组织好友在家自制装满炸药的火箭。

马斯克的母亲是一位“学霸”，在读书期间学习成绩一直很好，尤其擅长数学和科学。马斯克的父亲是一名机械和电气工程师，负责一些大型项目，如住宅楼、商场、空军基地等。父母为马斯克树立了良好的榜样。马斯克学东西总是比同龄人快，他的接受能力很强。此外，马斯克很喜欢读书，手不释卷，每天保持阅读 10 个小时的习惯，并且他还有过目不忘的记忆力，如月地距离他可以脱口而出。由于父亲特殊的工作背景，马斯克能够去父亲工作的工地参观学习如何铺砖以及安装管道、窗户和电线。学思结合，给马斯克的成长带来不可估量的益处，同时也使得马斯克对于学习保持着强烈的兴趣与动力。

马斯克在 10 岁时，开始接触到计算机。在父亲资助下，他很快就拥有了一台 Commodore VIC-20 型计算机，并且只用 3 个月的时间就学完了本需要 6 个月才能学完的 BASIC 汇编语言课程。马斯克 12 岁时在南非的一本杂志上发布自己独立设计的一款游戏源代码（Blastar），并获得 500 美元的报酬。高中时期，虽然马斯克的学习成绩总分排名不是班级前几名，但是他的数学成绩却十分突出。对于这一现象，马斯克解释说：“我只会努力学习那些我需要掌握的科目，对于其他的学科，只要及格就满意了。”17 岁时，马斯克离开南非前往加拿大，原本打算寄宿于一个远房表舅家，然而在其前往加拿大途中，表舅就搬去了明尼苏达州。于是马斯克不得不从事各种工作来维持生计，其中包括一份清理木材厂锅炉房的工作。

1989 年，马斯克进入了皇后大学进行学习。在大学阶段，马斯克学习商业课程，参加演讲比赛，培养了高度专注和竞争力的品质，并且结识了他的女朋友贾斯汀。1992 年，马斯克获得皇后大学的奖学金之后就转学到了宾夕法尼亚大学，并且修了经济学、物理学双学士学位。在宾夕法尼亚大学学习时，他在为其中一门功课撰写商业计划书时，提出了太阳能的重要性。大学期间，马斯克经常思考未来世界的发展方向，最后得出结论：互联网、可再生能源和太空探索是未来将会发生巨变的领域，并且决定进军这三个领域。从宾夕法尼亚大学毕业之后，马斯克本打算在斯坦福大学继续攻读博士学位，但是只读了 3 天便退学了，他渴望通过创业来实现自己的梦想。

2. 马斯克的第一次创业：Zip2

随着万维网的开放以及雅虎这样的门户网站的建立，越来越多的人开始接触到互联网。马斯克暑期在硅谷找了几份实习生的工作，为他第一次创业奠定了良好的基础。那些经历一方面锻炼了马斯克的工作能力，巩固了专业知识，另一方面也开阔了马斯克的视野。马斯克第一次创业的灵感来自一位推销员去他工作室推销黄页，马斯克听了该推销员关于推销网络分类的业务模式后萌生了帮助企业上网的想法。

1995年，马斯克和弟弟建立了一个名叫Global Link 的信息网站，后来该企业更名为Zip2。其主要业务模式有点类似于今天的美团模式，用户可以在网址上搜索需要服务（餐饮、娱乐、景点等）的位置信息以及提供的服务价格，并且可以对每次的服务进行打分。刚开始创业时条件很艰苦，马斯克兄弟租了一间很小的办公室，马斯克负责设计后台的原始代码，金巴尔负责挨家挨户地推销他们的服务。马斯克与两家公司合作：一家是湾区企业数据库，该数据库用来提供企业的名称和地址；另一家是综合电子地图信息提供商，用于提供地图导航。将两个数据库结合在一起，Zip2运作系统就基本搭建起来了。在公司运作前期，父亲资助了马斯克兄弟俩28 000美元，帮助他们创业。马斯克一边组建销售团队，一边持续不断地改进产品。

1996年初，风投公司莫尔达维多夫发现了Zip2中隐含的商机，给其投资了300万美元。马斯克利用这笔资金招募高水平的工程师，并且转变商业策略，提高了市场推广效果。在商业模式和公司结构转变之时，风险投资人迫使马斯克卸任首席技术官的职位，雇用索尔金担任CEO（chief executive officer，首席执行官）。后来，Zip2获得巨大成功。1998年，Zip2斥资3亿美元兼并竞争对手City Search。由于后来的人员配置问题无法达成一致意见，最后的兼并计划不欢而散。马斯克希望官复原职担任CEO，但是董事会拒绝了其请求。后来随着兼并计划的前功尽弃，Zip2的公司运营也开始陷入困境。1999年，康柏出资3.07亿美元现金收购Zip2。由于未掌握公司的控制权，马斯克不得不接受这次收购，他从中获得了2 200万美元。从这次事件之后马斯克吸取教训，决定将来再次创业时务必要取得公司的控制权和CEO职位。

3. 马斯克的第二次创业：PayPal

在银行工作期间，马斯克曾被派去完成一个任务，即查看不发达国家债务。在执行这个任务的过程中，他发现了一个商机：美国政府发行了布雷迪债券为巴西等国家的债务作担保。这些担保债券的价值为50美分，而实际的交易价格为25美分，中间有25美分的差价。马斯克为这个发现惊喜若狂，他将发现写成报告，可惜的是银行的CEO拒绝了该建议。马斯克由此反思银行家的行为特征，于是萌生了开设网络银行的想法，并在品尼高（Pinnacle）研究所和斯坦福大学等多个地方以此想法为主题发表演讲。虽然听众都认为由于网络安全等问题这个计划可行性很低，但是马斯克不这么认为。在Zip2被收购之前，马斯克就已经开始为网络银行的计划做准备，询问公司的工程师是否愿意加入他的新团队。

Zip2的收购给其带来了2 200万美元的资金，马斯克很快成立了一家专注于在线银行业务的新公司：X.com。X.com中具有一批高能力的人才，包括Zip2的工程师何艾迪，具有金融领域背景的哈里斯·弗里克（Harris Fricker）和克里斯托弗·佩恩（Christopher Payne）。但是，事情的发展并不总是如设想的那般美好。在X.com成立五个月后，弗里克和马斯克之间在公司的经营模式上产生分歧，最后的结果就是弗里克带走了公司的骨干。尽管公司人才所剩无几，阻止创建X.com类型公司的法律条文有很多，但是马斯克坚信可以克服这些困难，在他的努力下，公司获得了红杉资本的投资以及安德森等工程师们的加入，X.com获得了银行牌照和共同基金许可证，建立了第一家网上银行。

在X.com的前期推广过程中，马斯克采用类似于今天滴滴的市场扩张模式——用户注册一个账户，可以得到20美元的现金卡，邀请一位好友注册可以得到10美元的优惠卡，并通过技术革新缩短了传统银行的转账周期。不久，就出现了另一家公司（Confinity）也从事在线支付业务。两家公司的竞争非常激烈，促销活动的经费开支在千万元以上。其中，马斯克表现出了敏捷思维和职业风范，一天工作 23 小时也是常态、在所不惜。2000 年，两家公司决定不再恶性竞争，决定进行合并来实现利益的最大化。合并后不久，新公司X.com又从德意志银行和高盛集团获得了一亿美元的融资。但是由于企业文化不相容和技术分歧等问题，在公司合并2个月之后，原X.com公司的联合创始人彼得·蒂尔宣布辞职，原 Confinity 公司 CEO 列夫金也扬言要出走。只剩马斯克一个人支撑公司的运营，这期间公司每隔一周就会面临一次服务器崩溃的问题。公司的非良性运作使得投资人和内部员工质疑马斯克的决策能力。于是他们在 2000 年趁着马斯克和妻子度蜜月的时间发动了一场政变，由蒂尔取代马斯克担任 CEO，公司也被改名为 PayPal。马斯克对于这件事并没有采取报复措施，相反他还继续向 PayPal 注资，成为公司最大的股东。后来 eBay 打算收购 PayPal 时，在公司其他人员倾向于尽快卖掉套现时，马斯克建议董事会采取观望态度进而获取更高的收购价格。最终于 2002 年以 15 亿美元的价格完成了这次收购，马斯克从中获利 1.8 亿美元。

4. 马斯克的第三次创业：Space X

X.com 被收购以后，马斯克开始思考如何实现太空旅行的梦想。一方面，他研读书籍（苏联的火箭手册），另一方面，他移居到军事航空和商业航空城市洛杉矶，以便能有更多的机会接触到太空行业。通过“火星学会”和“火星生命基金会”结识了更多有共同兴趣的人，他们在一起探讨移民火星计划。尽管困难重重，但是马斯克没有退缩，他远赴俄罗斯去购买火箭，但是因为价格问题未能如愿。马斯克决定自己建造火箭，他用了几个月来研究航空工业及其背后的物理原理，研读了《火箭推进原理》《天体动力学基础》《燃气涡轮和火箭推进的空气动力学》等各种专业书籍。几乎所有人认为马斯克会如同之前的许多富豪一样，以失败告终，但是马斯克坚信他可以在别人跌倒的地方站起来，他组建了一支高水平的团队，团队成员很多具有在波音公司、TRW 公司工作的经验。

2002 年 6 月，Space X 成立了。马斯克将从 PayPal 收购中获得的 1.8 亿元中投入了1 亿元到 Space X，此举确保再也不会让 Zip2 和 X.com 的悲剧重演了。在 PayPal 收购的消息传来时也发生了一件令马斯克很痛苦的事，他刚出生 10 周的孩子夭折了。但是马斯克化悲痛为力量、化腐朽为神奇、化虚无为实有，坚定不移地推进自己的航天事业，为了组建高质量的团队，马斯克会亲自去顶尖航天学院联系成绩最好的学生，去他们的宿舍邀请他们加入自己的公司。在火箭的研发过程中发生了许多干扰问题，如火箭推进器的引擎阀门测试问题、光缆铺设问题、配件承包商工程进度慢的问题、火箭发射台的选址等。

马斯克带领工作团队克服了一个又一个干扰问题，走到了火箭发射这一步。但是

2005 年第一次火箭发射失败、2006 年第二次火箭发射失败、2008 年第三次火箭发射失败，这三次发射消耗了马斯克大量的人力物力财力，之前积累的财富消耗殆尽了，公司处在破产的边缘。公司剩余的资金只够再发射一两次火箭了，但马斯克不成功不罢休，坚持继续改进火箭，一定要发射成功。终于在第四次火箭发射成功，所有人对马斯克的嘲笑变换成了仰慕。也就是在这一次发射成功后，Space X 迎来了自己的春天，开始陆续有大公司发来订单，公司开始转危为安，实现盈利。现在的 Space X 这支太空新军已经开始火星运输计划。

5. 马斯克的第四次创业：特斯拉

马斯克思考电动汽车的潜在性已经有数年了，在工作之余他也在构思如何实现这个想法。斯特劳贝尔的一次谈话让马斯克发现电动汽车构想具有实现的可能。通过好友之间的相互介绍，马斯克结识了艾伯哈德。作为一位专注于电动汽车的高级工程师，艾伯哈德创立了特斯拉公司。经过一番沟通，马斯克对艾伯哈德的特斯拉公司投资了 650 万美元，成为特斯拉最大的持股人和董事长。在特斯拉第一辆原型车打造出来之后，马斯克又向特斯拉投资了 900 万美元。后来由于第一批电动汽车的成本问题，马斯克换了几任 CEO。将艾伯哈德解除 CEO 职位后，任命迈克尔·马克斯为首席执行官。后来，德罗里取代迈克尔·马克斯出任特斯拉的 CEO，但公司的运营结果始终不能让人满意。有前车之鉴的马斯克，这次成功地将创始人踢出，经过几番折腾，最终自己成为 CEO。

2008 年，特斯拉的资金所剩无几，准备起草破产申请，这一年也是马斯克 Space X 第三次发射失败之时。马斯克便立刻卖了自己的所有家产，将资金全部投入特斯拉，他的这份拼搏，给了戴姆勒公司一根强心剂，这才收到了戴姆勒公司的融资，才把特斯拉从破产边缘拉了回来。2010 年特斯拉成功上市，并研发多款车型，到 2013 年实现盈利。目前，特斯拉的市值已经超过宝马，成为全球第四大市值的汽车企业。2018 年特斯拉在上海开设第一个海外超级工厂。电动汽车这个大趋势，已经让这个特斯拉公司架上双翼，开始腾飞起来。马斯克的特斯拉已经开始人工智能的时代，开始了人工智能自动驾驶的革命。

（二）对马斯克创业历程进行剖析

1. 对马斯克第一次创业的剖析

马斯克能够快速把握住互联网带来的商机，通过创新商业模式，整合企业数据库和电子地图提供商的资源，开发出一种新的产品，充分利用了互联网带来的红利。然而鉴于这是其第一次创业，马斯克对股权不太了解，引入风险投资使其丧失对公司的控制权。后来虽然不能控制公司，但是马斯克仍然努力工作，之后由于高层经理人员决策失误导致 Zip2 陷入困境，公司最终被收购。在收购时获得的雄厚资金，马斯克可以进行更多尝试、为后继创业作资金铺垫。这一次创业可以说是成功的，也有其必然性。首先互联网在美国的逐步普及为新产业的发展带来了很大的机遇，马斯克很好地抓住了这次机遇，顺应了时代潮流。其次，马斯克从儿童时期就自学计算机编程对他后期开发软件提供了很大的帮助，他将线下推广的活动转移到了线上，充分挖掘了互联网带来的红利。Zip2 的成功，可以说是互联网时代所加持赋予的。

2. 对马斯克第二次创业的剖析

马斯克发现了传统银行业的落后保守、僵化固执，于是开创了网络银行，并采用先进的市场推广策略获得大量的用户。后来在 X.com 与 Confinity 合并过程中，由于双方高层对公司发展方向意见不统一，趁着马斯克与他妻子度蜜月的时间，董事会撤去了马斯克 CEO 的职位。从所有权与决策权的公司微观运营角度来看，这一次创业可以说是失败的，马斯克失去了对自己所创公司的控制。但是换个角度，从创新创业、企业成长、社会进步的行业宏观发展角度来看，这一次创业也可以说是成功的——PayPal 现在已经是世界上最大的网上支付公司了。马斯克完成了对现代银行的适度变革与金融创新，让银行插上了互联网的翅膀，利用移动互联网的便利性解决了线下支付的麻烦，让支付变得更快捷、更方便、更顺畅。

3. 对马斯克第三次创业的剖析

在经历前两次创业之后，马斯克有了充足的资金，于是开始实现在大学时期的梦想，在太空领域进行探索，从事火箭研发工作。航空事业是一件极其“烧钱”的事业，以往只有国家才有足够的财力支撑。目前只有美国、俄罗斯、中国三个主权国家才有能力进行独立的研发制造，但是马斯克打破了这一规律。尽管研发制造的过程很艰辛，猎鹰一号、二号、三号火箭的发射失败，几乎耗尽了马斯克所有的资金，但是马斯克对未来充满希望，他认为这件事有价值，对人类的发展具有极大的益处，他不惧流言蜚语地一直坚持下去。正是马斯克的坚定与执着，给团队中的其他成员带来了极大的精神力量，最终他的 Space X 成为世界上第一家能够独立将卫星发射到太空的私人公司。这一次的成功看似偶然，其实夹杂着一定的必然性：首先，作为世界的科技超级大国，美国拥有顶级学府和科研机构、充足的人才资源、完善的高科技工业基础，这为 Space X 的成长提供了良好的土壤；其次，美国政府对于私人航天业的扶持为 Space X 的发展带来不可估量的帮助；最后，马斯克个人特质，不达目的决不罢休的决心带领着 Space X 一路披荆斩棘，在广阔的太空不断积极探索着宇宙的奥秘。

4. 对马斯克第四次创业的剖析

马斯克向特斯拉投入了大量资金，成为该公司的第一大股东和董事长，对公司具有控制权。有了之前两次创业的教训，马斯克学会运用资本的力量，将特斯拉的创始人除名，从而确保公司在正确的轨道上前行。2008 年，马斯克面临资金窘境，手中拥有的现金只能让 Space X 和特斯拉两个公司存活一个，但他坚持不放弃，变卖了大量的资产，将所得资金全部注入了特斯拉，将特斯拉从破产的边缘拉了回来。这一次成功首先在于马斯克对电动汽车未来发展趋势的准确判断。随着全球变暖问题逐渐严重，各国都在制定和颁布保护环境的法规条例。作为一种时代潮流风向，电动汽车的发展将有效减少化石能源对环境的污染。其次，马斯克有非同寻常的商业头脑，他选择开放特斯拉的专利，在别人看来这是自断财路。但是这正是马斯克的高明之处，通过开放专利来扩大电动车市场的规模，形成规模效应，加速电动汽车的普及，进而将市场这个蛋糕做大。另外，具有战略眼光的马斯克，不是将其他电动汽车制造商作为竞争对手，而是将燃油汽车作为竞争对手，目前燃油汽车和电动汽车最大的区别就是燃油汽车加燃料的时间短，续航里程高。特斯拉 model S 的续航里程为 570 千米，快速充电的时间也仅为 4.5 小时。特斯拉在技术前沿上越发具有了明显的优势。

5. 进一步的剖析

马斯克的前四次创业历程分析简单呈现如表 1 所示。不难看出，与作为实质轻型互联网软件企业的 Zip2 及 PayPal 公司的不同之处在于，为更经济便捷有效开展太空活动的 Space X、应对于全球气候变暖问题的特拉斯与太阳城以及新近的从事脑机接口探索的 Neuralink 则属于高科技的重工业企业。相比于前两次创业，后三家企业消耗花费的资金庞大，公司整合难度高，科技的含量也要高很多，更有前瞻性，不容易受风险投资人的青睐。马斯克创办企业的目的已经不再是单纯的营利，而是从人类面临的问题出发，考虑人类未来的前途和命运，以人类总体利益为出发点进行各项决策，为全人类创造价值并赋予积极探索意义。

表 1　马斯克创业历程分析

公司名称	Zip2	X.com	Space X	特斯拉
主营业务	信息网站	网上支付、网上银行	航天火箭、卫星、太空运输	电动汽车、人工智能电动汽车
结果	康柏收购，马斯克获利 2 200 万美元	eBay 收购，马斯克获利 1.8 亿美元	担任 CEO 至今（2021 年）	担任 CEO（2021 年）
原因	马斯克对股权不够了解，公司控制权被风险投资者夺去，撤去他的 CEO 职位	公司出现内斗，董事会通过表决，撤去马斯克 CEO 一职，马斯克失去对公司的控制权	马斯克坚持不懈的精神，对太空的热爱和展望，使 Space X 渡过难关	马斯克对未来新能源汽车以及对人工智能电动汽车的趋势的认可，使特斯拉成为电动汽车中的佼佼者

（三）对马斯克的评价

1. 特立独行

马斯克有着非同常人的性格。在学生时代，当别的孩子都在玩耍时，他却沉浸在深度阅读之中。在大学本科学习时，他能够将大学所学和社会发展紧密结合，判断社会未来发展的趋势。在攻读博士学位时，他刚入校门不久便很快就决定辍学，积极投身互联网行业进行创新创业。当所有人嘲笑 Space X 不会有发展前景时，他坚信太空探索领域大有可为。当三次火箭发射失败，所有人都打算放弃的时候，马斯克坚持不放弃，想尽一切办法筹集资金，坚持到底。

马斯克的特立独行不仅体现在对于个人梦想的坚持，更体现在为梦想付出一切的决心与勇气。太空项目曾是美国国家航空航天局（National Aeronautics and Space Administration，NASA）垄断的市场，后来由于 1986 年航天飞机“挑战者”号、2003 年“哥伦比亚”号接连爆炸、2011 年美国的“亚特兰蒂斯号”航天飞机退役，美国就没有航天飞机可用，只得一方面通过和俄罗斯合作，另一方面扶持本国具有技术实力的民营企业，如波音公司、洛克希德·马丁公司等。由于各种原因，Space X 未取得 NASA 一次项目招标资格，NASA 将一份价值 2.27 亿美元的合同给了另外一家公司，这使得马斯克很气愤：为什么 NASA 要花纳税人的钱拯救弱者而不是扶持强者？

2004 年 5 月 5 日，马斯克在参议院作证，趁机向在座议员表达不满，他的律师还拿出了证明 NASA 程序不正义的证据，最后 NASA 被勒令撤销合同，Space X 险胜。马斯克还不惜挑战美国的体制，在法庭上控告美国空军。之前五角大楼需要向联合发射联盟（ULA）提供一大批高达 110 亿美金的合同，但是 Space X 由于未取得美国空军认证的发射火箭资格，没能获得这份合同，马斯克决定起诉美国空军。一方面，马斯克在媒体上宣称：“你不给我合同，我就告你。”另一方面，马斯克又在政府面前委屈地说道：“不是说要把合同给我们，但起码让我们公平竞争吧。”马斯克在“产业牌+家国牌”轮番上场的同时，并称“联合发射联盟的发射费用是 Space X 的四倍，他们的发动机都是俄罗斯人的，而我们的是自己造的。你们空军想什么呢，这是要给克里姆林宫公开送刀片吗？”（喻隽哲和张真真，2020）最终，这场纷争以和解与多赢而收场。2014 年 9 月，获得 26 亿美元美国空军合同的 Space X 与获得 42 亿美元美国空军合同的波音共同承担负责将 NASA 宇航员送入国际空间站的业务。

2. 从顺应到开创

马斯克创立 Zip2 和 PayPal 都是抓住了互联网带来的机遇。充分顺应互联网时代的“人类合作扩展秩序”“自生演化”趋势，他对于社会未来发展有一种敏锐洞察与精准判断。虽然这两次创业他都被董事会踢出 CEO 职位，但是作为创始人的马斯克缔造了在线服务和移动支付两个新兴产业。不仅如此，Space X 的发展也是赶在风口上。NASA2006 年启动了“商业轨道运输服务”（COTS）计划，2009 年又启动了“商业乘员开发”（CCDev）计划。在美国的航天飞机全部退役之后，NASA 通过资助商业公司的方式来发展美国的太空探索项目。回顾马斯克创办 Space X 的创业历程不难发现，在其遭遇资金危机时，是 NASA 的一项 16 亿美元的合同将马斯克从破产边缘拉了回来。马斯克后两次创业，特斯拉、太阳城都体现了马斯克对于人类命运前途的关注，不再是为个人谋私利，而是为人类谋划未来，减少未来的不确定性与风险。马斯克的格局越来越大，其公司已经开始了人工智能自动驾驶电动汽车计划、星链计划、火星移民计划及胶囊列车创想。从顺应时代到开创时代，是马斯克能够持续创业成功的显著表现。

3. 颠覆性创新

马斯克的创业过程一直在颠覆着传统行业与时代风尚。传统银行的故步自封，使得马斯克找到市场利基创立网上银行 PayPal。打破了由主权国家垄断航空的历史，马斯克创立的 Space X 公司成为世界第一个能将卫星送上太空的私人公司，成为继美国、俄罗斯、中国之外第四个能够独立将卫星运往太空的组织，开启了太空探索私营化时代。特斯拉的发展更是对传统汽车行业的一次颠覆，不用石油的汽车，改变公众对于汽车的认知。特斯拉研发出一次充电可以续航260英里的电动汽车，为解决全球变暖问题做出了不可磨灭的贡献。在其努力下，随着特斯拉在上海建立超级工厂以及2020年第一批产品的交付，电动汽车的趋势正在向我们走来。但马斯克并没有止步于此，他运用“第一原理”思想，根据人类的需求，不断地探索新领域。2013年7月马斯克的特斯拉及ET3提出胶囊列车计划，运用真空管道运输，理论运行速度可达到6 500千米每小时，速度比飞机还快。2015年马斯克提出火星移民计划，Space X将用10年时间运送8万人前往火星。有人可能觉得马斯克是一个疯子，但他更像是一个梦想实现家兼行动执行者。对于他内心的梦想，他会一步一步地去实践，尽管道路曲折、磨难万千，但是他不仅没有停下脚步，而是将其计划逐一实现。

4. 不惧怕失败

在Space X的火箭研发过程中，出现了很多次失误。例如，2014年8月，Space X在得克萨斯州的试飞中，一枚三引擎Falcon9R火箭在空中爆炸；2015年1月，猎鹰9号运载火箭搭载的龙飞船发射成功，龙飞船安全入轨，但猎鹰9号在回收时失败；2015年4月，火箭着陆姿态失衡，最终发生爆炸；2015年6月，猎鹰9号运载火箭升空后发生爆炸，给国际空间站运送的食物补给和科学仪器全都葬身大西洋；2016年1月，火箭着陆时发生倾斜，最终爆炸；2016年6月，火箭回收时发生自燃；2016年9月，猎鹰9号在推进剂加注操作中爆炸，价值2亿美元的通信卫星被摧毁；2020年1月，猎鹰9号四手火箭在肯尼迪航天中心发射升空，2分钟后在高空炸成烟花，4 300万美元瞬间烧光。甚至在最近一次龙飞船上天的前一天，Space X星际飞船SN4原型机在测试时又发生了爆炸。但是失败并没有击垮马斯克的意志，反而越挫越勇。马斯克从不怨天尤人，而是立即承认错误，分析导致失败的原因，提出解决的办法，虽然屡战屡败，但是屡败屡战，直到成功为止。不惧失败才能战胜失败。

5. 超强的学习能力

马斯克在幼年时期就表现出很强的学习能力。如前所述，他少年时代就能自学编程，设计出一款小游戏并据此挣到了数额不菲的收入。马斯克具有很高的学习意识，当遇到不懂的问题时，他会马上寻找专业书籍进行研读。例如，在向俄罗斯购买火箭的计划失败后，马斯克就阅读了大量的关于火箭方面的书籍，最后自己编制出了一个火箭制造成本表。不断学习使得马斯克从一个火箭小白迅速成长为能够与专业工程师探讨技术问题的CEO。

6. 分清生活和工作

马斯克的生活没有他的事业那么成功，在Space X刚成立不久，他10周的孩子夭折了。后来，他和贾斯汀的离婚案件被媒体炒作得沸沸扬扬。贾斯汀甚至还上了CNBC的节目《离婚的战争》，并在杂志上发表文章称“我曾是一个创业者的妻子：美国最混乱的离婚内情”。但是生活上的不如意并没有干扰到或打垮其工作。相反，马斯克在工作上兢兢业业，丝毫没有受到影响。

四、马斯克的创业叙事对国内创业者的管理启示

（一）要有宽宏视野

国内很多企业并不是依靠核心科技来打造自主品牌，而是通过代加工来赚取工本费来保持盈利，这样的情形很难培养出类似于Space X这样的企业。中国的创业大多都是市场驱动，市场需要了就开始创业，具有很大的滞后性。国内创业缺乏技术驱动和产品驱动。我们缺少类似于马斯克这样具有长远眼光的企业家，能够洞悉未来社会发展的趋势，愿意进行自主研发，而不是追求短期利益，寻求国外的专利授权，在最短的时间内获得盈利。如果什么条件都具备了，那还怎么实现创业拼凑呢？真正的创业者应具有宽宏的视野，要能够将不可能变成可能，要从潜在的趋势中看到希望的前景，要从现实的约束中找到方法去服务或满足于乃至创造未来的需求。

（二）运用生态思维

马斯克在大学里学的是物理学和经济学。他既不是火箭领域的工程师也不是电动汽车领域的专家，却能跨界创业并取得卓越辉煌。成功之处在于他能够洞察人心人性与前沿技术发展趋势（万斯，2016），将企业做成一个生态系统。创业界流传一句俗语：三流的企业做产品，二流的企业做平台，一流的企业做生态。马斯克开发了充电网站服务，搭载汽车联网电脑，对车辆电池组的管理技术进一步开发，研制出人工智能电动汽车系统，并使之整合成一个生态系统。这是特斯拉不同于别的汽车公司的关键所在，也是其成为一个优秀企业的原因所在。国内也有很多公司在做生态，如小米生态链、阿里巴巴电商生态。要想企业长久地保持竞争力，就须构建企业的生态链。

（三）能够高效学习

马斯克的每一次创业都是一次跨学科创业，从网络信息到网上银行，从火箭到电动汽车。每一次的创业都要求他对一个新领域有充分的了解，不断学习他所从事领域方面的专业知识。很多工程师都很惊异于马斯克的学习能力。Zip2的创业过程中，他自学编程，负责程序的设计。X.com的创业过程中，作为公司的CEO，他在大脑中不断补充银行业的相关法律法规知识以及如何管理公司的相关原理与实践技巧。在Space X 创立前期，他阅读了大量有关火箭发射的专业书籍，并能列出一张制造火箭的预算清单表，也经常询问工程师相关技术问题，很快就从一个技术小白成长为一个技术专家。在特斯拉的创业过程中，在不断的学习中，他对电动汽车改进提出了诸多意见。时代总是在进步，若不养成终生学习的习惯，就会变得无知，看待事物也会变得愚笨和迟钝。一些大公司，高管团队不懂得与时俱进，跟不上社会发展的节奏，倒闭只在一瞬之间。柯达和

诺基亚过去多年都曾是世界著名品牌的大公司，由于跟不上时代发展，庞然大物也会立刻轰然倒下。

（四）顺应时代潮流

从马斯克的前几次成功创业的经历可以看出，马斯克占据先机、迎风而上。Zip2和PayPal都是借助互联网的时代潮流来实现盈利。近些年，中国也有一批企业顺应了时代发展潮流以取得了巨大的成功。拿BAT（百度、阿里巴巴、腾讯）来说，百度利用互联网建立了全球最大的中文搜索引擎，阿里巴巴借助互联网开发支付宝和淘宝，推动中国进入无现金社会，腾讯利用互联网开发了同时在线人数过亿的即时通信软件。这三家企业能够成功，顺应互联网时代潮流的因素功不可没。不言而喻，中国现在的企业家创业更应抓住时代脉动、挺立潮头，如大数据、区块链、5G技术、人工智能等，选择蓝海区，避免在红海领域创立项目。如何才能缔造一个伟大的甚至能够延续百年而非昙花一现的企业，始终是国内工商管理学界所孜孜追问的一个重大使命、纠结课题。如何选择创业领域，是中国创业者应该深入思考的一个问题，道路决定结局，创业失败很大一部分原因在于创业的起点错误。

在顺应潮流的前提下，敢想敢做是马斯克能够创业成功的一大因素。国内的创业者不是缺少发现商机的眼睛，很多创业者也能发现社会的一些痛点问题，如乡村交通的“最后一公里”，但是很少有人去实践如何解决这个问题，大多数停留在抱怨和等待的阶段，一边抱怨问题怎么到现在还没有解决，一边逆来顺受地“搭便车”等待他人来解决这个问题；或者处于构思的阶段，有想法，但是不敢将想法变成行动，究其原因，一方面是传统“中庸”文化的影响，得过且过，另一方面是缺乏冒险精神。以共享单车OFO的创业为例，戴威发现了“最后一公里”问题，并且创造性提出解决方案，体现了敢于和善于解决问题的态度与能力。例如，在新冠肺炎疫情背景下，部分创业者投资口罩等医疗物资的生产，既满足了社会需求走在风口之上，也能够为企业开拓并创造价值。

（五）认知第一原理

火箭的回收、特斯拉汽车及太阳城这一系列的技术的革新，都与马斯克对第一原理的认知有关。可以说，正是有了马斯克对第一原理的思考，才有了这三家技术公司的腾飞。第一原理由古希腊亚里士多德第一次提出，它是哲学和科学方法论中一个重要的概念。第一原理认为研究任何事物先要从事物的本质开始研究观察，然后再把本质剖析开一层层地往后推。马斯克正是在对物理学中的第一原理的反思中，得到了那些让人难以想象的科技创新。也正是第一原理给了马斯克绝对的信心，使得马斯克才能放开手脚朝自己认为对的方向前进。

以马斯克的Space X火箭和载人龙飞船为例，猎鹰九号和龙飞船用的都是Intel双核的x86处理器；操作系统用的是Linux，还有LabView和Matlab；软件工程用的是

C++，有些时候也用 Python；整个主控程序只有几十万行代码。传统的火箭制造商所用的都是宇航级器件，以现有载人飞船搭载的星载计算机和控制器举例，一套系统的成本总计约 1.4 亿元人民币，但是 Space X 的龙飞船主控系统的芯片组，仅用了 2.6 万元人民币，成本相差 5 384 倍！正是马斯克对第一原理的深刻理解和灵活运用，使得火箭的发射成本不断下降，才造就了 Space X 的巨大成功。

第一原理需要想办法破解现有的假设，直至找出基本组成部分。马斯克就是运用第一原理，让 Space X 的成本远远低于 NASA 制造的火箭。他算了一下，火箭身上并没有什么神奇的零部件，造火箭的材料无非是航天级别的铝合金、金属钛、铜、碳纤维等，这些材料的市场报价也就相当于 NASA 火箭报价的 2%（佚名，2020）。马斯克建造 SpaceX 时，做了很多“不按套路出牌”的事。例如，尽量不外包，80%的零部件都由自己生产；原材料采购的方式更加灵活，甚至会到 eBay 去买材料，到废品厂去买二手零部件；不用定制，而是用民用产品的产业链做火箭。这些方式不但极大降低了成本，还重新定义了火箭，把航天从神话事业变成了民间市场（瓦罗尔，2020）。适当采用第一原理，便能在其他积重难返、市场竞争不充分的地方，找到类似的机会。

马斯克运用第一原理思想，提出了许多符合物理学逻辑及人类需求的想法，超级高铁、星链计划及火星移民计划为企业技术创新指明了方向。如同思路决定出路，中国的创业者要摒弃快速变现的思维，牢固树立问题意识，以人类面临的问题作为创业的出发点，同时从根本解决问题（即第一原理思想作为创业过程的指导思想），才能取得创业的成功。例如，京东就采用了第一原理思想来自建物流体系，解决了国内快递速度慢的问题。这一点，无疑就像吉利汽车的董事长李书福早年对于汽车拆分还原式的理解一样——“汽车的简单化实质无非就是四个轮子加上一个方向盘”。

有一个非常著名的问题：“李约瑟之问”（欧洲在 1770 年之前，相对于中国没有什么科技优势，为什么在短短一百年的时间里会拉开这么大的差距？），对此赫拉利曾做过回答：中国不缺生产蒸汽机的技术，但是缺少革命性的思维方式，东方文明的思维方式属于归纳法思维（实践操作在前，经验总结在后），而西方文明属于演绎法思维（理论假设在前，实践经验在后），所以前两次工业革命都起源于西方。中国的创业者要改变这种归纳法式的思维方式，采用第一性原理的方式去思考（即科学的思想方式+哲学的思想方式+商业的思考方式），才能取得颠覆式创新。

运用第一原理颠覆一个领域并实现领域的飞跃，需要正确处理如下三个问题。第一，我们要肯定物理学的理论知识，对符合物理学逻辑的技术革新，即使再难实现也要坚决相信，马斯克的火星移民计划就是如此。只要有实现的可能性，就会有实现的一天。另外，伴随着现代科技飞跃式的前进，以及人类对外界事物的认知越加完善，将来技术开发的速度将会越来越快，周期也会越来越短，从而相信自己一定能够将其实现。第二，要让目标技术在现实中有用武之地，科技的创新是为了方便人们更好地生活，所以能为人类更好的生活所用，才是创造的目的根源所在。也有一些颠覆性的技术创新是将来有需求的可能，只是理论上的需求，而现在的社会是对此没有需求的。当然，颠覆性的技术也是需要理想主义情怀的。第三，需要研究从理论化的物理学原理到创造出具体的目标技术之间的方式方法。这个途径是组织员工将抽象物理学理论实现到目标技术的基础和前提。马斯克认为，应该把人类对外界事物的认知梳理出主干和分支，深入理解这些人类认知的物理学原理，再把目标技术物理学原理的所有细节问题分给各个不同专业领域的专家研究，分清各个领域的本质，就可以做到目标技术的革新。

五、结语与讨论

概而言之，如前所述，以马斯克的创业实践为案例，对四次创业历程进行剖析，运用创业叙事等相关理论，对马斯克在创业行为过程中运用的战略抉择、管理思维及其商业模式进行了探讨，给出了马斯克创业叙事的相应管理启示。毋庸置疑，马斯克的创新创业选择给中国创业者带来了极大的启发价值与借鉴意义。不仅如此，马斯克的成长轨迹、个人特质、创业历程对国内的创新创业、经济发展、社会进步、营商环境、科技管理、宏观战略、政策抉择等诸多方面在近些年来产生了积极的触动与深远影响，引发了极大的关注与众多的探讨。一言以蔽之，在后发追赶型、2035 年基本实现现代化并进入创新型国家前列、为完全实现中华民族伟大复兴的这样一个发展中大国，政府要在全社会培育鼓励创业和宽容失败的社会氛围，健全法律法规，简政放权，为创业者提供良好的创业环境。也即从四重螺旋及 6W2H 的视角来看，宜先改善营商环境、鼓励创新创业，再探讨如何倡导或进行技术创业，继而调整调适尽量规范，继续睁开眼睛看待新世界，把握新趋势。具体如下。

（一）颠覆式技术创新：从乔布斯到马斯克的一些尚待继续挖掘中的经典案例

如奥肯所言："一个好的例子往往胜过一千个方程"（萨缪尔森和诺德豪斯，1999）。同样，塞西尔认为："一克的经验抵得上一吨的理论。"纪伯伦则称："一件事实就是一条没有性别的真理。"更何况在以美国为代表的一些发达经济体、创新型国家，近些年涌现出像乔布斯、扎克伯格、马斯克之类的众多经典创新人物及其创业案例。从创业历程比较来看，乔布斯主要成就是创立苹果公司，改变了智能手机和个人电脑行业，而马斯克则一口气改变了四个行业，包括金融（PayPal）、能源（太阳城）、汽车（特斯拉）及航空航天（Space X），而且这些领域差之千里。为此，从创业叙事、案例研究与深度剖析入手以探讨其独特的创新创业历程给中国带来的重要价值启示尤为紧要。

就硅谷而言，最初的英雄是休利特、帕卡德、盖茨，他们改变了世界。尤其是以盖茨为代表的创新创业人士，让每个人都能简便地操作电脑，把人类带入数字时代。但之后的盖茨变成一个收割者和保守者，而不是贡献者和继续突破者，除了 Window 和 Office，再也拿不出像样的成就了。之后，新一代硅谷英雄登场，佩奇的谷歌改变了人类的信息获取方式，扎克伯格的 Facebook 改变了人类的社交方式，贝索斯的亚马逊改变了人类的购物方式。这几位硅谷大佬，引领了 21 世纪头十年的世界科技发展。然而，之后重大的根本性问题则是关乎人类长远生存与发展的问题，如能源枯竭与环境恶化。近些年来，私人企业家中，更多的是马斯克在思考和解决这些问题。从这个意义上讲，马斯克是乔布斯之后最伟大的企业家，其伟大之处甚至超越乔布斯，如果说乔布斯的创业历程是一段传奇，马斯克的创新探险则是一段史诗。

（二）厨房、车库到创客空间：从“奇思妙想”到“适合产品”

熊彼特认为，创新就是要实现生产要素或生产条件的“新组合”并将其引入生产体系，而实现这种“新组合”能够创造新价值并力争获得潜在利润的行为则称为创业。德鲁克称，创新是赋予资源以新的财富创造能力的行为，而创新则是创业的特定工具（刘志迎等，2016）。随着社会福利制度完善、生存生活环境改善，很多人在专业工作之余能够利用业余时间释放其过剩的“热情”。对美国人而言，历史上很多知名的科技企业都在车库里诞生，如惠普、迪士尼、福特、苹果、雪佛兰、哈雷（摩托车）、亚马逊、微软、谷歌、Aspec 等（付群英和刘志迎，2016）。那么，如何借鉴创新型国家的诸多有效举措来更好地引领中国人在专业工作之余利用业余时间释放其过剩的“热情”呢?

在美国等创新氛围浓厚的国家，人们将车库、地下室等一些地方打造成实践创新、探索创业的场所（冯海敏，2015），也即创客空间。国外的创客空间已有了多年的探索和成长，现在已渐臻成熟并对科技创新、推动经济发展产生重大影响（宋刚和张楠，2009；徐思彦和李正风，2014）。2012 年，随着安德森的著作《创客：新工业革命》在中国出版发行，创客的概念被引入中国，国内各大城市开始涌现各类创客空间。近些年来，在北京、上海、深圳、合肥、武汉、南京、成都等地纷纷出现了像车库咖啡、创新工厂、3W 咖啡、IC 咖啡、梦工场、柴火、洋葱胶囊等各类创客空间。然其发展现状、未来趋势以及可能尚存的一些障碍和瓶颈有待进一步深入研究。

（三）需求牵引或技术推动的中国创业叙事可能：从马云到任正非

自太空探索公司的载人龙飞船成功发射、火箭实现回收再利用，国内再一次引发“马斯克之问”。对此，有很多网友分析可以概括为以下两点：首先，要孕育 Space X 这样的公司，科学技术、融资市场、元件价格优势、知识产权保护、低廉的能源和地价，缺一不可。但是中国相比于美国，在这些方面尚有差距。其次，可以看出在中国创业靠消费推动，在美国创业靠技术推动，以独角兽企业为例，中国的独角兽主要分布在文娱媒体、汽车交通领域。电子商务等领域，如今日头条、滴滴出行、拼多多，都是消费推动的，而美国的独角兽，大部分属于云计算、金融科技和人工智能等行业，如 Infor、We Work、Stripe 主要是技术推动。

中国为什么出不了马斯克一样的创业者，以马云和马斯克的一次对话为例，马云是以活在当下为出发点的，诉求是“给岁月以文明，而不是给文明以岁月”“宇宙很大，生活更大”；马斯克则是以未来反推当下需要做什么，机会的窗口转瞬即逝，为了人类的终极延续，不惜舍弃眼前的享受。不可否认的是，世界需要马云这种立足当下的人，解决人类的需求问题——打车、购物、社交、旅行、支付，想办法让大家的生活更方便些。但是更需要马斯克这种开拓未来的人，为人类的终极问题未雨绸缪。从这个意义上来讲，中国也更需要马斯克这样的尖端技术深度创业者。

创新活动本身就是管理的一个重要环节，对于任何一个公司都是至关重要的。马斯克对企业的技术创新尤为关注。作为高科技公司，特斯拉及Space X在技术领域都具有世界领先水平。值得注意的是，国内的创业者一定要注重科技的研发。以华为为例，它一直很强调公司的自主研发。据统计，华为2019年的研发费用高达113.3亿欧元约883.28亿元人民币，高于BAT之和。所以华为在美国技术封锁及打压下仍然可以不受影响。即使美国禁止芯片出口，华为也已经开发出了自己的芯片，即使禁用安卓系统，华为也已经做好了备胎计划，有自己鸿蒙操作系统，自主研发的重要性不言而喻。

（四）有效市场与有为政府的有机混合可能性：乔布斯、马斯克创业背后的技术铺垫、税收减免、项目合作、政府采购等

马祖卡托（2019）在其著作中一再强调："欧洲和苏联实行的似乎是一种陈旧的、隔绝的、国家驱动机制，然而美国玩的两面派游戏则是说起来一套做起来完全另一套的。"王晓兵教授讲："美国不让别国干预市场，而它自己则是干预市场的隐形高手。"也即第二次世界大战以来，美国对外部世界一再倡导忽悠别的国家迈向小政府及所谓纯粹自由市场的理念，动辄运用其长臂管辖权限、世界警察身份对其他国家或地区横加指责、不断批评政府干预市场。同时，它对自己国内却又运用政府的力量将众多公共资金引入科技创新项目，这成为其经济大获成功的诀窍与基石。无论是互联网、生物技术还是页岩气等，美国政府一直是创新引领增长的关键推手，它坚持在创新周期中不确定性最大的阶段进行投资，积极帮助企业渡过难关并不懈铺平发展道路。故而，中国如果想借鉴美国的方法，应当拿来它的一些具体实在的有用有效做法，而非简单像新自由主义学者们所主张的那样去轻信美国政府天花乱坠的那些蛊惑人心的表面说辞。再者，也正如马祖卡托所一直坚持认为的那样，政府不能仅在市场失灵的时候去修正它，而是应该更大发挥市场驱动作用，甚至投资新研发、创生新技术、创造新市场。也即作为创业型政府，除了界定产权、维护合约（含保障安全等）外，还要发挥其第三种作用：创业不确定性的风险承担者。对此，王成军等（2022）借助三重螺旋战略工具、创新理论对合肥现象所引发的创新型城市进行了一定的深入探讨。

从互联网到时下的包括低碳绿色技术在内的绝大多数的技术革命，背后无不依靠政府的大力推动。为此，连硅谷的那么多自由派的科技专家大咖们都在承认这样的一个基本事实，那就是美国政府资助了众多创新研发，推动了信息革命、能源突破、AI发展以及基因技术的颠覆性进展。甚至，马祖卡托教授用了不下于一整章长篇详细阐述了苹果公司的技术基础铺垫完全出自政府之手。"使苹果手机成为智能手机而不是普通手机的那些底层关键技术都是政府资助研发的。例如，它所依赖的互联网前身是20世纪60年代美国国防高级研究计划局组建的阿帕网。全球定位系统源自20世纪70年代美国军工项目定时测距导航卫星系统。触屏技术来自Finger Works（美国旧金山一家小公司，

后被苹果收购），该公司由特拉华大学的一位教授与其一名博士生创办，并得到美国国家科学基金会和中央情报局的资助。智能语音助手技术源头则是美国国防高级研究计划局人工智能项目带来的一项副产品。”马祖卡托（2019）还详细写出了美国政府的多种税收减免政策以及采购支持使得苹果公司获利丰厚。当然了，讲到这些，也并不否认乔布斯等的天才般的企业家精神在公司创办与成长过程中所起到的巨大作用。它们是不矛盾的，而是相辅相成地、完全开创性地融合在了一起，才有了苹果的辉煌巨就。

通过一系列有力举措，美国政府积极创造了新兴市场。例如，美国政府资助了马斯克的特斯拉、太阳城及 Space X 等三家绿色公司。它们至少获得了 49 亿美元的资金支持，如拨款、税收减免、投资建厂和补贴贷款等。政府还为购买太阳能电池板、电动汽车的消费者提供税收抵免和税收优惠，以刺激销售。Space X 和美国政府签订了价值 55 亿美元的合同，同时也与 NASA 及美国空军签订了 55 亿美元的合同。正如马祖卡托（2019）所说："尽管此类的政府支持一再成为媒体批评的焦点，还有两点没引起关注呢：第一，特斯拉汽车公司获得公共资金担保的4.65亿美元贷款；第二，美国能源部直接投资激进技术，如电池技术和太阳能电池板技术，这让三家企业从中受益。NASA 资助的火箭技术，正在被太空探索技术公司用于国际空间站。"与欧洲及其他地方不同的是，美国政府长期一直是诸多关键技术开发的幕后推手，而且美国的一些天才企业家所创建的私人部门紧跟着整合了那些技术并取得了更大的崭新突破。毫无疑问，这些事实远非媒体上那些铺天盖地的片面报道。如进一步深谙内情，断然不可能得出"美国那么多伟大创意的公司都是创业者、企业家甚至若干离经叛道的退学者个人在凭借一己之力孤军奋战"之类的谬论的（王成军和方军，2020）。

（五）创新型国家的有力建设及其稳健运行：四重螺旋框架下的创业型政府的无尽探索

然而，也需注意政府与企业的边界议题。正如黄亚生等（2015）提及"在新兴产业发展上，政府的角色更多是政策引导，在产业起步阶段适当扶植是必需的，但这种扶植如果被无限期延长，那么这个产业永远将是襁褓中的稚嫩孩子。政府为了推动新兴产业的发展，提供了额外的优惠与支持，但可能会扭曲市场，给企业传递错误信号"。的确，其中无不涉及尺寸把握与度的拿捏纠结。一般来讲，19 世纪中叶，中国和日本几乎同一时刻被西方列强不大情愿地打开了国门。当时，日本的国内民间力量薄弱不堪，有为政府操办了一系列的公司，等办到一定的程度或者待企业上了些规模或走上正途，政府便开始逐步退出，将公司转手给私人经营，先欠着政府的款项慢慢偿还付清，然而每年的税收是必须要缴纳的。然而，与之相比，中国当时在这一方面的理念与行动显然滞后不少（王成军和方军，2020）。

有一点必须指出，政府有形之手，早期铺垫扶植与后来干预市场毕竟有天壤之别。尽管如此，也不得不承认，作为一个发展中的大国，中国用了 40 多年的时间一直在努力发展经济，试图要走过并超越西方资本主义世界 400~500 年的历程，何其艰难？可谓，曲折坎坷在所难免，跌宕起伏如履薄冰，非常不易。于是，也就有了举国体制以及新型举国体制下的关键技术或“卡脖子”技术的尝试谋求突破诸多研究。研究大国之创新成长、崛起腾飞，可谓惊心动魄！有些理论是原先已有并被运用过，有些理论正待实践检验和丰富，有些理论还可能进一步引进和尝试。其中至少有这么一些：李斯特的国家追赶学说、戴慕珍和何梦笔的“地方政府企业化（local state corporatism，LSC）”（Oi，1992；何梦笔，2009；王成军等，2015，2018；赵树凯，2019）、赫兹的“公司国家（Corporate State）”（赫兹，2007；王成军等，2011）、埃茨科维兹和莱德斯多夫的三重螺旋（Etzkowitz and Leydesdorff，1995）、周春彦和埃茨科威兹的双三重螺旋（周春彦和埃茨科威兹，2006）、王成军及其他一些学者的四重螺旋（王成军和王德应，2008；傅琳和王焕祥，2011；王成军，2016；黄瑶和王铭，2018；杨晓斐和武学超，2019；吴菲菲等，2020a，2020b；王成军和方军，2020）等。如今，又有了马祖卡托的“创业型政府”。进而，这些可资借鉴或相似性颇高的发展理论、创新模型、战略工具如何衔接、协调、配合，如何阶段性或整体性地发挥其极大效用，积极促进中国迈向发达国家或者创新型国家并稳健运行呢？为此，不无期待着将来能有更多学者在四重螺旋的框架下进一步深入展开探讨创业型政府在创新型国家建设运营过程中是如何做出卓越性贡献的。

参考文献

包佳妮，周小虎，陈莹，等. 2017. 制度环境对创业认知的影响机理. 科技管理研究，37（7）：212-218.

戴清. 2020. 快递人的创业故事与精神成长——电视剧《在远方》的精神内涵与叙事艺术. 中国电视，（4）：34-38.

董延芳，张则月. 2019. 中国创业者创业机会识别研究. 经济与管理评论，35（6）：57-67.

杜晶晶，王晶晶，陈忠卫. 2018. 叙事取向的创业研究：创业研究的另一种视角. 外国经济与管理，40（9）：18-29.

冯海敏. 2015. 车库里的美国创客. 金融博览（财富），（5）：51-53.

付群英，刘志迎. 2016. 大众创新：内涵与运行模式. 科学学与科学技术管理，37（2）：37-44.

傅琳，王焕祥. 2011. “大学-产业-政府-民间”创新的四重螺旋初探. 管理观察，（17）：18-23.

郭峰，邹波，李艳霞，等. 2019. 基于社会身份认同的学术创业者身份悖论整合研究. 研究与发展管理，31（2）：34-43.

赫兹 N. 2007. 当企业收购国家. 朱琳译. 杭州：浙江人民出版社.

侯军利，王伟光. 2019. 创业者机会认知、行为决策与企业家精神——对 JBV 1990-2017 年的文献分析. 科技进步与对策，36（23）：153-160.

黄亚生，张世伟，余典范，等. 2015. MIT 创新课——麻省理工模式对中国创新创业的启迪. 北京：中信出版社.

黄瑶，王铭. 2018. “三螺旋”到“四螺旋”：知识生产模式的动力机制演变. 教育发展研究，38（1）：69-75.

克兰迪宁 D J. 2012. 叙事探究——焦点话题与应用领域. 鞠玉翠译. 北京：北京师范大学出版社.

刘畅，窦玉芳，邹玉友. 2016. 创业者社会网络、资源获取对农村微型企业创业绩效的影响研究. 农业现代化研究，37（6）：1158-1166.

刘志迎，徐毅，洪进. 2016. 众创空间：从“奇思妙想”到“极致产品”. 北京：机械工业出版社.

马娜. 2019. 人物传记的叙事策略——评戴尔·卡耐基著《林肯传》. 江西社会科学，39（12）：3-8.

马祖卡托 M. 2019. 创新型政府. 李磊等译. 北京：中信出版社.

萨缪尔森 P，诺德豪斯 W. 1999. 经济学（第 16 版，中译本）. 萧琛等译. 北京：华夏出版社.
宋刚，张楠. 2009. 创新 2.0：知识社会环境下的创新民主化. 中国软科学，（10）：60-66.
瓦罗尔 O. 2020. 像火箭科学家一样思考. 李文远译. 北京：联合出版公司.
万斯 A. 2016. 硅谷钢铁侠——埃隆马斯克的冒险人生. 周恒星译. 北京：中信出版社.
汪忠，严毅，李姣. 2019. 创业者经验、机会识别和社会企业绩效的关系研究. 中国地质大学学报（社会科学版），19（2）：138-146.
王成军. 2016. 社会创业——基于四重螺旋的捐赠大学研究. 北京：经济科学出版社.
王成军，方军. 2020. 知识管理——基于四重螺旋的创新创业研究. 北京：社会科学文献出版社.
王成军，潘燕，陈忠卫. 2015. 公司国家框架下人均收入倍增计划实施途径. 甘肃社会科学，（1）：231-233，248.
王成军，王德应. 2008. 第四螺旋视域中的战略技术规制问题研究. 汕头大学学报（人文社会科学版），（5）：74-79，96.
王成军，王肖肖，付祥云. 2018. 基于 CiteSpace 的三重螺旋研究热点分析与趋势展望. 演化与创新经济学评论，12（2）：46-58.
王成军，王正丽，李丹丹，等. 2011. 三重螺旋研究进展及其模型结构. 演化与创新经济学评论，7（1）：94-122.
王成军，徐雅琴，方明，等. 2022. 三重螺旋视角下合肥创新发展的建设主体研究. 中国科技论坛，（1）：112-121.
王辉. 2015. 创业叙事研究：内涵、特征与方法——与实证研究的比较. 上海对外经贸大学学报，22（1）：68-78.
王玲玲，赵文红. 2011. 创业资源获取、适应能力对新企业绩效的影响研究. 研究与发展管理，29（3）：1-12.
王阳. 2018. 英语科技类访谈的交替传译策略——特斯拉总裁埃隆・马斯克访谈的口译实践报告. 大连外国语大学硕士学位论文.
吴菲菲，童奕铭，黄鲁成. 2020a. 中国高技术产业创新生态系统有机性评价——创新四螺旋视角. 科技进步与对策，3（5）：67-76.
吴菲菲，童奕铭，黄鲁成. 2020b. 组态视角下四螺旋创新驱动要素作用机制研究——基于中国 30 省高技术产业的模糊集定性比较分析. 科学学与科学技术管理，（7）：62-77.
徐思彦，李正风. 2014. 公众参与创新的社会网络：创客运动与创客空间. 科学学研究，（12）：1789-1796.
杨晓斐，武学超. 2019. "四重螺旋" 创新生态系统构建研究. 中国高校科技，（10）：30-34.
杨盈龙，孙百卉. 2019. 媒介融合时代传统文化节目的 "故事世界" 建构——从跨媒介传播到跨媒介叙事. 中国电视，（12）：70-73.
佚名. 2020-11-23. 像火箭科学家一样思考，为你的人生火箭蓄满能量. http://www.dycjzx.com/jxky/jyz/kxz/kxtj/content_784253.
喻隽哲，张真真. 2020-06-01. 创造历史的 Space X. https://baijiahao.baidu.com/s?id=1668228630592606509&wfr=spider&for=pc.
张慧玉，程乐. 2017. 创业叙事研究述评与展望. 商业经济与管理，（3）：40-50.
张秀娥，孟乔. 2018. 中国创业制度环境分析——基于与创新驱动经济体的比较. 华东经济管理，32（6）：5-11.
赵树凯. 2019. 中国故事新解读. 读书，（10）：24-33.
周春彦，埃茨科威兹 H. 2006. 双三螺旋：创新与可持续发展. 东北大学学报（社会科学版），8（3）：170-174.
祝杨军. 2018. 初创企业生存发展的困境与出路——基于 SC 创业领导力模型的叙事研究. 领导科学，（7）：34-36.
Carsten Herrman-Pillath. 2009. 政府竞争：大国体制转型的理论分析范式. 广东商学院学报，（3）：4-21.
Etzkowitz H，Leydesdorff L. 1995. The triple helix of university-industry-government relations：a laboratory for knowledge-based economic development. EASST Review，14（1）：14-19.
Garud R，Giuliani P. 2013. A narrative perspective on entrepreneurial opportunities. Academy of

Management Review，38（1）：157-160.

Garud R，Kumaraswamy A，Karn E. 2010. Path dependence or path creation? Journal of Management Studies，47（4）：760-774.

Gumpert A，Stevenson H. 1985. The heart of entrepreneurship. Harvard Business Review，63（2）：85-94.

Oi J C. 1992. Fiscal reform and the economic foundations of local state corporatism in China. World Politics，45（1）：99-126.

Pahnke C，McDonald R，Wang D，et al. 2015. Exposed：venture capital，competitor ties，and entrepreneurial innovation. Academy of Management Journal，58（5）：1334-1360.

Zhou C Y，Etzkowitz H. 2021. Triple helix twins：a framework for achieving innovation and UN sustainable development goals. Sustainability，13（12）：1-19.